Bernhard Grzimek

# Grzimek
# unter Afrikas Tieren

Erlebnisse, Beobachtungen,
Forschungsergebnisse

Ullstein

Mit 52 Farbbildern und 10 einfarbigen Bildern,
wovon 46 vom Verfasser und 6 von
Alan Root, Nairobi, aufgenommen sind.

VERLAG ULLSTEIN GMBH · BERLIN · FRANKFURT/M · WIEN
© 1969 by Verlag Ullstein GmbH, Frankfurt/M-Berlin
Printed in Germany
Gesamtherstellung Druckhaus Tempelhof

Von Prof. Dr. Dr. h. c. Bernhard Grzimek erschienen bisher folgende Bücher:

Wir Tiere sind ja gar nicht so
Unsere Brüder mit den Krallen
Das Tierhaus in den Bergen
Kein Platz für wilde Tiere
Wir lebten mit den Baule
Das Eierbuch
Krankes Geflügel (Handbuch der Geflügelkrankheiten)
Zwanzig Tiere — ein Mensch
Thulo aus Frankfurt — Rund um die Giraffe
Serengeti darf nicht sterben
Nashörner gehören allen Menschen
Wildes Tier, weißer Mann
Mit Grzimek in Australien (Vierfüßige Australier)
Grzimek unter Afrikas Tieren
Grzimeks Tierleben (13 Bände)

Natura enim non imperatur, nisi parendo.

*Wir können die Natur nicht beherrschen, wenn wir uns ihr nicht unterordnen.*

Francis Bacon,
englischer Philosoph, 1561—1626.

# INHALTSVERZEICHNIS

*So finden wir den ebenso erbärmlichen wie unverschämten Kunstgriff, alle die natürlichen Verrichtungen, welche die Tiere mit uns gemeinsam haben und welche die Identität unserer Natur mit der ihrigen zunächst bezeugen, wie Essen, Trinken, Schwangerschaft, Geburt, Tod, Leichnam und andere mehr, an ihnen durch ganz andere Worte zu bezeichnen als beim Menschen. Dies ist wirklich ein niederträchtiger Kniff.*

*Arthur Schopenhauer (1788—1860)*

Von den vielen Büchern, die ich im Laufe der Jahrzehnte geschrieben habe, befassen sich nur vier mit Afrika. Dieses ist das fünfte. Es enthält eigene Erlebnisse der letzten Jahre im Schwarzen Afrika und Abschnitte über einzelne Tierarten des Schwarzen Erdteils: Elefanten, Riesenschlangen, Krokodile, Gorillas, Giraffen, Löwen, Kamele, schwarze und weiße Nashörner, Strauße, Heuschrecken, Hyänen und Wildhunde. Ich habe mich bemüht, meine eigenen Erfahrungen und die Beobachtungen und Forschungsergebnisse anderer an diesen afrikanischen Tieren zusammenzufassen, so wie sie heute vorliegen. Dabei habe ich gemerkt, daß das schwieriger ist und mehr Arbeit und Platz braucht als nur vor ein paar Jahren.

Denn erst seit 1960, nachdem die schwarzafrikanischen Staaten selbständig geworden sind, haben Biologen begonnen, sich mehr und mehr damit zu befassen, wie afrikanische Großtiere leben, wie sie mit ihrer Umwelt auskommen und was sie zum Dasein brauchen. Überall in den Nationalparks gibt es jetzt Zoologen, im Serengeti Research Institute sind ganze Gruppen von Biologen tätig und ebenso an den neugegründeten ostafrikanischen Universitäten. Früher forschte man bestenfalls in »pest control«, d. h., wie man Tierarten ausrotten oder kleinhalten könnte, die den Äckern der Menschen schaden, ihre Kühe reißen oder auf Eingeborene und Haustiere Krankheiten übertragen können.

Das hat sich heute gründlich gewandelt. Tansania hatte in der Kolonialzeit nur *einen* Nationalpark, die Serengeti, von dem der letzte britische Generalgouverneur noch zwei Jahre

9

vor der Unabhängigkeit einen großen Teil abtrennte. Jetzt hat Tansania sechs neue große Nationalparks, die drei v. H. der Staatsfläche umfassen; der Etat dafür ist verfünffacht, und in den nächsten Jahren werden noch wenigstens drei Nationalparks dazukommen. Der Serengeti-Nationalpark ist von dem neuen Präsidenten Dr. Julius Nyerere unlängst erheblich erweitert worden. Dafür wurden Dörfer ausgesiedelt! Dieses ostafrikanische Land, das bitterarm ist, wendet, gemessen an seinem Nationaleinkommen, heute mehr für den Schutz seiner Natur auf als die Vereinigten Staaten. In den anderen ostafrikanischen Staaten entwickeln sich die Dinge in gleicher Richtung. Junge Nationen Afrikas beschämen unsere alten weißen Staaten, in denen viele Tierarten für immer ausgerottet worden sind. Besonders gedemütigt fühlt man sich als Bürger der Deutschen Bundesrepublik, deren Politiker noch nicht *einen* Nationalpark, ein Voll-Naturschutzgebiet, geschaffen haben und für den Schutz der Natur so gut wie keine Geldmittel bereitstellen. Der Hunger nach letzten unberührten Landschaften, die Liebe zu ihren prächtigen wilden Tieren wird aber in unserer menschenübervölkerten Erde mit ihren Beton-Dschungeln immer heißer. Schon in ein, zwei Jahrzehnten wird man vorausschauende Staatsmänner wie Dr. Julius Nyerere als Bahnbrecher einer neuen Kulturauffassung preisen.

Wer also jetzt über afrikanische Tiere ein Buch schreibt, stellt fest, daß unser Wissen gerade in den letzten Jahren ungeheuer gewachsen ist. Wir stehen zwar noch im Beginn, aber wir haben mehr über sie gelernt als in zweihundert Jahren vorher. Das ist mir erst beim Schreiben dieses Buches so richtig deutlich geworden.

Bernhard Grzimek
Arusha, Große Regenzeit 1969

# MENSCHENAFFEN REISTEN VON EUROPA NACH AFRIKA

*Wenn ein Vogel nach Europa will, fliegt er,
auch wenn du ihm die Federn ausreißest.*

*Afrikanisches Sprichwort*

Ich war mir durchaus darüber klar, daß die Sache, die wir da vorhatten, keineswegs ungefährlich war.

Die meisten Menschen kennen nur die possierlichen, liebebedürftigen Schimpansenkinder, die dressiert in Varieté-Nummern auftreten oder in zoologischen Gärten herumspielen. Wenn aber so ein Menschenaffe mit acht Jahren geschlechtsreif geworden ist oder mit zwölf Jahren eine vollerwachsene Persönlichkeit mit sozialen Ansprüchen innerhalb seiner Gruppe, dann nimmt man sich lieber in acht vor ihm. Ein Schimpansenmann ist zwar — wegen seiner kurzen Beine — aufgerichtet nur dreiviertel so groß wie ein Mensch, aber er hat doppelt so starke Muskeln, Reißzähne, die einem Leoparden nicht viel nachstehen, und ein Gehirn, das immerhin nach dem des Menschen das höchstentwickelte unter allen Lebewesen dieser Erde ist. Ein wütender Wolf oder Leopard mag in einen hingehaltenen Besen beißen. Ein tobender Schimpanse beißt immer dort, wo Blut kommt.

Mein rechter Mittelfinger ist steif von dem Biß eines Schimpansenmannes. Von einem anderen, gerade jungerwachsenen Schimpansenmann, den ich zusammen mit anderen Menschenaffen während der Bombenangriffe auf den Zoo in mein Berliner Haus aufnahm, trage ich viele Narben. Diese Abenteuer habe ich in meinem Buch »Wir Tiere sind ja gar nicht so« be-

*Gefährliche Schimpansenwüteriche*

11

schrieben. Meist lag ich unten, »Bambu« tanzte in seinen Wutanfällen auf mir herum, bis ich mich dann in meiner Verzweiflung mit einem Eichenknüppel zum »Oberaffen« durchkämpfte. »Bambu« mußte sich mir unterordnen, weil ja jeden Augenblick das Haus abbrennen konnte. Einem befreundeten Zoodirektor ist die Kniescheibe halb herausgerissen worden, als ein Schimpansenmann, zu dem er fast täglich in den Käfig ging, einen Wutanfall kriegte, einem anderen Bekannten von mir wurden beide Daumen glatt abgebissen.

Ausgerechnet zehn Tage, bevor unser »Unternehmen Schimpanse« startete, griff obendrein noch ein Schimpansenmann bei uns im Frankfurter Zoo den erfahrenen, sehr sportlichen Menschenaffen-Wärter Horst Klose an, biß ihm durch den Schuh eine Zehe ab, zerfleischte ihm den Oberschenkel und eine Hand. Zweieinhalb Stunden haben ihn die Chirurgen bei den Barmherzigen Brüdern neben dem Zoo zusammengeflickt, und er lag dort über vier Monate im Hospital. Als wir den entkommenen Schimpansenwüterich drei Block vom Zoo entfernt im sechsten Stock eines Bürohauses eingekreist und mit einem Narkosegeschoß eingeschläfert hatten, konnten wir die dreißig Angestellten nur mit Mühe durch einen Hinterausgang aus ihren Arbeitsräumen herausbringen. Vor so einem drolligen, freundlichen Tier die Flucht ergreifen, so meinten sie.

Solche Tiere also wollten wir auf Rubondo freilassen.

*Menschenleere Trauminsel im Viktoria-See*

Ich hatte Rubondo anderthalb Jahre vorher durch Peter Achard kennengelernt, den Wildwart in der Stadt Mwanza am Südende des Viktoria-Sees. Peter Achard kam sich in diesem Winkel von Tansania, dem früheren Tanganyika (ehemals Deutsch-Ostafrika), etwas verlassen vor: »Alle Touristen, alle großen und berühmten Leute gehen zum Ngorongoro-Krater und in die Serengeti; hier in meine Gegend nach Mwanza kommt keiner!«

Er setzte sich mit mir ins Kleinflugzeug, und wir flogen 140 km weit bis zu der Insel Rubondo. Oh, er hatte berechnet, was er damit tat. Ich habe mich sofort in diese Insel verliebt. Sie ist 38 km lang und im Durchschnitt acht km breit, drei Viertel ihrer 350 qkm Fläche sind Urwald, der Rest graswachsene

Hügel. Vor allem aber: Rubondo ist menschenleer. Die Fischer, die an ihrer Küste ihre Hütten und Bananenpflanzungen hatten, insgesamt immerhin vierhundert Menschen, sind vor zwei Jahren von der tatkräftigen neuen afrikanischen Regierung auf Nachbarinseln und aufs Festland umgesiedelt worden. Ihre Bananenhaine sind noch hier und da am Ufer der Insel zu sehen.

Vor zwei Jahren brachte man vor den neuen afrikanischen Richter in Mwanza zwei Männer, die unerlaubt auf Rubondo Holz geschlagen hatten. »Ich weiß, daß die Sache noch neu für euch ist«, sagte der schwarze Richter, »deswegen will ich euch diesmal noch milde bestrafen.« Er gab jedem ein Jahr Gefängnis... In britischer Zeit wären sie sicher mit ein paar Schilling Geldstrafe davongekommen, denn alle Kolonialregierungen bemühten sich in den letzten Jahren ihrer Herrschaft, nicht »eingeborenenfeindlich« zu erscheinen. *Tatkräftige Afrikaner*

Rubondo gehört also den Tieren. Peter Achard hatte schon sechzehn Nashörner in anderen bedrohten Gegenden von Tansania gefangen, meistens mit bösen Wunden von Wilddieben oder Großwildjägern. Er hatte den PWD, die Verwaltung für Straßen und Transporte, dafür begeistert, mit einer der riesigen Autofähren, die zehn Lastwagen auf einmal faßt, aus einer der Nebenbuchten des Viktoria-Sees heraus über das offene Wasser zu fahren und die grauen Kolosse in ihren schweren Kisten bis nach Rubondo zu bringen. Die Fähre wäre einmal dabei beinahe untergegangen. Auch sechs Giraffen gingen hin. Eines der Nashörner hat auf der Insel inzwischen schon ein Junges geboren.

Peter war also ein tatkräftiger, begeisterter Mann. Und Begeisterung steckt an, auch etwas betagte Männer wie mich, die eigentlich nicht mehr auf Abenteuer ausgehen sollten. Das ist also der Grund, warum die »Zoologische Gesellschaft von 1858« in Frankfurt Rundschreiben an alle europäischen Zoos geschickt und zehn große Schimpansen von Antwerpen aus am 16. Mai 1966 mit dem Dampfer »Eibe Oldendorff« der Deutschen Afrikalinie in Marsch gesetzt hat. Sie schwimmen schon seit über drei Wochen auf See. So ein Schimpanse hat im Tierhandel einen Wert von 2- bis 3000 Mark. Sie sind in geräumi- *In Europa Schimpansen gesammelt* gen, leicht zu säubernden Kisten verladen. Die Tiere müssen einzeln oder zu zweien reisen, denn sie kennen sich nicht, und in so engen Behältern würde es in wochenlanger Fahrt sonst leicht Keilerei geben.

Es sind fast alles jungerwachsene, geschlechtsreife Tiere. Ein Paar hat der Zoo Kopenhagen gestiftet, ein anderes Paar der Berggreen Zoo-Park in Schweden, eine Schimpansenfrau ist ein gemeinsames Geschenk von Herrn Gottfried Fridh, Stockholm, und Furuviks-Parken in Schweden. Alle übrigen haben wir gekauft oder gegen andere Tiere eingetauscht. Die sieben Schimpansenfrauen sind ausgewachsen, von den drei Männern ist nur einer, »Robert«, voll erwachsen und sehr muskelstark, der andere ist ein halbwüchsiger Junge, der dritte fast noch ein Kind.

Weil wir Sorgen hatten, daß die Menschenaffen nach fast vier Wochen Seereise auch gesund und munter in Afrika ankommen, hat unser Oberwärter, Gerhard Podolczak, seinen Urlaub genommen und reist mit ihnen auf dem Frachtdampfer. Herr Podolczak war früher lange Jahre Affenwärter, augenblicklich zieht seine Frau in ihrer Privatwohnung den ersten kleinen Gorilla auf, der in Deutschland geboren ist, unseren eigensinnigen »Max«, der vor Lebenslust sprüht. Wir Frankfurter glauben, Erfahrung im Umgang mit Menschenaffen zu haben; immerhin ist unser Zoo der einzige der Welt, der alle vier Menschenaffenarten erfolgreich gezüchtet hat, Schimpansen, Gorillas, Orang-Utans und Bonobos. Auch in meinem eigenen Hause sind so manche Schimpansen und Gorillas als Pflegekinder groß geworden.

*Schimpansen-Villa auf dem Dampfer-verdeck*

Kapitän K. W. Wehlitz war begeistert von den schwarzen Passagieren auf seinem Frachter. Er ließ einen richtigen hölzernen Schuppen auf dem Verdeck bauen, damit die Tiere nicht ins Zwischendeck mußten. 300 kg Bananen, 600 kg Äpfel aus Kalifornien, 260 Orangen, 150 kg Brot, 135 kg Reis und 8 kg Tee wurden als Proviant mitverladen, zusammen mit 120 kg Stroh und Sägespänen. Die Schimpansenvilla auf dem Verdeck, 12 m lang und 2 m breit, wurde von den Schiffszimmerleuten mit zwei großen Planen doppelt abgedeckt und bekam innen sogar elektrische Beleuchtung.

Trotzdem war die Fahrt um diese Jahreszeit kein Vergnügen, weder für Gerhard Podolczak noch für die Schimpansen. Der Dampfer legte nur einmal, am 31. Mai in Port Said, an, um 90 t Orangen an Bord zu nehmen, und ein zweites Mal in Dschibuti, um sie wieder auszuladen. Die elf Tage im Roten Meer waren — trotz künstlicher Belüftung und Wassersprühen — etwas mehr, als Menschenaffen und Zoo-Tierpfleger eigentlich ertragen können.

Ich selber war, viel bequemer, drei Wochen später in neun Stunden mit dem Jet über Nacht nach Afrika geflogen und saß nun in Arusha (Tansania), um den Empfang in der Hafenstadt Mombasa und die Weiterreise vorzubereiten. Als ich von Frankfurt abflog, waren 32 Grad Wärme, in Arusha dagegen nur 15 Grad. Ich kaufte mir schnell einen Pullover und eine Heizsonne und fing an zu telefonieren und zu telegrafieren. Die Schimpansenkisten waren schwer — sonst halten sie so kräftige Tiere nicht aus. Mit der Eisenbahn von Mombasa nach Mwanza hätte es günstigenfalls acht Tage gedauert, also hatte ich zwei Lastwagen und zwei Geländewagen nach der Küste in Marsch gesetzt. Auch die Einfuhrgenehmigung und die Durchfuhr durch den Staat Kenia hatte ich beschafft: veterinärpolizeiliche Einfuhrgenehmigung für Schimpansen nach Afrika — ein ganz neuer Fall! An sich hätte ich die Menschenaffen einfach nach Afrika schicken und alles Peter Achard zu überlassen brauchen. Der arme Peter hatte aber, mit 43 Jahren, während des Urlaubs in England einen Schlaganfall bekommen und lag seit Monaten dort halb gelähmt. Ob und wann er wiederkommen würde, war offen. Ein junger kanadischer Friedenskorpsmann vertrat ihn, erst in ein paar Monaten sollte einer der Afrikaner, die wir in unserer Wildwartschule bei Moshi in zweijährigen Kursen dafür ausbilden, Wildwart im Mwanza werden. So war ich lieber selber heruntergeflogen.

Afrika halb so warm wie Europa

Als die »Eibe Oldendorff« in Mombasa ankam, lagen dort schon 42 Schiffe im Hafen, die entladen werden wollten. Sie müßte wenigstens acht Tage warten, hieß es. Also ließ Kapitän Wehlitz die Motoren wieder anlaufen und fuhr weiter nach Tanga, der ersten Hafenstadt in Tansania. Auf holperigen Land-

Schimpansen-Dampfer mochte nicht warten

straßen folgte ihm unser Autotrupp. Aber auch Tanga war überfüllt; so fuhr das Schiff weiter bis Dar es Salaam, und wieder knatterte das Empfangskomitee durch Staub und Dreck hinterher. Weil die Karawane nun nicht mehr nach Arusha kommen würde, setzte ich mich in meinen Volkswagenbus und fuhr schnell in zwei Tagen über den Ngorongoro, durch die Serengeti, am Ufer des Viktoria-Sees entlang bis nach Mwanza.

In der ersten Zeitung aus Dar, die ich dort aufmachte, war ein Bild von den Schimpansen mit einem unsinnigen Text darunter. Die Menschenaffen, die aus europäischen Zoos stammen, sind daran gewöhnt, nur besten russischen Tee zu trinken, so hieß es. Die Hauptschwierigkeit sei, sie auf klares Wasser in der Wildnis umzustellen. Ich weiß nicht, welcher Matrose dem afrikanischen Reporter in Dar diesen Bären aufgebunden hatte. Dabei ahnte ich noch nicht, daß dieses Bild und dieser Unsinn in jeder zweiten deutschen Zeitung nachgedruckt werden würde.

Auch in dem Hafenstädtchen Mwanza gibt es afrikanische Reporter, die mich ausfragen. Warum wir die Schimpansen gerade aus Europa nach Afrika bringen, warum wir sie nicht in Westafrika hätten fangen lassen? Nun, niemand fängt in Afrika ausgewachsene Menschenaffen, sie sind zu gefährlich, zu schlau *Keine Kinder* und zu stark. Außerdem wollen die Zoos ganz allgemein eben *in den Urwald* gerade Jungtiere haben. Eine Schar von Kindern aber kann ich *schicken!* nicht allein in der Wildnis laufen lassen, sie brauchen Eltern und Beschützer. Außerdem wußte ich, daß so mancher Zoo gar nicht darauf eingerichtet ist, ausgewachsene, geschlechtsreife Schimpansen zu halten. Sie wollen die lustigen, verspielten, niedlichen Kinder zeigen und wissen dann nicht recht, was sie mit ihnen anfangen sollen, wenn sie groß geworden sind. Deswegen hatte ich mit Recht angenommen, wir würden ausgewachsene Tiere in Europa ziemlich leicht bekommen. Weil mir so intelligente, tatendurstige Wesen in viereckigen Zookäfigen, einzeln oder zu zweien gehalten, herzlich leid tun, war ich auch noch froh, diesen die Freiheit wiedergeben zu können. Einen Menschenaffen einzeln einzusperren, ist nämlich große Tierquälerei, mindestens ebenso schlimm wie Einzelhaft für einen Zuchthäusler. Alle Menschenaffen sind gesellige, unterneh-

16

mungslustige Tiere. Außerdem ist der Transport von der Westküste Afrikas, wo hauptsächlich Schimpansen gefangen werden,
bis nach Ostafrika umständlicher und kostspieliger als von Antwerpen nach Mombasa. Einzelne europäische Zeitungen schrieben allerdings, ich würde nächstens Eulen nach Athen bringen ...

Am gleichen Tage wie ich, spät in der Nacht, kommt die
Schimpansenkarawane an: Sinclair Dunnett, der junge kanadi-
sche Aushilfswildwart von Mwanza, mein Freund Gordon Har-
vey, früher Wildwart in der Serengeti, und Ulrich Trappe — ver-
schwitzt, verdreckt, todmüde. Sie sind drei Tage auf Staubstra-
ßen gefahren und haben außerhalb der Ortschaften übernachtet.
Ich hatte nämlich schon früher in der Elfenbeinküste Westafrikas erlebt, daß Hunderte von Schwarzen zusammenlaufen,
wenn man mit Menschenaffen oder Wildtieren in einem Dorf
anhält — so, als ob bei uns ein Zirkus angekommen wäre. Das
gibt dann Geschrei, Gejohle, Neckerei und bringt die Tiere zur
Verzweiflung.

Die Fahrt über den See nach der Rubondo-Insel ist kein Kin-
derspiel. Der Viktoria-See ist eigentlich ein Ozean, gar kein See.
Nach dem Kaspischen Meer ist er mit fast 69 000 qkm der
größte See auf Erden, über zweihundertmal so groß wie der
Bodensee. Man könnte ohne Schwierigkeit Sizilien, Sardinien,
Korsika, die Kanarischen Inseln als Inseln hineinsetzen, und es
wäre immer noch genug Wasser da. Dabei gibt es kaum Schiffs-
verkehr am Viktoria-See, quer darüber hinweg fährt überhaupt
kein Dampfer. Die Touristen haben ihn noch nicht entdeckt.

Mit Proviant für uns selber, Zelten, Betten und fünf schweren Schimpansenkisten fahren Ulrich Trappe und Dr. Fritz
Walther von Mwanza aus in sieben Stunden über den Südwin-
kel des Sees bis nach Rubondo. Dr. Walther hat einmal im
Frankfurter Zoo Beobachtungen mit Antilopen begonnen und
ist heute der führende Antilopenfachmann der Welt. Er haust
seit zwei Jahren in der Serengeti, um das Leben der 700 000
Thomson-Gazellen dort zu erforschen. Hier will er während der
ersten Wochen die Eingewöhnung der Menschenaffen aus
Europa auf Rubondo beobachten. Wir anderen fahren mit dem
Rest auf Umwegen 200 m weiter über unglaubliche Wege bis zu

*Der riesige Viktoria-See könnte Sizilien, Sardinien, Korsika als Inseln auf-nehmen*

dem Uferdorf Bukindo, von wo wir dann in zwei Stunden nach Rubondo übersetzen. Wir sind ständig damit beschäftigt, unsere schwarzen Fahrgäste in ihren Boxen zu unterhalten und zu trösten.

Abends liegen wir dann vor den Wellblechhäuschen der schwarzen Wildhüter und vor unseren Zelten im Gras und machen Schlachtpläne. Die Menschenaffen-Boxen stehen auf dem großen Boot im Wasser, die Sonne wird immer goldener und röter, sie beleuchtet den Urwaldsaum von Dumacheri, der nächsten, viel kleineren Insel. Wir haben 380 qkm des Erdballs ganz für uns. Wer kann das sonst schon von sich sagen?

Rubondo ist solch ein Kleinod, weil es keine großen Raubtiere hier gibt, keine Leoparden, Löwen, Hyänen. Man kann also auch sehr kostbare Tiere hier ansiedeln, ohne Gefahr, daß sie vielleicht schon am nächsten Tage umgebracht sind. Diese Insel könnte eine Zufluchtsstätte für Menschenaffen werden. Das kann in Zukunft sehr wichtig sein. Wahrscheinlich werden Schimpansen für die Medizin außerordentlich gefragt werden, wenn es gelingt, erfolgreich Körperorgane zu überpflanzen. Daran arbeiten jetzt in der ganzen Welt — besonders in den Vereinigten Staaten — die Forscher. In den Staaten allein sterben jedes Jahr 30 000 Menschen an Nierenentartung. Wenn die Techniken der Nierenübertragung erfolgreich entwickelt sind, wird es vielleicht nicht länger als ein Jahr dauern, bis die gesamten lebenden Schimpansen der passenden Blutgruppe vernichtet sind. Insgesamt leben jetzt in Afrika höchstens 250 000 wilde Schimpansen. Von ihnen gehören weniger als 10 v. H. zur Blutgruppe 0, die wahrscheinlich zuallererst umgebracht würden, um Menschen zu retten. Es wäre schon gut, dann hier oder da eine sichere Schutzinsel für sie zu haben.

Ich habe mich bemüht, den neuen schwarzen Regierungen den Schutz der wilden Tiere schmackhaft zu machen, weil sehr viele Touristen herkommen werden, um sie zu bewundern. Wieviel Geld Tourismus ins Land bringen kann, zeigt das Beispiel der Schweiz, Italiens, Spaniens und Jugoslawiens. In meinem Buch »Nashörner gehören allen Menschen« habe ich beschrieben, wie es mir gelungen ist, mit Hilfe des Fernsehens und der

*Wenn man einmal Schimpansennieren auf Menschen verpflanzen kann...*

*Touristen retten Wildtiere*

Illustrierten immer mehr Reisende zu den Elefanten, Zebras, Nashörnern und Löwen Ostafrikas zu bringen. Die neuen Regierungen haben daraufhin mehr Nationalparks geschaffen und geben mehr und mehr Geld dafür aus. Diese bitterarmen Länder geben, gemessen am Nationaleinkommen, mehr für den Schutz der Natur aus als die Vereinigten Staaten. Aber die Reisenden kommen nur kurz von Nairobi und Kenia aus nach Tansania, um den Ngorongoro-Krater und die Serengeti zu besuchen, dann fahren sie zurück über die Grenze. Glückt es, hier andere Tierarten anzusiedeln, die sonst in den Nationalparks Ostafrikas nicht vorkommen, dann werden sie vielleicht nach fünf oder zehn Jahren in den hochmodernen Ozeandampfer steigen und über den Viktoria-See nach Rubondo fahren. Wir könnten hier Gorillas, Bongos, vielleicht selbst Okapis ansiedeln. Situtungas leben schon hier, und am Ufer Rubondos gibt es noch ziemlich viel Krokodile, die sonst fast überall in Afrika wegen der Krokodilledermode ausgerottet sind. Wir wollen also nicht nur Tieren helfen, sondern auch einem armen, aber tatkräftigen neuen Land, das viel für die Wildtiere tut.

*Afrikaner kulturell bahnbrechend*

Wären das keine Zooschimpansen, sondern frischgefangene Tiere irgendwo aus dem Urwald, so brauchten wir die Kiste nur am nächsten Morgen an Land zu holen und aufzumachen. Sie würden vor uns weglaufen und auf Nimmerwiedersehen im Urwald verschwinden. Gorillas — und erst recht Schimpansen — sind scheu, sie greifen in Freiheit niemals Menschen an, wenn man nichts von ihnen will. Mein verstorbener Sohn Michael und ich haben vor fünfzehn Jahren in den Nimba-Bergen von Französisch-Guinea zehn Tage lang damit verbracht, wildlebende Schimpansen zu beobachten, und wir wissen, wie schwer das ist. In meinem Buch »Wir lebten mit den Baule« können Sie das miterleben. Zooschimpansen aber haben keine Furcht vor Menschen, ohne deswegen etwa unbedingt freundlich und zutraulich zu sein. Sie würden wahrscheinlich bei diesen Hütten hier bleiben, eine Schreckensherrschaft ausüben, den Menschen das Essen und die Kleider wegnehmen und sie womöglich böse zurichten. Die junge englische Forscherin Jane Goodall, die voriges Jahr einen Fotografen geheiratet hat und seitdem Baro-

*Wilde Schimpansen sind harmlos*

nin van Lawick-Goodall heißt, hat insgesamt fünfzehn Monate in dem einzigen Wald mit Schimpansen innerhalb Tansanias, am Ufer des Tanganyika-Sees, gelebt. In den ersten sechs Monaten liefen die Tiere schon weg, wenn sie nur auf einen halben Kilometer an sie herankam, später durfte sie sich ihnen auf 90 m, nach einem Jahr auf 27 m, und als sie sie 1964 mit Bananen anköderte, sogar auf 30 cm nähern. Aber dann stahlen sie ihr die Wäsche von der Leine, holten ihr den angefangenen Brief während des Schreibens vom Tisch, rissen das Zelt ein und trieben ihren Ehemann in wilder Flucht den Berg hinauf.

Einige von unseren Schimpansen in den Kisten sind ausgesprochen bösartig, sagt Gerhard Podolcza, der sie ja auf dem Dampfer betreut hat. Sie suchen durch die Gitterstäbe hindurch jeden zu packen und zu beißen. Ich möchte hier keine operationsreifen Fälle erleben, wo wir so weit weg vom nächsten Krankenhaus und ärztlicher Hilfe sind.

Im Morgengrauen, während der See noch keine Wellen hat, fahren wir die Tiere also in zwei Transporten zwanzig Minuten weiter an der Insel entlang bis zu einer Lichtung an der Küste, die im Wasser mit flachen Steinen ganz allmählich immer tiefer wird. Die gewichtigen Boxen werden auf den Schultern an das Land getragen und dort dicht am Wasser in einer Reihe aufgestellt. Zum letztenmal bekommen die Tiere noch Resochin-Sirup zur Malariavorbeuge. Denn Schimpansen sind für diese Krankheit empfänglich. Wir haben sie während der Überlandfahrt in Afrika vorsorglich dagegen behandelt. Auf Rubondo selbst übertragen die Mücken kaum Malaria, weil es hier keine malariakranken Menschen gibt. In den Dörfern und Städten war es viel gefährlicher.

Die Behälter mit den gefährlichsten Insassen kippen wir so um, daß wir die Schieber vom Wasser aus mit Stricken aufziehen können. Den drei Menschenaffenarten, Gorillas, Schimpansen und Orang-Utans, ist es ebensowenig wie den Menschen angeboren, schwimmen zu können — im Gegensatz zu fast allen übrigen Tierarten auf Erden. Wir könnten uns also vor den Schimpansen leicht ins Wasser retten; es ist nicht anzunehmen, daß sie uns hier hinein verfolgen würden.

Ein paar hundert Meter weiter nach rechts und links sind verlassene Bananenpflanzungen der Eingeborenen. Hier, wie auch sonst an vielen Stellen der Insel, können die Tiere Nahrung finden, bis sie sich darauf umgestellt haben, im Walde selbst welche zu suchen.

Erst seit den allerletzten Jahren wissen wir etwas mehr über das Leben der wilden scheuen Schimpansen — durch die Forschungen von Dr. Adrian Kortlandt, Jane Goodall im Gombe-Reservat am Tanganyika-See und des jungen Forscherehepaares Vernon Reynolds, die acht Monate lang im Budongo-Wald Ugandas zwischen Schimpansen gehaust haben. Diese Menschenaffen durchstreifen den ganzen Tag die Wälder, manchmal legen sie 16 km am Tage zurück. Sie leben von Wildfrüchten, aber auch von Blättern, jungen Trieben, Rinde und weichem Holz. Im Gombe-Wald zählte Jane Goodall 63 verschiedene Bäume und Gewächse, von denen sie sich nährten. Sie sah sie auch kleine Affen töten und verzehren, während die Schimpansen in Uganda Fleisch nicht anrührten, obwohl sie mit toten Zwergantilopen spielten, die Eingeborene in Schlingen gefangen hatten. Auch in Westafrika taten sie Kleintieren nichts. Gorillas sind überhaupt reine Vegetarier. Auf ihrer Nahrungssuche klettern die Schimpansen viel in den Bäumen herum, laufen aber auch auf — vielfach selbstgetretenen — Pfaden auf allen vieren auf der Erde entlang. Michael und ich glaubten, in den Nimba-Bergen Eingeborenenpfade vor uns zu haben, bis wir an Stellen kamen, wo in Meterhöhe Gebüsch und Zweige darübergewachsen waren.

*Was wilde Schimpansen treiben*

Treffen sich Schimpansengruppen, dann begrüßen sie sich erfreut, sie sträuben die Haare, richten sich hoch auf zwei Beinen auf, fassen sich mit dem Arm um die Schulter, küssen sich, wobei sie die Lippen vorschieben und die Zunge hin- und herbewegen, sie führen auch den Arm eines anderen zwischen die Zähne in den Mund. Schimpansen haben also ähnliche Gesten der Freundlichkeit wie Menschen.

*Wenn sich Schimpansenhorden begegnen*

Eine große Gruppe von vielleicht siebzig Schimpansen bewohnt ein Gebiet von etwa 15 qkm Urwald, den sie in kleinen Gruppen durchstreifen. Diese Gruppen sind keine Familien, sondern es gehen recht gern mehrere erwachsene Männer zusammen oder Mütter mit kleinen Kindern. Reifen irgendwo Früchte an den Bäumen, dann kommt oft die ganze Schar der Schimpansen zusammen, und es gibt ein lautes Rufen. Die Männer und Jugendlichen geben bei der Futtersuche ziemlich viel Laute von sich, während die Gruppen der Mütter viel leiser sind und geradewegs dorthin zu folgen scheinen, wo die anderen beim Umherschweifen soeben Ernte gefunden haben. Richtige Futterwettbewerber der Schimpansen sind wohl nur die Paviane, nicht die kleineren anderen Affen. Paviane gibt es aber zum Glück hier auf Rubondo auch nicht.

*Schimpansen trommeln gern* Schimpansen trommeln gern, indem sie auf tönenden Unterlagen tanzen und mit den Hinterbeinen gewissermaßen Wirbel schlagen. Wir fanden in Französisch-Guinea einen umgestürzten halbhohlen Baum, der dafür benutzt wurde. Reynolds beobachtete jedoch auch, daß sie die blattartigen hölzernen Stützpfeilerwurzeln des »Nyakahimbe«-(Iron Wood)Baumes zum Trommeln benutzten. Die Rufe hört man etwa 3 km weit.

Auch wenn sich zwei große Gruppen von Schimpansen aus Nachbargebieten treffen, gibt es keine Prügelei und Beißerei. Im Gegenteil, bei der Begegnung klettern sie die Bäume in die Höhe, beginnen wild zu schreien und zu kreischen, schwingen in den Ästen umher, laufen auf ihnen mit höchster Geschwindigkeit entlang, springen herab, schütteln kleine Bäume und Zweige und gehen dicht aufeinander zu. Reynolds nennt das »Schimpansen-Karneval«. Solch eine geräuschvolle Begrüßung und Vorstellung kann gegen eine Stunde dauern. Goodall sah *Der Regentanz der Schimpansen* die Gombe-Schimpansen im Regen ähnliche Tänze aufführen: Die Männer faßten mit gesträubten Haaren mit einer Hand einen Baumstamm und rannten mit wildem Schwung um ihn herum. Weiber und Kinder kletterten auf Nachbarbäume, um dem Regentanz der Männer besser zusehen zu können.

Aber das sind alles Dinge, die man vielleicht in den kommenden Jahren wird auf Rubondo beobachten können. Wir haben erst einmal andere Sorgen. Zunächst lassen wir diejenigen von unseren Schimpansen heraus, die Gerhard Podolczak von der Reise her als recht freundlich und gutmütig kennt. Eine sehr schlanke Schimpansenfrau und eine zweite schreiten einfach über die Lichtung schnurstracks in den Wald und verschwinden da, als ob sie hier zu Hause wären. Andere gehen zu den Nachbarkisten, in denen noch Schimpansen sitzen, stecken die Finger hinein, betasten die Gesichter der Insassen und küssen sie durch das Gitter. Sie haben sich wohl ohnedies auf der Reise größtenteils Kiste zu Kiste kennengelernt. (Das Küssen als Liebeszeichen ist sowohl den Menschen wie den Schimpansen angeboren.) Ein halbwüchsiger Junge und der kleinste von allen, noch ein richtiges Kind, kommen gleich zu uns, halten sich bei uns am Bein fest, und der Däumling klettert an mir empor, küßt mich und möchte gedrückt werden. Wohin wir auch gehen, er läuft uns nach, und zwar meistens aufgerichtet auf zwei Beinen, was recht possierlich aussieht.

*Schimpansen küssen wie Menschen*

Gerade das wollen wir nicht: Die Kinder sollen ja mit den Großen zusammenbleiben. An sich ist das bei Schimpansen nicht schwierig. Alle sind freundlich zu Kindern, sogar vollerwachsene Männer spielen mit ihnen, erlauben, daß sie auf ihrem Rücken herumturnen, sie necken, auf sie herabspringen, und vergnügen sich oft halbstundenlang mit ihnen. So bringen wir den kleinen Kerl zu zwei Weibern, die am Waldrand sitzen. Tatsächlich geht er zu ihnen, eine faßt ihn um den Leib und drückt ihn an die Brust. Aber er kommt bald zu uns Menschen zurück. Wir wagen nicht, ihn zu verscheuchen, denn vielleicht schreit er und wird ärgerlich, und dann könnten die Großen ihn verteidigen und uns beißen.

Vorsichtig vom Wasser aus öffnen wir die Kiste eines großen, als bösartig bekannten Weibes. Sie hat keinen Schieber, sondern eine schwere Eisengittertür. Wie mag man sie nur da hineinbekommen haben? Sonst stellen wir Zooleute eine Transportkiste mit aufgezogenem Schieber vor die Öffnung einer Zoobehausung, jagen oder locken das Tier hinein und schieben dann die Öffnung zu. Ist aber eine Tür daran, muß man ja die Kiste erst von der Wand abrücken, um die Tür zuzuklappen, und in diesem Augenblick kann das Tier entkommen.

Die »böse« Schimpansenfrau legt gar keinen Wert darauf, herauszukommen. Sie öffnet die Tür nur etwas, um herauszusehen. Sobald das Kind herankommt, holt sie es auch zu sich in ihre Box hinein.

Wir werden ungeduldig, doch das Riesenweib stört sich nicht daran. Wie sie endlich nach einer guten Viertelstunde herauskommt, behält sie die Eisentür in einer Hand und erkundet sehr vorsichtig die Umgebung der Kiste, offensichtlich bemüht, sich den Rückzug freizuhalten. Während sie einen Augenblick die Eisentür losläßt, klappt diese zu. Erschreckt geht die Frau zurück und macht sie wieder auf. Da wir sie gern weghaben wollen, um die leeren Kisten wieder auf das Boot zu laden, bespritzen wir sie vom See aus mit Wasser. Erfolg: Sie geht schleunigst wieder in ihre Box! Das erleben wir in Tiergärten gar nicht so selten. Tiere, die Tage oder manchmal Wochen in ihren Transportbehältern gereist sind, fühlen sich dort sicher und trauen sich nicht, ins Freie und in eine fremde Umgebung hinauszugehen.

*Sie will sich nicht von ihrer Transportkiste trennen*

Am späten Nachmittag kommen wir mit dem Motorboot wieder. Alle Schimpansen sind verschwunden. Die Haufen von

---

*Wir wählten eine ganz flache Stelle an der Insel Rubondo, um die Kisten mit den Schimpansen auszusetzen. Zwar mußten sie durch das Wasser getragen werden, wir hatten aber nach dem Öffnen der Kisten selbst die Möglichkeit, uns in das Wasser zu retten. Offensichtlich bei dieser Gelegenheit holte ich mir im Wasser eine Bilharzia-Ansteckung.*

*Einige der ausgewachsenen Zooschimpansen waren durchaus nicht harmlos. Einer hatte schon im Zoo einen Tierpfleger ins Krankenhaus gebracht. Ein zweiter, besonders bösartiger Mann stellte noch anderthalb Jahre später erhebliches Unheil auf Rubondo an. Deswegen öffnet Sinclair Dunnett hier sehr vorsichtig eine Transportkiste. Er kann sich jederzeit ins tiefe Wasser zurückziehen, weil Menschenaffen nicht schwimmen können.*

*Seite 26:*
*Wenn ein Schimpanse dem anderen Eindruck machen will und in Aufregung oder Wut gerät, richtet er sich auf seinen Beinen auf und winkelt die Schultern und Arme ab. Seine Haare, besonders am Rücken und an den Armen, richten sich auf. Dasselbe tun auch wir, wenn wir begeistert oder wütend werden, nur daß wir lediglich eine Gänsehaut bekommen, denn eindrucksvolle Haare tragen wir auf den Schultern nicht. Das ist einer der freigelassenen Schimpansen auf der Insel Rubondo im Viktoria-See.*

*Seite 27:*
*Die dort ausgesetzten, voll erwachsenen Schimpansen haben sich schnell eingelebt und auch bereits vermehrt. Diese Insel eignet sich gut zur Ansiedlung kostbarer Wildarten, weil auf ihr zunächst noch keine großen Raubtiere leben. Nach neuesten Untersuchungen von Dr. Adrian Kortlandt stellen sich Schimpansen aus Zweigen durch Entlauben Knüppel her und schlagen damit zielgerecht auf Feinde ein.*

Bananen, Äpfeln und Brot, die wir aufgehäuft haben, liegen noch unberührt da. Selbst wenn die Schimpansen keine Früchte finden, können sie — nach Beobachtungen im Budongo-Wald — wochenlang nur von Blättern und Schößlingen leben. Das ist wohl neue und ungewohnte Kost für sie. Wie wir an Land steigen, kommt aus dem Wald der große Schimpansenmann, begrüßt uns mit Handschlag, und ihm folgen die beiden kleinen Männchen. Von den Weibern ist nichts zu sehen. Werden die kleinen Schimpansenmännchen noch Anschluß an sie finden? An sich sind Schimpansenmänner aufeinander nicht eifersüchtig. Jane Goodall beobachtete, wie ein Weibchen sich nacheinander mit sieben Männchen paarte.

Allmählich wird »Robert«, der schwarze große Mann, immer aufgeregter. Seine Haare sträuben sich, er wird doppelt so dick und fängt an, auf zwei Beinen zu gehen. Schnell ziehen wir uns — in Schuhen und Strümpfen — ins Wasser zurück und waten zum Boot.

Heute ist der 23. Juni; alle unsere Menschenaffen sind endlich in ihrer neuen Heimat. Über fünf Wochen haben sie in ihren Boxen gesessen, manche mit der Anreise nach Antwerpen noch länger. Wir fühlen uns genauso erleichtert wie — wahrscheinlich — sie auch.

Am nächsten Morgen marschieren wir zu Fuß quer über die Halbinsel zwischen unserem Lager und dem Aussetzungsplatz der Schimpansen. Wir müssen über ein paar Hügel steigen, deren Oberfläche aus lauter Felsbrocken besteht. Aber das fußbrecherische Gewirr von Steinen ist überwachsen von brusthohem Gras, das gelb wie reifer Weizen aussieht. Auf der Insel wird das Gras nicht angezündet wie sonst überall auf dem Festland. Die Hügel sind höher, und mühseliger zu besteigen, als sie vom Wasser her aussehen. Zwischen ihnen liegen Talgründe mit Urwald, Sumpf, übermannshohem Schilf und Rohr. Wir folgen

*Eine 350 qkm große Insel am Südende des gewaltigen Viktoria-Sees wurde durch die Regierung von Tansania von der menschlichen Besiedlung frei gemacht und unter strengen Naturschutz gestellt. Außer Guereza-Affen und Pferdeantilopen brachten wir 1966 elf Schimpansen aus europäischen Zoos dorthin, die sich gut eingewöhnt und inzwischen Kinder bekommen haben.*

den Pfaden, welche die Flußpferde da getreten haben. Man kann bequem auf ihnen gehen, und hin und wieder sind im Gestrüpp flachgewalzte Ruheplätze, wo die dicken Gesellen gelegen haben. Oder waren es Nashörner? Wahrscheinlich kommen die Flußpferde auch hier — wie in vielen Gegenden Afrikas — nur nachts an Land. Aber wer kann sich darauf verlassen? Ich möchte nicht zwischen einem Flußpferd, das erschreckt ist, und seinem Zufluchtsort im Wasser stehen. Vor ein paar Jahren kam auf diese Weise ein afrikanisches Mädchen im Queen-Elizabeth-Nationalpark in Uganda gerade in den Tagen um, während ich dort war. So führen wir besonders laute Gespräche und klopfen mit den Gehstöcken gegen Baumstämme, damit Flußpferde und Nashörner uns schon von weitem hören und sich nicht überrumpelt fühlen.

Während wir gerade über eine gelbe Grasfläche gehen, donnern plötzlich dumpfe Galoppschritte eines schweren Tieres um uns herum. Wir amüsieren uns, wie sofort jeder der nächsten Baumgruppe zustrebt. Schließlich ist nicht weit von hier vor

drei Monaten ein Schwarzer von einer Nashornkuh getötet worden. Der Fischer war widerrechtlich auf der Insel gelandet, hatte die Kuh mit ihrem Jungen im festen Schlaf angetroffen und sie mit Steinen beworfen, damit sie aufstehen sollte. Sie hatte das getan und ihn gleich umgebracht.

Wir klettern einen Hügelhang hinab in den Wald. Die Felsbrocken sind von dichten Schwaden langen trockenen Grases überlagert, die umgeknickt sind. Vor mir liegt mitten in den gelben Matten auf einmal ein — Autoreifen. Den Bruchteil einer Sekunde ärgere ich mich, wer solches Zeug hier in die Wildnis

geworfen hat, da entdecke ich, daß es die Schlinge einer dicken Netzpython ist. Ich kann sie gerade noch am Schwanz packen, aber sie hat unter dem Gras zwischen den Felsbrocken so viel Halt, daß sie sich mir mit ihrer Kraft unschwer entzieht. Pythons sind bekanntlich ungiftig. Sinclair Dunnett und ich stellen in diesem Augenblick beide fest, daß jeder sein Giftschlangenserum und die Spritzen dafür wohl nach Rubondo mitgenommen, aber wie üblich im Lager liegengelassen hat. Man sieht in Afrika so leicht keine Giftschlange und wird noch weniger gebissen. Aber wenn es hier geschähe, hätten wir zwei Stunden zu laufen oder jemanden zu schleppen, bis wir an das Serum kämen. Man macht immer wieder die gleichen Fehler.

Hinter dem nächsten Hügel liegt der Ort, wo wir die Schimpansen freigelassen haben, so überschlage ich. Aber wie wir in das Wäldchen hineingehen, sitzen da auf einmal zwei große Schimpansenweiber, darunter die »Böse«. Es ist zu spät. Sie richten sich auf, ihre Haare sträuben sich, was immer das Zeichen von Erregung, häufig auch von Angriffslust ist. Sie kommen beide auf uns zu. Weglaufen hat hier keinen Sinn mehr. Wir haben auch nichts zur Verteidigung mit. Das Riesenweib packt mich mit gesträubten Haaren um die Schulter, sie öffnet den Mund, entblößt ihre kräftigen großen Zähne, nimmt erst meine Wade zwischen ihre Kiefer, dann meinen ganzen Unterarm. Schließlich küßt sie mich. Bisher ist das alles nur Freude und Begrüßung.

Gerhard Podolczak und ich, die wir Schimpansen kennen und wissen, wie leicht ihre Erregung in Bösartigkeit umschlägt, sehen uns an. Wir gehen schleunigst auf die offene Lichtung, und siehe da, die beiden Schimpansenfrauen wollen uns nicht in die Sonne folgen, sie bleiben im Wald. Dafür nimmt die eine dem Dr. Walther den Feldstecher ab. Wohlweislich wehrt er sich nicht dagegen, sondern läßt sich den Trageriemen über den Kopf heben. »Robert«, der große Mann, ist hinzugekommen. Sachverständig öffnen die drei den Lederbehälter des Feldstechers und holen das Instrument heraus. Sie untersuchen es recht genau, sehen auch einmal hinein, aber von der verkehrten Seite. Dr. Walther versucht, das Fernglas gegen sein Taschentuch und einen Tragsack einzutauschen. Das findet aber keine Gegenliebe, eher Unwillen. Die Tiere nehmen ihm die Tücher auch noch ab.

*Nur nicht mit Schimpansen streiten!*

Wohl kein anderes Tier, kein Pferd, kein Nashorn, keine Antilope würde sich lange mit einem solchen nutzlosen Ding wie einem Feldstecher beschäftigen. Menschenaffen aber sind wißbegierig. Sie können auch mit Werkzeugen umgehen, ähnlich wie wir Menschen. Zum Beispiel benutzen sie Stöcke, um etwas außerhalb des Käfigs in Reichweite heranzuangeln, sie machen

*Schimpansen sind nach dem Menschen die klügsten Lebewesen auf Erden*

31

aus zwei kurzen Bambusstöcken einen langen, indem sie den dünneren zurechtbeißen und in den dickeren hineinstecken, sie belecken Ästchen, stecken sie tief in die Gänge von Termitenbauten oder Ameisenhaufen, ziehen sie wieder heraus und streifen mit den Lippen die klebengebliebenen Insekten ab, um sie zu verzehren. Sie zerkauen Blätter, saugen sie aus, drücken den zerkauten Blätterschwamm in eine Baumhöhle, wo — sonst für sie unerreichbar — unten Wasser steht, saugen es auf diese Weise auf und nehmen es dann mit dem Schwamm in den Mund. Schimpansen, die sich mit Erde, Blut oder Kot beschmutzt haben, säubern sich mit Blättern, auch die Mütter tun das, nachdem ihre Kinder sie — ausnahmsweise — beschmutzt haben. Dagegen werfen sie niemals gezielt mit Steinen, wohl aber fertigen sie aus Ästen Hauknüppel an und werfen oder schlagen damit auf Feinde, etwa Leoparden, wuchtig ein.

Wir wollen uns vorsichtig nach der anderen Richtung in den Wald entfernen, während die drei Schimpansen mit dem Feldstecher beschäftigt sind. Aber »Robert«, der große Mann, sieht das und kommt uns nach. Er klettert an Dr. Walther empor und nimmt dessen Kinn zwischen seine Zahnreihen mit den kräftigen Eckzähnen. Das sieht recht gefährlich aus, ist aber noch freundlich gemeint. Immerhin sträuben sich seine Haare. Jetzt beginnt er auf den Boden zu stampfen, sein Fell wird immer breiter und dicker, er rast galoppierend von hinten zwischen die Beine von Dr. Walther, der der Länge nach hinfällt. Gleich geht es Sinclair Dunnett genauso. Dann packt »Robert« Dunnett an der Hand und beginnt mit gesträubten Haaren und Kreischen im Kreis um ihn herumzulaufen wie beim Kreislaufturngerät.

Robert
begleitet uns

»Gehen Sie rasch in das dichte Gebüsch da«, rufe ich ihm zu. Sinclair tut es, er geht in den Waldrand, wo »Robert« nicht mehr tanzen kann. Wir bewegen uns weiter in den Urwald hinein, um die Schimpansenlichtung in weitem Bogen zu umgehen. Aber »Robert« bleibt nicht bei den Schimpansenweibern, er geht mit uns, die Haare gesträubt. Nach einer Weile nimmt er Sinclair Dunnett das Haumesser aus der Hand. Ich nähere mich dem Schimpansenmann bittend mit nach oben geöffneter Hand.

Das ist die — auch bei Schimpansen übliche — Bettelgeste. Er überläßt mir das große Haumesser ohne weiteres. Dafür nimmt er nachher mir selbst den Gehstock ab. Er wird immer aufgeregter. Ich male mir aus, wie wir einen Verwundeten den langen Weg zurücktransportieren sollen.

So bin ich froh, daß »Robert« Herrn Dunnett an der Hand packt und — auf drei Beinen — neben ihm hergeht. Er läßt die Hand nicht so leicht wieder los, sondern stützt sich derart stark darauf, daß Sinclair ihn halb schleppen muß. »Robert« duldet auch nicht, daß Herr Dunnett die Hände wechselt und ihn mit der Linken führt.

Unsere Lage wird etwas ungemütlich. Schimpansen sind abenteuerlustige, ungemein tatendurstige Wanderer. Warum soll »Robert« nicht stundenlang mit uns bis ins Lager gehen? Dank ihrer Ruf- und Trommelverständigung können wir dann bald den ganzen übrigen Verein dort haben. Wie sollen wir »Robert« loswerden? Zurück zu den Frauen gehen? Aber vielleicht greifen die uns dann an oder kommen auch noch mit. Wir sind alle sehr erregt und sprechen halb im Flüsterton miteinander, obwohl das ja eigentlich gar nicht notwendig ist. Wir verfallen auf unsere alte Rettung: das Wasser.

Geradewegs marschieren wir bergab auf das Seeufer zu, durch hohe verwachsene Bananenbäume, hinein ins Wasser mit *Der Riesen-See* Schuhen, Strümpfen, Hosen. Krokodile? Sie werden hoffent- *ist gestiegen* lich vor uns vier Mann weglaufen. Im Wasser stehen — wie um alle Inseln hier — tote rindenlose Bäume. Der See ist ja — wohl zum erstenmal seit achtzig Jahren — in den letzten drei feuchten Jahren um gegen zwei Meter gestiegen. Viele alte Bäume sind auf diese Weise zu Tode gekommen. Ich stecke schnell noch Geldbörse und den Inhalt meiner Hosentaschen in die Brusttaschen des Khakihemdes. Dann tasten wir uns — bis an die Hüften im Wasser — gleichlaufend zum Ufer durch den See. *Flucht durch* Wir fühlen mit Stöcken nach Löchern und vermeiden möglichst *das Wasser* Schlammansammlungen. An Bilharzien, die kleinen Würmer, welche sich innen im Körper ansiedeln, denkt man am besten nicht. (Ein Jahr später stellt der Arzt in Arusha fest, daß ich mir sie doch geholt habe.)

Der große Schimpansenmann folgt uns am Ufer. An einer Stelle, wo es schilfig wird, klettert er einen alten Baum empor, um besser sehen zu können, wo wir hingehen. Wie lange wird er das durchhalten? Das Ufer ist mit Rohr verwachsen, aber immerhin ist es für ihn zu Lande noch bequemer zu gehen als für uns im See. Nach einer viertel Stunde sehen wir nichts mehr von ihm. Wir flüstern nur noch und winken uns zu, um überhaupt keinen Laut mehr von uns zu geben. Allmählich bekommen wir Hoffnung. Aber da versperrt die stachelige Baumkrone eines umgestürzten Baumes unseren Weg. Nach außen, auf den See zu, können wir sie nicht umgehen, da ist es zu tief. So müssen wir auf allen vieren an Land kriechen und geraten in ein wahres Verhau von wildverwachsenen Ranken, zum Glück ohne Stacheln. Wir bohren einer nach dem anderen einen Tunnel hindurch und robben uns fünfzig, sechzig Meter weiter, bis wir endlich auf eine Grasfläche und an Büsche kommen. Mißtrauisch sehen wir uns um. Von dem Schimpansenmann und dem anderen schwarzen Volk ist nichts zu sehen.

*Bauchrobben nach dem Reisegeld*

Doch meine Geldbörse mit dem Reisegeld ist aus der Hemdtasche herausgefallen. Ich hatte sie in der Aufregung nicht zugeknöpft. Wahrscheinlich ist sie herausgeglitten, als ich mich das erstemal im Gestrüpp gebückt habe. Dr. Walther und ich robben den ganzen Weg wieder auf dem Bauch zurück. Tatsächlich, genau an der Stelle, wo wir hineingegangen sind, liegt das Portemonnaie tief unten zwischen den Ranken und Zweigen.

Wir marschieren in unseren nassen Schuhen und Hosen durch Täler und Hügel wieder zurück. Wie wir ankommen, sind wir trocken. Dafür sind die Knöchel und Beine zerrissen und zerkratzt. In der Aufregung haben wir das gar nicht wahrgenommen. Mein Hemd ist zerfetzt, aber die Hose hat nach dem Unterwassermarsch noch immer Bügelfalten. Das sind die Wunder der modernen Textilchemie.

Sobald wir am Nachmittag des gleichen Tages, sehr viel bequemer, mit dem Motorboot wieder hinkommen, ist kein Menschenaffe mehr zu sehen. Die Bananenstauden liegen unberührt. Am Waldrand finden wir, recht zerfetzt, zerledert und zerlegt, die Schutzhülle des Feldstechers, nach langem Suchen im Wald auch diesen selbst, natürlich entzwei. Nester können wir in weitem Umkreis nicht entdecken.

Sie sind ja noch das eheste Zeichen von Schimpansen in einem Wald. Denn sie bauen sich jeden Abend nach fünf Uhr, bevor um sieben die Nacht hereinbricht, meist an einer neuen Stelle Schlafnester in den Baumwipfeln, indem sie Zweige umknicken, zusammenbiegen und dann abgerissene Zweige noch obendrauf legen. Diese Nester sind in zehn, manchmal in dreißig Meter Höhe. Im Gegensatz zu Gorillas setzen Schimpansen niemals den Kot in solche Nester ab. Auch auf ihren Wanderungen koten sie gern, wenn sie auf einem umgebrochenen Stamm sitzen, so daß der Stuhl daneben hinunter auf die Erde fällt. Man hat beobachtet, daß sie sich hinterher den After mit Blättern abwischten.

*Schimpansen-Schlafnester*

Nach ein paar Tagen lassen wir Sinclair Dunnett auf Rubondo zurück, damit er weiter ein Auge auf die Schimpansen und auf die schwarzen Wildhüter dort hat. Wir kaufen von einem afrikanischen Fischer ein großes schweres Holzboot, das zwanzig Personen tragen kann, mit einem Außenbordmotor. So können sie besser die Fischer der Nachbarinseln davon abhalten, in den verwilderten Bananenanpflanzungen die Fruchtstauden zu stehlen. Bald wird Sinclair Dunnett von dem jungen deutschen Revierförster Ulrich Kade abgelöst werden, der zwei Jahre auf Rubondo arbeiten soll. Bisher ist der Versuch gut verlaufen.

Erleichtert steige ich in das große Motorboot und fahre geradewegs von Rubondo nach Mwanza ab. Drei Stunden lang tuckert der Dieselmotor, dann hört er auf. Der Kapitän und der »Ingenieur« arbeiten an der Maschine und bringen sie wieder in Gang. Aber diesmal läuft sie nur 55 Minuten, dann ist sie wieder still. Es dauert schon länger, bis die schwarze Rauchwolke seitwärts von neuem aus dem Boot hervorkommt. Inseln gleiten an uns vorbei, Kormorane hocken auf kahlen Ästen am Ufer. Unter den Bäumen stehen auf kleinen Eilanden Schilfhütten, so einfach und ursprünglich, wie man sie sonst in Afrika kaum noch findet. Das nächstemal läuft der Motor nur noch zwanzig Minuten, dann nur noch zehn, dann nur noch fünf. Ich

*Seefahrt mit Pannen*

verfolge das immer unruhiger auf meiner Armbanduhr. Wird er vielleicht gar nicht mehr in Gang kommen? Die Wellen werden immer höher. Sie tragen Schaumkronen. Zum Glück ist Trockenzeit, ein Unwetter ist nicht zu befürchten. Auch nicht, daß das kräftige Boot untergeht. Aber wenn der Motor ganz aufhört, treibt uns der Wind unfehlbar weit hinaus in den offenen See. Zumindest müßten wir dann dort übernachten, wenn man uns überhaupt sucht und findet. Man malt sich bei solchen Gelegenheiten allerlei ungemütliche Dinge aus.

Die Brecher der Wellen schlagen über das Boot und durchnässen uns. Die schwarze Mannschaft schneidet alte Säcke auf und bindet sie auf der Wetterseite zwischen die Streben des Daches. Aber die Brecher springen trotzdem noch darüber. Ich hole aus meinem Sack einen Klappschirm, der von meinen beiden Gefährten belacht wird. Doch anschließend hocken wir volle fünf Stunden zu dreien hinter dem geöffneten Regenschirm.

Neunzehn Reparaturen an diesem Tag. Nach vierzehn Stunden Fahrt kommen wir in der Nacht in Mwanza an. Ich packe unseren Oberwärter Podolczak in meinen VW, fahre in der Serengeti volle drei Stunden lang durch Zehn- und Hunderttausende von Gnus, durch Zebras, Thomson-Gazellen; ich kann

ihm am Abend in Seronera, dem Hauptquartier des Nationalparks, noch bei Sonnenuntergang ein halbes Dutzend Löwen in der Steppe vorführen und einen Leoparden auf dem Baum. Am nächsten Tag tuckern wir durchs Gebirge und wieder hinunter nach Arusha, ins Flugzeug. Eine Nacht nach Frankfurt. Durch Zufall sitzt zwischen uns beiden im Flugzeug Hardy Krüger, und so kommen wir vor lauter Erzählen erst sehr spät zum Einschlafen.

Immerhin: Zum erstenmal sind Menschenaffen aus Europa zurück nach Afrika in ihre Heimat gereist. Glück auf, ihr Rubondo-Schimpansen!

*

Insgesamt wurden auf Rubondo von Juli bis November 1965 zwölf Giraffen ausgesetzt. Davon wurden 1967 eine Gruppe mit zwei Jungtieren beobachtet, und ebenso auch mehrmals 1968 und 1969 mehrere Giraffengruppen. An Nashörnern wurden 1964/65 insgesamt sechzehn ausgewachsene auf die Insel verbracht. Sie wurden in den folgenden Jahren mehrfach gesichtet, unter anderem 1966 ein Jungtier und ebenso wieder ein kleines 1967. Der Serengeti-Wildwart Myles Turner sah im September 1966 vom Flugzeug aus vier Rinder, die sich wie Büffel benahmen, ebenso wurden 1967 drei wilde Ziegen beobachtet, die wohl ebenfalls von den früheren Siedlern stammten. Im Oktober 1967 wurden zwei männliche und zwei weibliche Pferdeantilopen freigelassen, von denen zwei im Februar 1968 wiedergesichtet wurden; ebenso sah ich ihre Spuren im Februar 1969. Im Juni und Juli 1967 haben wir insgesamt zwanzig Colobus-Guereza-Affen auf der Insel angesiedelt. Einige davon sah ich im Februar 1969 vom Boot aus in den Uferbäumen. Auch Giraffen konnte ich vom Flugzeug aus am gleichen Tage im Inneren der Insel filmen.

Unter den elf Schimpansen, drei männlichen und acht weiblichen, deren Aussetzung wir soeben miterlebt haben, befand sich nur ein ausgewachsener Mann. Die beiden jungen Männchen schlossen sich leider nicht den ausgewachsenen Schimpansen an, sondern hielten sich meist für sich und kamen die ersten Monate noch ohne weiteres zu Menschen heran, flohen jedoch nach sechs Monaten bereits vor einem unbekannten Boot. Erst nach einem guten Jahr waren sie scheu geworden. Es erschien uns recht unsicher, nur einen ausgewachsenen, fortpflanzungsfähigen Mann in der Gruppe zu haben. Deswegen wurden 1966 zwei erwachsene Männer, die auch aus Zoos stammten, mit dem Flugzeug einzeln von Europa nach Rubondo geschickt, darunter der einäugige »Jimmy«. Er hatte schon während seines vorübergehenden Aufenthaltes im Frankfurter Zoo unseren Tierpfleger Klose erheblich verletzt. Im September 1967, also fünfzehn Monate nach dem Freilassen, erschien der Schimpansenmann »Robert« mit zwei schwangeren Weibchen im neuen zweiten Lager der Wildhüter. Die Tiere rissen die Zucker- und Getreidesäcke auf, streuten alles umher und benahmen sich recht aufsässig. Bei dem Versuch, sie zu vertreiben, wurde Ulrich Kade in die Hand gebissen. Spätere Überfälle auf das Lager wiesen die Wildhüter mit Kanonenschlägen ab, worauf die Schimpansen nicht mehr erschienen. Im Februar 1968 wurden zwei Schimpansenmütter mit neugeborenen Kindern beobachtet.

Im November 1967 wurde einer der Wildhüter auf der Insel von Wilddieben erschossen. Der Täter wurde jedoch erkannt, obwohl er entkam. Die Polizei konnte ihn zwei Tage später auf dem Festland in seinem Heimatort festnehmen. Er wurde 1968 gehenkt. Die Richter ahndeten den unerlaubten Aufenthalt auf Rubondo im Durchschnitt mit je eineinhalb Monaten Gefängnis, den Versuch der Wilddieberei mit sechs Monaten Gefängnis. Ein Fischerboot, das im März 1968 unerlaubt an der Insel anlegte, wurde von einem Flußpferd angegriffen und umgeworfen. Einer der Insassen ertrank.

Untaten des einäugigen Jimmy

Am 10. Oktober 1968 drang der einäugige »Jimmy« in das neue Lager ein und griff sofort den Wildhüter Lucas Seremunda an. Der Mann versuchte das Seeufer zu erreichen; er wollte nicht in sein Haus rennen, um den Schimpansen nicht mit den eigenen Kindern zusammenzubringen. Der Schimpanse packte ihn jedoch, bevor er das Wasser erreicht hatte. Der wütende Schimpansenmann zerbiß ihm beide Hände. Erst als ein anderer Wildhüter ihm mit einem Knüppel auf den Rücken schlug, ließ er ab und rannte davon. Sechs Tage später erschien er wieder und griff den Wildhüter Daniel Obaha an. Dieser saß außerhalb des Lagers und las ein Buch, mit dem Gewehr an seiner Seite. Als er den Schimpansen auf sich zukommen sah, versuchte er in ein Haus zu rennen, aber schon vorher biß ihm das wütende Tier ein Stück Fleisch aus dem Bein und drang dann mit dem Wildhüter zusammen in das Haus ein. Der Schimpanse schloß die Tür von innen. In dem wütenden Kampf, der folgte, verlor Daniel Obaha den kleinen Finger von einer Hand, und auch die andere Hand wurde schwer verletzt. Zum Glück gelang es ihm, die Tür aufzureißen. Einer der Träger packte das Gewehr, das auf der Erde lag, und schoß damit den Schimpansenmann tot. Den übrigen Schimpansen und den anderen Tieren auf Rubondo geht es aber offensichtlich gut.

In Notwehr erschossen

# UNTER SCHWARZEN NASHÖRNERN

*Nashorn und Elefant tragen unter zementiger Haut*
*Viel Weiches und viel Zartes.*
*Wer richtig in ihren Rachen schaut,*
*Gewahrt es.*
*Sie lassen von Leuten, die außen weich,*
*Innen hart sind, sich erschießen.*
*Ich glaube: Ihr kommt ins Himmelreich,*
*Ihr Riesen!*

*Joachim Ringelnatz*

Wenn man in Afrika einem schwarzen Nashorn zu Fuß begegnet, nicht, wie heute üblich, im Auto sitzend, dann kommt man sich recht klein und bescheiden vor. Sofort erinnert man sich an die vielen Geschichten von wütenden Angriffen und Todesfällen, die man in Afrikabüchern gelesen hat. So ein Spitzlippennashorn wiegt immerhin bis zu 2 t, es mißt von der Nasenspitze bis zur Schwanzwurzel 3,70 m, hat eine Schulterhöhe von 150 bis 160 cm und ist damit eines der gewaltigsten Landtiere. Zwar scheint es immerhin noch klein gegenüber manchen ausgestorbenen Mitgliedern seiner Familie, z. B. dem »Indricotherium asiaticum«, dem größten bisher bekannten Säugetier. Das war immerhin 5 m hoch, also so groß wie eine Giraffe, und 7 m lang. Man hat die Knochen eines solchen Riesentieres, die etwa 35 Millionen Jahre alt sind, in Kasachstan am Ufer des Tschulka-Flusses gefunden. Auch in jüngster Zeit lebten Nashörner, die den heutigen recht ähnlich waren, noch weit über ganz Europa und Asien verbreitet. Im Museum zu Krakau sah ich ein ausgestopftes, zehntausend Jahre altes Wollnashorn, das 1929 wohlkonserviert in erdöl- und salzhaltigen Schichten bei Starunia gefunden worden war.

*Nashörner so groß wie Giraffen*

Das schwarze oder Spitzlippen-Nashorn ist bekanntlich ebensowenig schwarz wie das weiße oder Breitlippen-Nashorn weiß ist. Je nach dem Boden, auf dem es lebt und in dessen Schlamm oder Staub es sich wälzt, kann seine schiefergraue

Grundfarbe so bedeckt sein, daß es manchmal weiß, manchmal rötlich, aber in Lava-Gegenden auch durchaus schwarz aussieht.

*Nashörner schwitzen nicht*

Es hat am Körper keine Haare bis auf die Schwanzspitze und die Ohrränder, außerdem auch keine Schweißdrüsen; daher seine Liebe für Schlammbäder. Die rippenähnlichen Falten an den Körperseiten sind durchaus unabhängig von den Knochenrippen darunter. Die Tiere haben keine Schneide- und Eckzähne, sondern nur in jeder Kieferhälfte sieben Backenzähne. Im Frankfurter Zoo fand man im Kot eines acht bis neun Jahre alten Nashorn-Bullen ausgefallene Zähne; in diesem Alter dürften die Tiere auch endgültig erwachsen sein. Gegen die letzte Jahrhundertwende neigten die Museums-Zoologen dazu, nach Hörnern und Knochen, die ihnen angeliefert wurden, und nach den wenigen afrikanischen Nashörnern in Tiergärten eine ganze Anzahl von Arten und Unterarten des Spitzlippen-Nashorns zu benennen. Heute rechnet man alle Spitzlippen-Nashörner zu der Art Diceros bicornis und sondert davon bestenfalls Diceros bicornis somaliensis im nördlichsten Kenia und Somaliland ab, das etwa 10 v. H. leichter ist.

Am eindrucksvollsten sind an diesem Rhinozeros die beiden Nasenhörner. Ein Besucher, der unser Tier zum erstenmal im Zoo bestaunt, verspürt sie im Unterbewußtsein schon zwischen den Rippen. Dabei haben Zoo-Nashörner so gut wie niemals die erstaunliche Hornlänge, die manche wilden Spitzlippen-Nashörner mit sich herumtragen. Das längste Horn, das (bei einem Nashorn in Kenia) jemals gefunden worden ist, war, an der Außenkurve gemessen, 133,7 cm lang. »Gertie«, eine der beiden Nashorn-Kühe in Amboseli mit ungewöhnlich waagerecht nach vorn und oben gebogenen Vorderhörnern, hatte

*Die längsten Nasenhörner*

dann später den Weltrekord von 138 cm. Sie war viele Jahre hindurch das meistfotografierte Wildtier auf Erden. Eine ähnlich ungeheuerliche Hornbildung hatte die Kuh »Gladys«, die am gleichen Ort lebt. Sie brach 1955 45 cm davon ab. Nach Fotos konnte man feststellen, daß bei diesen Tieren die Hörner in sechs bis sieben Jahren etwa 45 cm länger geworden waren.

Die Nashorn-Hörner sitzen nicht auf einem Knochenzapfen wie der Kopfschmuck eines Steinbocks oder einer Kuh. Sie bestehen gewissermaßen aus zusammengebackenen Haaren; tatsächlich kann so ein Nasenhorn wieder auffasern. Wenn der Nasenschmuck des Nashorns einmal abreißt, was immerhin vorkommt, bleibt nur eine schwach blutende Stelle zurück. Das Horn wächst wieder nach. Das vordere Nasenhorn ist immer länger als das hintere. Doch soll es in einigen Gegenden Afrikas, wo die Nashörner heute ausgerottet sind, Gruppen gegeben haben, bei denen beide Nasenhörner gleich lang waren.

Diese Hörner werden in ostasiatischen Apotheken, besonders in China, gepulvert als Mittel zur Anregung des Geschlechtstriebes an Menschen verkauft. Deswegen werden Nashörner, die so leicht umzubringen sind, immer wieder hartnäckig gewildert. Im Schwarzhandel zahlte man schon vor Jahren in Afrika *Aberglauben — schlimmster Feind der Nashörner* sechzig Mark für 1 kg Nasenhorn. Es handelt sich dabei um reinen Aberglauben, ebenso wie man in chinesischen Apotheken ja auch Drachenzähne und die seltsamsten Dinge als Heilmittel verkauft. Schon John A. Hunter, der wohl den traurigen Ruhm beanspruchen darf, in seinem Leben die meisten Nashörner geschossen zu haben, kochte geraspeltes Rhinozeros-Horn zu einem dunkelbraunen Tee. »Obwohl ich mehrere Portionen des Gebräus trank, verspürte ich leider keinerlei Wirkung, möglicherweise, weil mir der Glaube daran fehlte; vielleicht auch, weil ich nicht die rechte Anregung um mich hatte«, schreibt er. Die medizinische Wirkung des Hornes ist neuerdings auf Veranlassung von A. Schaurte recht gründlich untersucht worden, ebenfalls mit völlig verneinendem Ergebnis. Natürlich bleiben die Nasenhörner aber weiter begehrt. So manche Tierart ist ja bereits durch Aberglauben ausgerottet worden.

Sogar dreihörnige Nashörner hat man gelegentlich angetroffen, recht häufig zeitweise in Zambia (Nordrhodesien) in der *Dreihörnige Nashörner* Nachbarschaft des Young-Sees. Selbst ein fünfhorniges Spitzlippen-Nashorn hat es schon gegeben und welche mit Hörnern, die am Körper wuchsen. Das Panzer-Nashorn mit einem kleinen Schulterhorn auf der berühmten Zeichnung von Albrecht Dürer, welches von anderen Künstlern immer wieder so nachgezeichnet worden ist, hat man später viel belächelt. Es kann aber vielleicht wirklich ein lebendes Vorbild gehabt haben.

Ohrenlose Nashörner, die außerdem meistens nur einen Schwanzstummel besitzen, habe ich sowohl im Amboseli-Gebiet, Kenia, als auch im Ngorongoro-Krater fotografiert. Die Massai-Eingeborenen erzählen gern, es sei eine Mutprobe bei ihnen, schlafenden Nashörnern die Ohren abzuschneiden. Tatsächlich werden die Tiere jedoch ohne Ohren geboren. Ich habe den ohrenlosen »Pixie« aus nächster Nähe beobachtet und fotografiert. Dabei hatte ich den Eindruck, daß er die Öffnungen des Gehörganges verengen, ja schließen kann. Klären läßt sich diese Frage wohl nur, indem man die Ohrmuskeln eines toten Nashorns untersucht. »Pixie« ist übrigens das 1953 geborene Kind von »Gertie«, die wohlausgebildete Ohren hat.

*Nashörner sind kurzsichtig*

Schwarze Nashörner sind erstaunlich kurzsichtig. Sie können offensichtlich selbst auf Entfernungen von vierzig, ja von zwanzig Metern einen Mann von einem Baumstamm nicht unterscheiden, was vieles in ihrem Verhalten erklärt. Ihr Gehör ist wesentlich besser: die tütenförmigen Ohren richten sich schnell nach ungewohnten Geräuschen. Am besten können sie riechen, sicher nicht schlechter als ein Hund. Sie folgen den Spuren anderer Nashörner nach dem Geruch. Wenn Mutter und Kind sich verloren haben und einander suchen, sind sie nach Auffassung des menschlichen Beobachters oft in vollster Sichtweite voneinander. Trotzdem gehen sie keineswegs aufeinander zu, sondern schnüffeln am Boden her, bis sie auf die Spur des anderen treffen und ihr dann folgen.

*Wie schnell läuft das Nashorn?*

Ich bin zwar einige Male im Auto sitzend von Nashörnern angegriffen worden, zu Fuß jedoch nur einmal, im Ngorongoro-Krater. Dabei konnte ich um einen Geländewagen herum und in ihn hinein flüchten. Aber man entwickelt dabei doch Geschwindigkeiten, die man selbst von sich nicht erwartet. Meinertzhagen hat auf dem Geschwindigkeitsmesser seines Wagens 50—56 km/st abgelesen, als Nashörner seinen fahrenden Wagen angriffen, bei anderer Gelegenheit verfolgte ein Nashorn einen fahrenden Wagen vierhundert Meter weit mit 45 km/st Geschwindigkeit. Für gewöhnlich gehen sie aber recht langsam, selbst wenn sie unterwegs nicht weiden, jedenfalls laufen sie längst nicht so schnell wie ein menschlicher Spaziergänger. Ich

42

kenne niemanden, der ein Nashorn hat durch einen tiefen See oder Fluß richtig schwimmen gesehen, obwohl sich die Tiere ja leidenschaftlich gern suhlen, in flaches Wasser hineingehen und dort das Schilf abweiden. Immerhin *können* sie jedoch schwimmen. Als man beim Aufstauen des künstlichen Kariba-Sees in Sambia die Tiere zu retten versuchte, die sich auf die langsam verschwindenden Inseln geflüchtet hatten, griff ein Nashorn das Boot an und ging dazu überraschend in tiefes Wasser, wo es keinen Grund mehr fand. Allerdings verschwand es fast völlig in den Fluten; nur Nase, Ohren und Augen ragten sehr wenig über den Wasserspiegel heraus. Schon ein geringer Wellengang hätte genügt, das Tier immer wieder unter Wasser verschwinden zu lassen.

*Nashörner sind sehr schlechte Schwimmer*

Zwar wirken Spitzlippen-Nashörner schwerfällig, sie steigen aber recht hoch im Gebirge empor; man hat sie schon in 2700 bis 2900 m Höhe in den ostafrikanischen Bergen gefunden. Schwarze Nashörner leben im dichten Busch, im lichten Wald, auf offenen grasigen Ebenen, sogar in Halbwüsten-Gebieten. Nur heiße und zugleich feuchte Gegenden lieben sie nicht. Deswegen sind sie niemals in den Regen-Urwald des Kongo-Bekkens oder die Wälder Westafrikas eingedrungen. Sie waren also auch früher nicht in ganz Afrika zu finden, wohl aber schon an der Südspitze, in der Gegend von Port Elizabeth, Transvaal, ferner im südlichen Teil von Angola, von da bis an die Westküste, und dann in ganz Ostafrika, Mozambique, Tansania, Kenia, Somalia, bis nach Äthiopien hinein, von da in einem Streifen zwischen der Sahara und dem Kongo und den nigerianischen Urwäldern bis in die Gegend des Tschad-Sees und Französisch-Kamerun. Aber auch innerhalb der großen Fläche des mittleren Ostafrika, die nur mit zwei Fingern nach Westafrika faßte, kamen die Spitzlippen-Nashörner in vielen Gegenden nicht vor, z. B. entlang der Küste von Kenia und Tansania oder zwischen dem Sambesi- und dem Chobe-Fluß. Seit dem Eindringen der Europäer nach Afrika sind sie in weiten Teilen ausgerottet worden, so z. B. südlich des Sambesi. In den französischen Kolonien Afrikas waren sie schon um 1930 beinahe ganz verschwunden; erst dann führte man strengen Schutz ein und

*Auch früher lebten sie keineswegs in ganz Afrika*

konnte einige erhalten. Insgesamt dürften augenblicklich in ganz Afrika nur noch elf- bis dreizehntausendfünfhundert schwarze Nashörner leben, die meisten davon in Tansania (drei- bis viertausend Stück).

Schon heute können wir kaum noch fassen, wie vor allem weiße Jäger unter den Spitzlippen-Nashörnern gewütet haben. *Die Nashorn-Großschlächter* Allein aus dem Sultanat des Forts Archambault, in der Gegend des Tschad-Sees, wurden 1927 nicht weniger als achthundert Nashorn-Hörner ausgeführt. Der berufsmäßige Großwild-Jäger Cannon hat etwa dreihundertfünfzig Nashörner in weniger als vier Jahren geschossen. Er und ein Großschlächter namens Tiran waren besonders in Kamerun, Obangi und im Tschad tätig. Sie gingen zeitweise von der Elfenbein-Jagd auf die Nashörner über, die leichter zu töten sind als die Elefanten und deren Hörner teurer und teurer wurden. Die Eingeborenen, von diesen Leuten mit modernen Waffen versehen, beteiligten sich fleißig an der Schießerei oder betätigten sich selbständig. Der britische Großwild-Jäger John A. Hunter rühmte sich, neben über tausend Elefanten mehr als tausendsechshundert Nashörner erlegt zu haben. Nur zum Teil tat er das im Auftrag der Regierung, die z. B. das Wakamba-Land in Kenia zur Besiedlung frei machen wollte. Dort schoß er 1947 dreihundert Nashörner, im folgenden Jahr weitere fünfhundert. Nachher stellte sich heraus, daß das Land für die menschliche Besiedlung kaum geeignet war. Besonders schwer zu begreifen sind die sogenannten Sportjäger, die nur aus Freude an der Sache selbst ohne wirtschaftlichen Vorteil Afrika bereisten und möglichst viel der ahnungslosen Tiere umlegten. Von einem Dr. Kolb wird berichtet, daß er in Ostafrika über hundertfünfzig Nashörner abschoß.

*Nashornjäger — ein Gegenstand für Psychologen* Aus Briefen und Berichten die Geistesart solcher Menschen nachträglich zu ergründen, dürfte eine besondere Aufgabe für Psychologen sein. Sie sind offensichtlich völlig verschieden von unserem europäischen Jäger, der das Wild hegt, Jagdpachten und Vergütungen für Wildschäden an den Äckern aufwendet, um die Wildbestände zu erhalten und zu verbessern. Man darf wohl vermuten, daß persönliche Minderwertigkeitsgefühle, ver-

44

drängte Zerstörungstriebe und eine gewisse Ruhmsucht in derartigen Menschen verborgen waren, weil ja diese Großwild-Jagd im Heimatland stets als besonders heldenhaft geschildert wurde. Der berühmte britische Forscher Frederik Selous (1851 bis 1917), der in Deutschland erzogen war, hat in den langen Jahren seines Afrika-Aufenthaltes nie von einem Fall erfahren, in dem ein europäischer Nashorn-Jäger durch ein Nashorn getötet worden war. Heute ist das schwarze Nashorn in Südafrika praktisch ausgerottet, bis auf einige wenige in Schutzgebieten. In Rhodesien und Malawi gibt es nur noch ein paar, etwas mehr in Sambia, vor allem im Gebiet des Luangwa-Flusses. Im südlichen Sudan dürften die wenigen Nashörner durch den Krieg und die weite Verbreitung von Schußwaffen in den letzten Jahren wohl inzwischen verschwunden sein. Im portugiesischen Mozambique rechnet man mit rund fünfhundert Köpfen, in Angola mit hundertfünfzig, in Südwestafrika mit zweihundertachtzig. Hätte man nicht in den letzten Jahrzehnten Nationalparks und ähnliche Schutzgebiete geschaffen, so wäre das Schicksal des schwarzen Nashorns in Afrika wohl längst besiegelt.

*Weiße Jäger niemals von Nashörnern getötet*

Nashörner dringen nämlich, anders als die wanderlustigen Elefanten, in Gegenden, wo sie einmal ausgerottet worden sind, kaum wieder von allein ein. Es ist zwar nicht so schwer, sie künstlich wieder anzusiedeln, indem man sie anderswo einfängt und in Kisten hinbringt. In den fünfziger Jahren hat man das im Garamba-Nationalpark von Ruanda getan; in den letzten Jahren haben wir, wie schon erwähnt, sechzehn, zum Teil erheblich verwundete Nashörner in den Jagdgebieten Tansanias gefangen und mit einer Fähre nach der Insel Rubondo im Viktoria-See gebracht. Aber ihrer Wesensart nach harren Spitzlippen-Nashörner auch dann in ihrem Heimatgebiet aus, wenn es besiedelt und immer unruhiger wird.

*Nashörner in Kisten*

Erst in den letzten Jahren, seitdem unsere Kenntnisse nicht mehr von Großwild-Jägern, sondern von geduldigen Forschern und Wildwarten in Nationalparks stammen, wissen wir mehr über das Leben dieser grauen Riesen. Im Gegensatz zu vielen anderen Tierarten haben schwarze Nashörner z. B. keine festen

Eigenbezirke, aus denen sie andere Artgenossen hinausjagen.
Wohl aber trifft man dasselbe Tier, zumindest um die gleiche
Jahreszeit, meistens in der gleichen Gegend und oft fast peinlich
genau stets zur gleichen Tageszeit am gleichen Ort und bei derselben Tätigkeit. Einmal am Tag geht so ein Nashorn auf
festgetretenem breitem Pfad zum Trinken. Der Weg von der
Weide bis zur Wasserstelle kann 8 bis 10 km weit sein. Es beginnt meistens erst am Nachmittag zu weiden und verbringt
den übrigen Tag im Schatten eines Baumes oder im Schlamm-
bad. Nachts können die Tiere dann am Tümpel übermütige
Spiele treiben, sich herumjagen, fauchen und prusten. Wo sie
nicht gejagt werden, wie z. B. im Ngorongoro-Krater oder im
Amboseli-Gebiet, sind sie aber auch den ganzen Tag über auf
völlig freier Fläche zu sehen. Ihre Leidenschaft für Schlamm-
Bäder kann in seltenen Fällen dazu führen, daß sie stecken-
bleiben und sich nicht mehr retten können oder gar in so hilf-
losem Zustand von Hyänen angefressen werden.

*Nashorn lebt nach dem Stundenplan*

Früher nahm man an, daß schwarze Nashörner fest in bestimmten Wohnbezirken bleiben. Daß dies nicht der Fall ist,
ergibt sich aus immer eingehenderen Beobachtungen im Ngorongoro-Krater, Tansania, der 260 qkm Bodenfläche hat. Mein
Sohn und ich zählten dort im Januar 1958 vom Flugzeug aus
neunzehn Nashörner, Molloy im März 1959 42. Hans Klingel,
der von Juni 1963 bis Mai 1965 dort immer wieder die Nashörner beobachtete, stellte 61 verschiedene fest, von denen 34
regelmäßig die ganze Zeit oder wenigstens mehrere Monate
hindurch zu sehen waren. Sie schienen mehr oder weniger
Dauerbewohner des Kraterbodens zu sein. Am 18. Februar 1964
wurde die Höchstzahl von 27 verschiedenen Nashörnern an
einem Tag vom Flugzeug aus gezählt (Turner und Watson), am
8. Oktober 1963 die niedrigste Zahl von zehn. J. Goddard, der
drei Jahre bis einschließlich 1966 als Biologe unten im Krater
lebte, jedes einzelne Tier laufend fotografierte und kennen-
lernte, hat in dieser Zeit 109 verschiedene Nashörner im Krater
gesehen. Er nimmt an, daß die große Mehrzahl dieser Tiere
das ganze Jahr hindurch in dem Gebiet oberhalb des Krater-
randes lebt. Auf ähnliche Weise stellte er übrigens siebzig ver-

*Die Nashörner im Ngorongoro-Krater*

schiedene Nashörner im Gebiet der Oldupai-Schlucht, dem berühmten Fundort der Vormenschenreste innerhalb der Serengeti-Ebenen, fest. Klingel fand die meisten ständigen Insassen
des Kraters immer wieder in bestimmten Bezirken, besonders
Bullen. Manche von diesen wurden niemals außerhalb angetroffen. Es kommt aber auch vor, daß einzelne Tiere beiderlei
Geschlechts ihren Stammbezirk verlassen und dann ständig an
einem anderen Platz bleiben.

Schwarze Nashörner essen besonders gern Zweige, die sie *Sie verändern*
mit ihrer spitzen Oberlippe wie mit einem Finger oder einer *die Landschaft*
Hand fassen. Auch wenn man sie auf einer Grasfläche weiden
sieht, ziehen sie in Wirklichkeit vielfach nur ganz kleine, neue,
winzige Büsche daraus hervor. Fraser-Darling fand, daß ein
Nashorn täglich zweihundertfünfzig kleine Flöten-Akazien aus
der Erde zog und verzehrte. Wie sehr mögen Nashörner das
Bild der afrikanischen Landschaft in dieser Weise verändern!
Und welche Folgen kann wohl ihre Ausrottung in manchen Gegenden haben! In Natal (Südafrika) wurden zwei schwarze
Nashörner dabei beobachtet, wie sie einen ziemlich starken
Mtomboti-Baum (Spirostachys africanus) niederbrachen. Eines
der Tiere faßte den Stamm des Baumes zwischen den beiden
Hörnern und übte dann Druck aus, indem es allmählich das
ganze Gewicht des Körpers in einer Zirkelbewegung verlagerte.
So brach der Baum und fiel um. Als er am Boden lag, began-
nen beide Tiere, die Spitzen der jungen Zweige abzuweiden.

Ein anderes Nashorn hatte dort am äußersten Ende über *Felsen brach*
einer Felswand gestanden und an Zweigen geweidet. Als es *mit Nashorn ab*
versuchte, einen recht weit abstehenden Zweig zu erreichen,
muß es wohl zu sehr das Gewicht auf den überhängenden Felsen verlagert haben. Er brach ab. Bei dem Sturz über 10 m
wurde das Tier getötet. Schwarze Nashörner verzehren die sehr
stachligen Zweige der Dornenbüsche und stören sich nicht an
dem klebrigen weißen Saft der Euphorbien. Nicht nur in Zoos
nehmen sie zeitweise den eigenen Kot auf, sondern auch im
Freileben. Klingel beobachtete mehrere Tage hindurch eine
Gruppe von vier Tieren, die immer wieder Gnu-Dung verzehrten. Während dieser Zeit weideten mehrere hundert Gnus in

dem Gebiet, wo nach einem Grasfeuer nur kurzes, sehr frisches Gras von bis zu 8 cm Länge stand. Die Nashörner verzehrten frischen oder oberflächlich getrockneten Dung. Sie nahmen einen ganzen Haufen davon auf und kauten ihn, wobei sie Teile wieder verloren, das meiste aber herunterschluckten. Während dieser Tätigkeit rührten sie keinerlei Pflanzen an, sondern gingen geradewegs von einem Dunghaufen zum nächsten. Wahrscheinlich wird ein Mangel an Mineralien oder anderen Wirkstoffen auf diese Weise befriedigt.

*Nashörner verzehren Kot von Gnus*

Schwarze Nashörner graben mit ihren Hörnern an manchen Plätzen salzige Erde auf. Ebenso sollen sie ihre eigenen Kothaufen damit auseinanderwerfen. Für gewöhnlich tun sie das aber mit den Hinterfüßen, ähnlich wie ein Hund frisch abgesetzten Kot mit Erde bewirft. Das Nashorn verstreut mit einer gleichen Bewegung den Kot in der Umgebung. Nach einem Märchen in Sambia stochert das Nashorn mit seinem Horn im eigenen Kot, um darin eine Nähnadel zu suchen, die es aus Versehen verschluckt hatte. Als die Tiere erschaffen wurden, hatte das Nashorn nämlich von Gott eine Nadel bekommen, um sich die Haut am Körper festzunähen. Nach einer anderen Legende wieder zerstreuen die Nashörner ihren Kot auf Anordnung der Elefanten, die es nicht lieben, daß andere große Kothaufen ebenso herumliegen wie ihre eigenen.

*Elefanten verlangen, daß die Nashörner ihre Kothaufen verkleinern*

Rudolf Schenkel hat 1964 und 1965 in monatelangen Aufenthalten die schwarzen Nashörner im Tsavo-Nationalpark Ost, Kenia, untersucht. Im Gegensatz zu Elefanten setzen sie nicht gleichzeitig Kot und Urin ab, so stellte er fest, wohl aber misten verschiedene Nashörner, auch Bulllen und Kühe, auf dieselben Haufen. Nur in seltenen Fällen wird Mist während eines kurzen Anhaltens beim Gehen mitten auf dem Wechsel abgegeben. Bullen spritzen den Harn bekanntlich in einem scharfen Strahl nach hinten, was in zoologischen Gärten zu großen Überraschungen bei Besuchern und zu völlig durchnäßten Kleidern führen kann. Manchmal bearbeiten Bullen Büsche erst mit den Hörnern, dann mit den Füßen und bespritzen sie zum Schluß mit Harn. Die Kothaufen sollen gewiß nicht einen bestimmten Bezirk als Eigenbesitz eines Einzeltieres kennzeichnen. Schenkel meint, daß die Spitzlippen-Nashörner, die ja so gut riechen können, auf diese Weise in einer Gegend miteinander Fühlung halten wollen, auch wenn sie sich gerade nicht sehen. Sie wollen sich die Landschaft auf diese Weise vertraut machen. Aus ähnlichen Gründen setzen wohl auch die Nashorn-Kühe hin und wieder während des Gehens stoßweise Harnspritzer auf den Weg.

Der Zoologe Herbert Gebbing hat 1957 im Frankfurter Zoo das Schlafen der Nashörner untersucht. Für gewöhnlich liegen die Tiere etwas seitlich auf dem Bauch, wobei die Vorderfüße eingewinkelt unter den Körper kommen, die Hinterfüße nach vorn ausgestreckt sind. Der Kopf wird nach vorn auf den Boden gelegt. Nur in seltenen Fällen legt sich das Tier vollständig auf eine Körperseite und streckt alle vier Beine seitwärts von sich.

Vielleicht schlafen die Tiere in dieser Stellung besonders tief. *Nashörner* Unsere beiden Frankfurter Nashörner legten sich schon kurze *schlafen länger* Zeit nach dem Schließen des Hauses hin, meistens gleich nach *als Elefanten* der Abendmahlzeit. Im Gegensatz zu Elefanten schliefen sie recht lange, im Durchschnitt acht bis neun Stunden jede Nacht. Dabei liegen sie fast gleich lange auf der rechten wie auf der linken Körperseite. Für gewöhnlich liegen die Tiere zwei bis drei Stunden, manchmal bis fünf hintereinander und lassen sich durch vertraute Geräusche nicht stören. Man hört deutlich ihr Atmen, manchmal klingt es wie Schnarchen. Sie atmen acht- bis zehnmal in der Minute. Zwei- bis dreimal in der Nacht stehen sie auf, um Kot oder Harn abzusetzen. Der Urin wird von dem Männchen drei bis vier Meter weit weggespritzt.

Gerda Schütt beobachtete bei den Hannoverschen Nashörnern, daß sie in der Nacht neuneinhalb Stunden schliefen und durchschnittlich fast drei Stunden standen, wobei sie beinahe ausschließlich aßen. Stand eines der beiden auf, so wachte das *Erstes Nashorn* andere auch bald auf. Wenn nicht, stieß das erste so lange mit *weckte das* dem Kopf, bis es sich auch erhob. *zweite*

Nashörner findet man immer nur einzeln oder in kleinen Gruppen bis höchstens fünf Köpfe zusammen, außer an Suhlplätzen. Sind es zwei, so handelt es sich meistens um eine Kuh mit ihrem mehr oder weniger erwachsenen Kind oder um einen

Bullen und eine Kuh, selten um zwei Bullen. Erwachsene Tiere halten nicht hartnäckig längere Zeit oder für immer zusammen, wie das z. B. bei alten Kaffernbüffel-Bullen üblich ist. Nashörner, die zusammenstehen, streicheln sich gelegentlich mit den Lippen oder reiben ihre Kinnunterseite an dem anderen Tier. Kühe sind niemals mit Bullen zusammen, solange ihr Kalb noch klein ist, wohl aber, wenn es halbwüchsig ist. Im Nairobi-Nationalpark sah der Wildwart Ellis 1958 eines Abends eine Gruppe von vier Nashörnern aus dem Wald kommen. Drei von diesen voll ausgewachsenen Tieren verhielten sich seltsam: sie drückten sich Schulter an Schulter, während das vierte hinter ihnen her ging. Die mittelste von ihnen zeigte Wehen. Als sie merkten, daß sie beobachtet wurden, hielten sie an, aber eine der Kühe rieb weiter mit der Seite ihres Kopfes und Hornes die Flanke der werdenden Mutter. Schließlich zogen sie sich wieder ins Gebüsch zurück. Drei Tage später wurde ein neugeborenes Kalb gesichtet.

»Geburtshilfe« unter Nashörnern

Scheinbar bösgemeinte Begegnungen zwischen Nashörnern verlaufen fast immer friedlich. Steht da eine Mutter mit ihrem Kalb, und plötzlich taucht hinter einem Busch hervor ein großer Bulle auf. Alle Köpfe fahren hoch, die Kuh schnaubt, der Bulle schnaubt auch. Steil richten sich bei beiden Kolossen die kleinen Schwänze auf, wie Alarmzeichen. Der Bulle scharrt ein paarmal mit den Hinterbeinen und geht dabei etwas vor. Sie sind etwa 80 m voneinander entfernt. Wieder prustet der Bulle, die Kuh tut es auch. Dann nehmen beide, fast gleichzeitig, die Köpfe herunter und stürmen aufeinander los. Ich zücke die Kamera und stelle scharf ein. Sechzig Meter — fünfzig Meter. Es muß einen gewaltigen Krach geben, wenn die tonnenschweren grauen Kolosse aufeinanderprallen. Dreißig Meter, zwanzig Meter. Da, plötzlich, in sechs Metern Abstand, stoppen beide und sehen sich an, die Köpfe erhoben. Die Ohrtrompeten sind einander zugerichtet, das Weibchen bewegt sein Haupt leise hin und her. Dann wendet sich der Bulle nach einer Seite und geht auf das Wasser zu. Kurz darauf dreht sich auch die Kuh um. Eine Weile später stehen alle drei zusammen. Mit dem Bild von dem Nashorn-Kampf war es wieder einmal nichts.

Der versäumte Nashornkampf

50

Spitzlippen-Nashörner erkennen Elefanten eindeutig als überlegen an. Da die Tiere aber selten Grund zum Streit miteinander haben, wird einem das nicht so leicht klar. So kamen in Uganda ein Elefant und ein Nashorn auf einem festgetretenen Pfad gemächlich aufeinander zu, bemerkten sich aber gegenseitig erst, als sie nur noch fünfzehn Meter Abstand hatten. Der Elefant stellte seine Ohren ab und ging geradewegs auf das Rhinozeros zu, welches anhielt und seinen Kopf hob. Dann machte der Elefant einen Angriff, und das Nashorn marschierte rückwärts, bewegte dabei seinen Kopf hin und her und prustete laut. Ein anderer kurzer Vorstoß des Elefanten schlug das Nashorn in die Flucht; es verschwand im Galopp auf dem Weg, den es gekommen war. Später weideten die beiden Tiere nicht weit voneinander, ohne sich umeinander zu kümmern. Frau Trappe fand in der Gegend, wo heute der Arusha-Nationalpark ist, eines Tages ein Nashorn, das von Elefanten-Stoßzähnen durchbohrt war, und Fußabdrücke von Elefanten ringsum. Solche Fälle sind schon mehrfach beobachtet worden. Der Wildwart Koos Smit berichtete 1960 über einen erbitterten Kampf zwischen einem Nashorn-Bullen und einem Elefanten im Krüger-Park. Der Elefant wollte offensichtlich dem Nashorn nicht zu trinken erlauben, während dieses darauf bestand. Im Laufe des Kampfes, der sich dabei entwickelte, stürzten beide Tiere den 3 m hohen Steilabhang des Flusses hinab, kämpften aber im Wasser weiter. Große Blutlachen führten an die Stelle, wo das Nashorn tot lag — mit vier Stoßzahn-Löchern außer anderen Verletzungen. Wiederholt haben Elefanten die getöteten Nashörner ganz mit Ästen und Zweigen zugedeckt.

*Elefant ist dem Nashorn überlegen*

Anderen Großtieren gegenüber sind die Beziehungen keineswegs so eindeutig. Der Wildwart des Murchison-Falls-Nationalparks sah zu, wie ein schwarzes Nashorn eine Gruppe von zwölf Wasserböcken etwa hundert Meter weit jagte. Dann bekamen die Antilopen das über, machten eine Kurve und griffen ihrerseits den grauen Kerl an. Der schlug sich schleunigst in ein Gebüsch und ward nicht mehr gesehen. Bei anderer Gelegenheit griff ein Nashorn offensichtlich aus Übermut eine Herde von etwa dreihundertfünfzig Kaffernbüffeln an, die in einer etwa

*Übermütige Nashörner*

51

400 m langen Reihe weideten. Das Nashorn rannte die Linie der ahnungslosen Büffel entlang, verjagte sie nach allen Richtungen und ging dann seines Weges weiter.

*Wie sie sich mit anderen Tieren vertragen*

Gegenseitige Duldung ist aber häufiger, ja, es kann fast zu einer Art Freundschaft kommen. A. Ritchie berichtet von zwei großen Nashörnern, die lange Zeit hindurch mit einer großen Büffelherde zusammen zu sehen waren. Die Nashörner schliefen regelmäßig in einer Waldlichtung, umgeben von den Büffeln, Seite an Seite mit ihnen liegend. Im Nairobi-Nationalpark sah Guggisberg eine Gruppe Zebras beim spielerischen Angriff auf ein einzelnes Nashorn; dieses zog schließlich ab.

*Schildkröten weiden auf Nashörnern Zecken ab*

In Natal wälzte sich ein weibliches schwarzes Nashorn in einem Flußbett. Dabei zerrten zwei Wasserschildkröten an der zerklüfteten Hautauflage, wie man sie so oft an den Rückenseiten von Nashörnern findet. Offensichtlich verursachte das dem Nashorn Schmerzen, weil es immer aufsprang, wenn eine der Schildkröten stark zerrte. Jedoch machte der Dickhäuter keine Miene, die Schildkröten anzugreifen. Bei einer anderen Gelegenheit wurde ebenfalls in Natal ein Spitzlippen-Nashorn in einem Tümpel beobachtet, das sich auf die Seite legte. Sofort kamen von verschiedenen Seiten mindestens sechs Wasserschildkröten zu dem Tier und fingen an, die Zecken abzuweiden. Dabei erhoben sie sich bis zu 17 cm aus dem Wasser, um die Schmarotzer zu erreichen. Um so eine Zecke loszubekommen, stellten die Schildkröten ihre Vorderfüße gegen den Körper des Nashorns, packten die Zecke mit dem Mund und zerrten kräftig, bis der Schmarotzer nachgab. Wenn die Schildkröten an den empfindlicheren Teilen des Nashorns arbeiteten, war das dem großen Tier offensichtlich unangenehm, und es zuckte mehrfach. Diese Bewegungen wurden aber von den Schildkröten überhaupt nicht beachtet. — Kuhreiher folgen zwar den ganzen Tag lang den Nashörnern und sitzen auch auf ihrem Rücken. Offensichtlich ist es ihnen aber nur darum zu tun, die Insekten zu erwischen, die von den großen Tieren aufgescheucht werden. Zecken lesen sie den Nashörnern nicht ab, wie Magenuntersuchungen bei den Kuhreihern gezeigt haben.

*Kuhreiher*

Vor ungewohnten Tieren ergreifen die Kolosse leicht die

Flucht. Der Foxterrier »Simba« des verdienstvollen Wildfoto-
grafen Cherry Kearton schlug zwei große Nashörner laut kläf-
fend in die Flucht. Er verfolgte sie so wütend, daß er später erst
von Reitern 7,5 km entfernt völlig erschöpft wiedergefunden
wurde. Als in Afrika Geländewagen und Autos noch nicht üblich waren, ging man zu Pferde an das Großwild heran. Kearton hat oft gesehen, wie Reiter von Nashörnern verfolgt wurden. Die Schnelligkeit des angreifenden Nashorns entspricht
etwa der eines galoppierenden Pferdes, und so zog sich solch
eine Jagd oft recht in die Länge. Die Reiter konnten vor den
Nashörnern kaum einen größeren Vorsprung gewinnen, aber
die Dickhäuter hatten nicht die gleiche Ausdauer und gaben
nach einiger Zeit die Verfolgung auf.

*Reiter von Nashörnern verfolgt*

Nashornkälber werden immerhin gelegentlich von Löwen getötet. 1966 wurde im Manyara-Nationalpark, Tansania, eine
Nashorn-Mutter mit Kalb angefallen und gegen das Eingangs-
tor des Parkes getrieben. Etwa fünfzig Meter vor dem Eingangs-
gebäude packten sie das Kalb. Die Mutter schrie fürchterlich
um Hilfe. Zufällig kam gerade der Wagen eines Führers aus
dem Park nach dem Eingang zurück, und ein Besucherwagen
wollte umgekehrt hineinfahren. Beide Autos wurden von der
wütenden Nashorn-Mutter zurückgejagt. Sie ließ sich durch
Zurufe und Steinwürfe nur so weit beiseite treiben, daß die
Autos vorbeifahren konnten. Die Löwen ließen die Reste des
Kalbes liegen und gingen weg.

*Löwen töten junge Nashörner*

Im Ngorongoro-Krater wurde in der Nähe des Lerai-Waldes
ein jungerwachsenes Nashorn von einem Rudel Löwen getötet.
Das Nashorn war am Hals übel von Löwenklauen zugerichtet.
Da auf der Erde keine Spuren eines Kampfes zu sehen waren,
wurde angenommen, daß die Löwen dem Tier das Genick gebrochen hatten. Obwohl das Löwenrudel sich einen Tag bei
dem getöteten Tier aufhielt, versuchten sie nicht, es zu verzehren. Am nächsten Tage ließen sie es liegen und gingen weg.
Anders ging jedoch im August 1966 im Ngorongoro-Krater der
Versuch eines Löwen aus, das elf Monate alte Kalb der Nashornkuh »Felicia« zu töten. Als ihr Nachkomme in Gefahr
war, wurde sie sehr wild. Da gelang es dem Löwen, das Kalb

von der Mutter zu trennen. Das kleine Nashorn rannte weg, der Löwe hinterher, und hinter ihm »Felicia«, die dabei laut bellte. Das Kalb kam im Bogen zu seiner Mutter zurück, und »Felicia« griff sofort den Löwen an. Dieser packte sie zwar am Hinterbein und verletzte sie stark am Schenkel, die Kuh aber wirbelte herum und stieß den Löwen zweimal mitten in die Rippen. Das Raubtier überschlug sich und blieb liegen. Daraufhin bohrte sie ihm das Horn in den Hals, den Kopf und trampelte ihn in wenigen Minuten zu Tode. Zwei andere Löwen saßen die ganze Zeit in der Nähe und hielten achtungsvollen Abstand. Innerhalb vierzig Minuten nach der Tötung war der Körper des Löwen von den Hyänen säuberlich verzehrt. Eine Gruppe von deutschen Besuchern, die von dem Wildhüter Shehe begleitet war, konnte den ganzen Vorgang beobachten und filmen. Für gewöhnlich kümmern sich Nashörner nicht um Löwen, auch wenn diese dicht an ihnen vorbeigehen. In Mzima Springs, einem glasklaren Quellteich im Tsavo-Nationalpark, wurde, wie Guggisberg beobachtete, ein Nashorn von einem Flußpferd umgebracht. Das Rhinozeros hatte wohl trinken wollen, dabei hatte das Flußpferd das rechte Vorderbein des Nashorns gepackt, es niedergerissen und mit seinen gewaltigen Stoßzähnen zerhauen. Selous fotografierte eine voll ausgewachsene Nashorn-Kuh, die von einem Krokodil unter Wasser gezogen und ertränkt worden war.

Kämpfen zwei Spitzlippennashörner miteinander, so ist das schon ein aufregendes Schauspiel. Selten genug kommt es vor. Verführt durch Beispiele von Hirschen, Antilopen oder Büffeln, glaubt man zunächst immer, es wären zwei Bullen, die eifersüchtig sind oder um einen Wohnbesitz fechten. Meistens zanken sich jedoch Kühe miteinander, noch häufiger eine Kuh mit einem Bullen, und mitunter ist es nur Spiel. Unser Paar Spitzlippennashörner im Frankfurter Zoo spielt oft stundenlang Horn gegen Horn, und noch mehr das Kalb mit dem Vater oder der Mutter. Auch im bösartigen Kampf verletzen sich Nashörner untereinander selten ernstlich. Die häufigen Wunden an Schultern und Flanken haben, wie wir noch sehen werden, andere Ursachen.

Ist eine Kuh heiß, so steht ihr der Bulle gegenüber, die Tiere beschnüffeln sich gegenseitig am Mund und geben dabei oft gurgelnde Laute von sich. Fast regelmäßig greift die Kuh dann den Bullen an und stößt ihn kräftig in die Seite. Der Bulle läßt sich das gefallen, obwohl die Stöße manchmal so heftig sind, daß er davon rülpsen muß. Kommt ein zweiter Bulle hinzu, der auch einen Tänzelschritt annimmt und um die Kuh herumläuft, dann fechten die beiden Männer trotzdem nicht miteinander; die Kuh entscheidet, wem sie ihre Gunst zuwendet. Bei diesem Liebesspiel hört man lautes Prusten, Schnaufen und eine Art Grunzen; sie quietschen auch. Ein lautes, durchdringendes Pfeifen habe ich niemals in Freiheit, wohl aber von unserem Bullen im Zoo vernommen. Es drückt wohl Überraschung aus und wird so schnell nicht wiederholt. Durch Nachahmen des Prustens und Schnaufens kann man Nashörner sogar heranlocken.

*Die Liebe der Nashörner*

Die Tiere paaren sich zu jeder Jahreszeit und bekommen auch das ganze Jahr hindurch Junge. Martin Johnson, der in den zwanziger und dreißiger Jahren die ersten schönen Tierfilme in Ostafrika und im Kongo drehte, sah einmal vom Auto aus nächster Nähe dem Liebesspiel eines Nashorn-Paares zu: dem Umherstampfen mit kurzen, steifbeinigen Schrittchen. Nach einer halben Stunde geriet der Bulle in den Wind des Autos, schnaubte überrascht und stürmte mit hoch erhobenem Wedel in die Büsche. »Wir glaubten natürlich, die Nashorn-Kuh würde das gleiche tun; das geschah aber nicht. Es war fast, als habe sie ihren Freier gar nicht entschwinden sehen. Sie schien offensichtlich ganz verblüfft, daß sein Liebeswerben so plötzlich geendet hatte. Aber da gewahrte sie uns, und — o Wunder! — sie begann ihr verliebtes Getue regelrecht von neuem, als ob sie unseren Kraftwagen für wieder ein Nashorn gehalten hätte. Daß unser Auto plötzlich zum Gegenstand der Verehrung einer Nashorn-Kuh wurde, das war uns denn doch etwas Ungewohntes. Auch blieb das neue Liebesabenteuer nicht etwa nur auf einen einzigen Augenblick beschränkt. Fünfzehn Minuten oder noch mehr versuchte das eitle Ding, die stumme Zurückhaltung unseres regungslosen Wagens zu brechen. Sie zog sich sittsam zurück, und nichts geschah. Sie hielt inne und tänzelte tolpatschig her-

*Nashornkuh verliebte sich in ein Auto*

um. Sie rupfte verführerisch ein Büschel Gras und warf es in den Wind. Sie stelzte zierlich auf uns zu und kam aufdringlich noch näher als zu der Stelle, von wo sie ihren erfolglosen Rückzug angetreten hatte. Dann auf einmal witterte sie uns. Mit einem zornigen, empörten Schnauben ließ das erboste Tier alle Schöntuerei fallen. Nieder fuhr sein Schädel. Hoch fuhr sein Schwanz, und so urplötzlich, daß wir ganz verblüfft waren, nahm es uns schnurstracks an und prallte im nächsten Augenblick schon — glücklicherweise schräg — gegen unser Schutzblech. Doch wir waren nicht die einzigen Verblüfften. Das metallische Klirren, das sein Anrennen zur Folge hatte, und unsere eigenen Rufe waren seinen Ohren neue Töne. Die Kuh prustete noch einmal voller Wut und nahm dann in wilder Fahrt zur Salzpfanne Reißaus.«

*Aus Liebe wird Wut*

Im Frankfurter Zoo haben wir die eigentliche Paarung immer wieder beobachtet. In Freiheit ist das bisher selten geschehen. Frank Poppleton beschreibt, daß der Bulle mit den Sohlen der Füße auf dem Rücken der Kuh stand und ganze 35 Minuten da verblieb. Die beiden Köpfe lagen nebeneinander, und die Tiere bewegten sich sehr langsam im Kreis herum vorwärts. Als der Bulle wieder heruntergestiegen war, wandte sich das Weibchen ihm zu, und die beiden sahen sich ein paar Minuten lang an. Mein Mitarbeiter Dr. Scherpner beobachtete im Tsavo-Park eine Paarung, die 21 bis 22 Minuten dauerte. John Goddard hat 1964 und 1965 die Paarung von Nashörnern im Ngorongoro-Krater sechsmal gesehen, sie spielte sich ähnlich ab. In einem Fall blieben Kuh und Bulle nach der Paarung vier Monate zusammen, zwei andere trennten sich kurz darauf, wurden einen Monat später wieder bei der Paarung gesehen, gingen dann aber erneut auseinander. Mervyn Cowie, früher Direktor der Kenia-Nationalparks, hat zugesehen, wie ein Bulle rasch hintereinander zwei Kühe besprang. In der Zeit dazwischen wurde er von der ersten Kuh angegriffen. Seitdem schwarze Nashörner sich in zoologischen Gärten fortgepflanzt haben, kennt man ihre Schwangerschaftsdauer. Sie beträgt fünfzehn Monate oder 540 Tage. Zwillinge sind bisher noch niemals beobachtet worden. Das erste schwarze Zoo-Nashorn kam

*Wie sich Nashörner paaren*

1941 in Chikago zur Welt, das zweite Zoo-Nashorn wurde im Zoo Rio de Janeiro geboren, das erste europäische 1950 im Zoo Frankfurt. Dort gingen zunächst siebzehn Liter Fruchtwasser ab. Unsere Nashornkuh »Katharina die Große« war so zahm, daß man sie schon vor der Geburt melken konnte. Wehen waren nur schwer festzustellen, die ersten deutlichen eineinhalb Stunden vor der Geburt. Die Kuh ließ es geschehen, daß Tierarzt Dr. Klöppel das etwa 25 kg schwere Junge herausholte. Nach wenigen Sekunden bewegten sich die Ohrmuscheln des Neugeborenen, und zwei Minuten später griff die Mutter die herumstehenden Helfer im Stall nachträglich an. Die Kuh beroch das Junge, leckte es aber nicht ab. Das Neugeborene stand nach zehn Minuten für etwa zwei Minuten auf, aber schon eine Stunde nach der Geburt ging es flott umher und blieb eine halbe Stunde auf den Beinen, bald darauf eine ganze Stunde. Nach vier Stunden fand es das Euter und trank. Erst nach neuneinhalb Stunden legte es sich für längere Zeit, und zwar für eine Stunde, wieder hin. Bei der Geburt war das vordere Horn nur als eine etwa einen Zentimeter starke Verdickung, das hintere als weiße Fläche angelegt. Andere in Zoos geborene Nashörner wogen zwanzig, aber auch 39 kg (Hannover). Soviel mir bekannt ist, sind alle bisher in zoologischen Gärten geborenen Spitzmaul-Nashörner auch großgezogen worden, bei uns in Frankfurt am Main zwei. Sowohl in Rio als auch bei uns wurde beobachtet, daß die Kühe sich — auch während der Schwangerschaft — regelmäßig decken ließen. Sie wurden ständig mit den Bullen zusammen gehalten. Unsere Nashorn-Kuh war nach acht Tagen wieder völlig zahm zum Wärter und allen ihr bekannten Personen. Wir konnten zu ihr in den Stall gehen, auf ihr reiten und auch mit dem Kind spielen.

Die Nashornkuh ließ sich bei der Geburt helfen

Sie ließ sich reiten

Im Jahre 1911 hatte der ungarische Forschungsreisende Kalman Kittenberger versehentlich eine Spitzlippen-Nashornkuh erschossen, die gerade in der Geburt war. Er schnitt dem toten Tier den Bauch auf und konnte das Junge lebend herausbringen; es starb aber nach acht Tagen. Erst 1963 konnte die Geburt eines solchen Tieres im Freileben beobachtet werden, und zwar im Manyara-Nationalpark durch die Wildhüter Malinda und Edy. Sie fanden dort ein weibliches Nashorn auf der Erde liegen. Da sie annahmen, das Tier wäre tot, warfen sie einige Steine nach ihm; es stand aber nicht auf. Sie näherten sich und fanden die Erde um das Tier herum völlig feucht. In den nächsten Minuten erhob sich das Nashorn, und das Kleine erschien, ohne daß dies der Mutter große Schwierigkeiten zu machen schien. Nach weiteren zehn Minuten fiel das Kalb auf die Erde herab. Die Mutter drehte sich um und begann, den Tragsack mit ihren Lippen zu entfernen. Wieder zehn Minuten später stand das Baby auf seinen Füßen und schüttelte die Ohren. Dann gingen die Wildhüter weiter.

Der Nashorn-Massenschießer John Hunter wollte ein kleines Nashorn fangen, um es zu verkaufen. Er hatte auf dieser Jagdreise bereits 75 Nashörner erlegt. Es gelang ihm, das Kleine zu packen, indem er dem Jungen das Euter der toten Mutter vorhalten ließ. Derartige jung gefangene Nashörner werden übrigens sehr zahm, ähnlich wie Haustiere. Auch alte gewöhnen sich rasch an den Umgang mit Menschen. Wir haben unsere Nashorn-Kuh wiederholt gemolken. Die Milch hatte zehn Monate nach der Geburt 3,2 v. H. Gesamteiweiß, 36 v. H. Milchzucker und 0,3 v. H. Fett. Die Jungen saugen etwa zwei Jahre lang an den zwei Zitzen der Mutter und bleiben mindestens dreieinhalb Jahre bei ihr.

Nach der Geburt dauert es wohl mindestens acht bis zehn Monate, bis die Mutter wieder gedeckt wird. Im Amboseli-Park blieb das erste Kalb, der ohrenlose »Prixie«, zweidreiviertel Jahre bei seiner Mutter »Gertie«, das nächste Kalb drei Jahre, das übernächste wurde nach einem Abstand von über fünf Jahren 1959 von ihr geboren. Die Tiere sind mit etwa sieben Jahren geschlechtsreif. Die Mütter legen sich manchmal zum Säugen nieder wie Hausschweine. Solange die Kälber klein sind, trifft man die Mütter niemals mit Bullen zusammen, später aber wohl.

Ähnlich wie Rentiere, Hirsche und manches andere Wild nähern sich die Nashörner nicht selten Menschen oder anderen verdächtigen Gestalten, deren Wind sie nicht in die Nase bekommen, langsam neugierig immer mehr, bis sie dann schließlich weglaufen. Sehr zu ihrem Verderben ausgeschlagen ist den Spitzlippen-Nashörnern eine andere Gewohnheit: Sie greifen eine Gestalt, deren Bedeutung sie nicht näher ausmachen kön- *Angriffe meist nicht ernst gemeint* nen, schnaubend und scheinbar wütend bis auf wenige Meter Abstand an und drehen dann kurz vorher seitwärts ab oder laufen einfach daran vorbei. Der Filmmann Martin Johnson sprang mit seiner Frau vor heranstürmenden Nashörnern eine tiefe Felsstufe hinab, fand dann aber, daß die Kolosse fünf Meter vor der Stelle halt gemacht hatten, an der die beiden Menschen gestanden hatten. In zwei anderen Fällen, in denen die beiden keine Gelegenheit zum Flüchten hatten und auch nicht nach einem Gewehr greifen konnten, drehten die Nashör-ner ebenfalls kurz vor ihnen ab. Kaum jemand wird aber die Nerven haben, freiwillig abzuwarten, ob es sich auch diesmal nur um einen Erkundungs-Vorstoß der kurzsichtigen Tiere han-delt oder um einen wirklich wütenden Angriff. Ein Jäger wird sie stets vorher erschießen. Die grauen Riesen greifen manchmal auch Baumstämme oder Termitenbaue ebenso an und gehen dann einfach weiter. Als John Owen, der Direktor der Tan-sania-Nationalparks, mit einer bekannten Reiterin zu Fuß aus dem Ngurdoto-Krater emporkletterte, kam ihnen auf dem Pfad *Unfreiwilliger Nashorn-Ritt* überraschend ein Nashorn entgegen. Owen konnte schnell seit-wärts ins Gebüsch flüchten, seine Begleiterin sprang empor und zog sich an einem Ast hoch. Dieser brach jedoch ab, und sie kam rittlings auf den Rücken des Nashornes zu sitzen. Reittier und Reiterin waren sehr erschrocken, sie fiel herab, das Nashorn lief davon.

Trotzdem darf man sich nicht gar zu sehr auf die Harmlosig-keit von Nashörnern verlassen. Das erfuhr der Schweizer Zoo-loge Rudolf Schenkel, der im Tsavo-National-Park in Kenia Nashörner und Löwen zu Fuß beobachtete und über manche Wochen im Schlafsack einfach im Freien auf der Erde schlief. Viele seiner Begegnungen mit schwarzen Nashörnern verliefen in der Tat harmlos — aber einmal nahm ihn doch ein Bulle an, als er sich, für diesen am abendlichen Horizont als Silhouette sichtbar, in etwa 50 m Entfernung bewegte. Schenkel rannte brüllend auf den Bullen zu, um ihn zu verscheuchen. Da dieser aber in vollem Tempo heranpreschte, mußte ihm Schenkel im Bogen seitlich ausweichen; dann rannte er auf einen kleinen Baum zu, dessen halbe Krone mit dazugehöriger Stammabzweigung abgeknickt und verdorrt am verbleibenden Baum hing. In die noch lebende Krone zu klettern, blieb ihm keine Zeit. So rannte er um den Stamm und über den abgeknickten Teilstamm, während das Nashorn um die dürre Krone herumzulaufen hatte. Bald aber änderte der Bulle seine Taktik: Während Schenkel auf des Baumes einer Seite neben dem abgebrochenen Teilstamm verharrte, wartete der Bulle auf der andern Seite, um dann plötzlich vorzustoßen. Schenkel versuchte nun, sich doch in die lebende Baumkrone hinaufzuziehen, wurde aber vom Bullen erwischt und hochgeschleudert. Er landete zunächst auf des Tieres Schulter, dann am Boden und kroch sofort unter die abgeknickte Krone. Da warf der Bulle den abgeknickten Stamm- und Kronenteil mit einem Ruck beiseite. Schenkel entschloß sich, bewegungslos zu bleiben, bloß den einen Fuß hob er auf Höhe der Nashornschnauze, um sich im schlimmsten Fall von ihr abstoßen zu können. Der Bulle stutzte zuerst, dann näherte er sich, bis seine Nase den nackten Fuß —

der Schuh war abgefallen — berührte. Nun, als er nicht mehr die bewegte Gestalt wahrnahm, wirkte die menschliche Witterung auf den Bullen. Er drehte plötzlich ab und trabte mit erhobenem Schwanz davon.

Spitzlippen-Nashörner können sich also sehr verschieden verhalten, je nach den Menschen, mit denen sie ihre Heimat teilen. Die Wakamba in Kenia stellen diesen Tieren mit Giftpfeilen oder Beinschlingen nach. Das Gift wird durch das Kochen von

---

*Löwen haben früher auch in Deutschland gelebt. Sie sind vermutlich vor den Wäldern, die sich langsam ausdehnten, nach Süden zurückgewichen. In Griechenland waren sie noch Zeitgenossen von Odysseus und Homer. Der Löwe ist ein »Selten-Esser«. Er kann zwanzig, ja bis dreißig Kilo Fleisch auf einmal verschlingen.*

*Seite 62/63:*
*In der Etoscha-Pfanne, im riesigen Etoscha-Nationalpark im Norden von Südwestafrika, haben einige Wasserlöcher wegen der eigentümlichen Grundwasserverhältnisse das ganze Jahr hindurch Wasser, auch in der sehr langen Trockenzeit. Hier kann man stets, im Wagen sitzend, wechselnde Tiergruppen beim Trinken beobachten, wie hier Chapman-(Damara-) Zebras und große Kudus. Kudus sind hier eine der häufigsten Tierarten.*

Zweigen des Baumes Acokanthera schimperi hergestellt. Das So wird Pfeil- frische Gift ist sehr stark, verliert aber bald seine Wirkung, gift hergestellt wenn es der Luft ausgesetzt wird. Der Wilddieb hält daher die Pfeilspitze bis kurz vor dem Schuß mit einem Stück Haut umwickelt. Ein Nashorn, das von einem frischen Pfeil getroffen ist, geht rasch zugrunde, wo auch die Wunde am Körper sein mag. Die Beinschlingen aus Draht, an denen ein schweres Holzstück befestigt ist, schleppen die armen Tiere Tage und Wochen mit sich herum. Sie schneiden tief in das Fleisch und die Knochen ein. Im Wakamba-Land waren daher die Nashörner immer als angriffslustig und bösartig berüchtigt, während sie im Massai-Land als recht friedfertig galten. Massais sind keine Jäger und lassen die Nashörner in Frieden. In Natal wurde 1964 im Hluhluwe-Wildreservat ein Wildhüter zweimal von einem schwarzen Nashorn in die Luft geschleudert. Er hatte klaffende Wunden im Schenkel und im Gesäß. Als das Nashorn zum dritten- Am Kopf des mal angriff, rettete der Wildhüter sein Leben zweifellos dadurch, Nashorns daß er das vordere Horn des Tieres packte und sich verzweifelt festgeklammert daran festklammerte. Das Nashorn schleuderte seinen Kopf heftig von einer Seite zur anderen und strengte sich an, den Mann abzuschütteln. Als es das schließlich mit einem besonders heftigen Ruck fertigbrachte, flog der Verwundete seitwärts in die Büsche. In diesem Augenblick rannte das Nashorn davon.

Derartige Nashörner, die aus heiterem Himmel angreifen, sind oft vorher verwundet worden. Oscar Koenig berichtet selbst, daß er auf der Straße von Moshi nach Same in Tansania ein Nashorn, das den Weg nicht frei machen wollte, in die Hinterbacke geschossen hatte. Das Tier warf dann in den folgen-

*So greift ein Löwe an. Er hat sich mit dieser Löwin, die in Hitze ist, von dem übrigen Rudel abgesondert und ist sehr ärgerlich über Störungen. Immer wieder rannte er aufgebracht gegen meinen Geländewagen, sprang ihn aber nicht einmal richtig an. (Etoscha-Nationalpark)*

*Immer wieder erschrecken die Tiere an der Wasserstelle und stürmen für eine kurze Strecke in wilder Flucht davon, wie hier die Springböcke und Gnus im Etoscha-Nationalpark Südwestafrikas. Mit 57 200 qkm ist dieser Nationalpark einer der größten Parks der Welt. Sein Gebiet wurde 1907 durch den deutschen Gouverneur von Lindequist erstmals unter Naturschutz gestellt. Das Herz dieses Parkes ist die 130 km lange Etoscha-Salzpfanne. Sie ist den größten Teil des Jahres wasserleer.*

den Nächten drei Personenwagen und zwei Lastwagen um und mußte totgeschossen werden. Kearton erzählt von einer Jägerin, die ein allgemein bekanntes und friedliches Nashorn mit einem viel zu kleinen Kaliber anschoß und von ihm getötet wurde. Am nächsten Tag kam ein in der Gegend ansässiger Siedler mit seiner Frau im Auto die Straße entlanggefahren. Das Nashorn wurde kaum des Wagens ansichtig, als es sich schon zum Angriff anschickte. Schnell riß der Mann seine Frau aus dem Wagen und half ihr auf einen Baum. Er wurde aber selber gepackt und getötet.

*Angriffe gegen Autos*

Ich habe selbst mehrfach Angriffe auf Autos erlebt, die ich allerdings selber herausgefordert hatte. Meistens stoppten die Tiere kurz vor dem Wagen, ohne ihn zu berühren. In einem Falle gab es eine Beule im Blech. Bei anderer Gelegenheit hatte mich der Sohn des Wildwartes im Amboseli-Park mit dem Wagen ziemlich rasch dicht an den tief schlafenden, ohrenlosen »Prixie« herangefahren, dessen Ohrenöffnungen ich mir näher besehen wollte. Das Tier sprang jählings auf alle vier Beine und griff uns unmittelbar an. Dabei hieb es eine Beule in die Seitenwand des offenen Wagens, unmittelbar neben meinem Sitz.

Ebenfalls in Amboseli hat 1965 ein Nashorn mit seiner Waffe durch das offene Fenster eines vollbesetzten Personenwagens das Blech des Daches durchbohrt und das Gefährt völlig verbeult. Es verletzte die Insassen mit dem Schaft eines Speeres, der noch in seinem Hals steckte. Das Tier wurde von dem begleitenden Wildhüter erschossen. 1958 überraschte ebendort ein Auto voll Besucher eine Nashorn-Kuh mit einem sechs Wochen alten Kalb im Busch. Das Tier griff an; zum Glück war sein Vorderhorn schon abgebrochen. Zwei im Wagen sitzende Damen wurden über den Fahrer geschleudert. Dieser schlug dem Tier mit der Faust auf die Nase, brüllte und klopfte auf das Blech des Wagens. Daraufhin rannte das Nashorn-Kalb weg, und die Mutter folgte ihm.

*Er schlug seine Faust dem Nashorn auf die Nase*

Als 1966 ein Auto in der Serengeti hinter einem Nashorn, das auf der Straße stand, langsam vorbeifahren wollte, griff dieses an, verbog den Kotflügel und hob das Fahrzeug leicht an.

Ein Fahrgast wurde mit dem Kopf durch die Windschutzscheibe geschleudert, erlitt aber keine wesentlichen Verletzungen. Im Hluhluwe-Reservat in Zululand näherte sich eine alte Nashorn-Kuh einem Auto, steckte offensichtlich ohne böse Absicht seinen Kopf unter das vordere Kotblech und begann das Gefährt zu schütteln. Der begleitende afrikanische Wildhüter stieg mutig aus und schlug das Tier mit seinem Gürtel, an dem noch ein paar Handschellen hingen, auf den Kopf. Das überraschte Tier ging weg, der Wildwart warf ihm seinen Gürtel nach, und durch Zufall blieben die Handschellen noch etwa hundert Meter weit an seinem Horn hängen. Der Wagen war nicht beschädigt. Auf der Eisenbahnstrecke von Moshi nach Same hat einmal ein Nashorn bei Kilometer 555 stets alle Arbeiter weggejagt und die Trollis, die kleinen Arbeitswagen, verbeult. Es mußte erschossen werden.

*Am Horn hingen Handschellen*

In zoologischen Gärten sah man in früheren Zeiten fast nur indische Panzer-Nashörner, wenn überhaupt welche. Inzwischen sind diese ja beinahe ausgerottet, und nur wenige von ihnen werden Zoos überlassen. Das erste schwarze afrikanische Nashorn kam 1903 nach Deutschland, in den Berliner Zoologischen Garten, in die Schweiz das erste 1935 nach Basel. Heute sind sie die häufigsten Vertreter des Nashorn-Geschlechtes in Tiergärten. 1966 lebten 32 von ihnen in den zoologischen Gärten der Vereinigten Staaten. Ein Spitzlippen-Nashorn kostet im Tierhandel mehr als doppelt soviel wie ein Elefant. Die Tiere werden in Menschenobhut meistens recht zahm, auf manchen erwachsenen Kühen kann man ohne weiteres reiten. Sie lassen sich gern mit der flachen Hand über die geschlossenen Augen streicheln. Wohl aus Mangel an Beschäftigung reiben sie gern ihre Hörner gegen Zementwände und Eisengitter, so daß sie oft zu kurzen Stummeln werden. In ein Nashorn-Gehege gehört daher ein Baumstamm aus weichem Tannenholz, an dem sie gern ihre Hörner schärfen. In Wasserbecken gehen die Tiere selten ganz hinein, im Gegensatz zu Elefanten, wohl aber nehmen sie gern Schlammsuhlen an. Ein Graben von 1,75 m Breite an den Oberrändern und 1,20 m Tiefe an der Außenkante wird von ihnen nicht überquert, auch wenn die Innenseite des Gra-

*Ein Nashorn kostet soviel wie zwei Elefanten*

bens zu den Tieren hin schräg ansteigt. Nur aus zoologischen Gärten können wir uns auch einen Begriff über die Lebensdauer dieser Tiere machen. Im Zoo Chikago war das Zucht-Paar zwanzig Jahre nach seiner Ankunft ohne Alterserscheinungen am Leben. Vermutlich dürften Nashörner nicht kurzlebiger sein als Elefanten, also etwa fünfzig Jahre alt werden.

*Sie werden etwa fünfzig Jahre alt*

Seitdem wir die Tiere durch eingeschossene Betäubungs- oder Lähmungs-Mittel unbeweglich machen können, ist es viel einfacher geworden, sie einzufangen und in andere Gegenden zu bringen oder sie zu behandeln. Der berühmten Kuh »Gertie« wurde im Amboseli-Park 1962 auf diese Weise ein schwer verletztes Auge herausgenommen; sie hatte sich nach 24 Stunden leidlich davon erholt.

Über die oft halbmondförmigen Wunden hinter den Schultern, welche die Spitzlippen-Nashörner in manchen Gegenden häufig haben, ist viel gerätselt worden. Man hielt sie für Kampfverletzungen, aber auch für das Werk von Madenhacker-Vögeln, die die Wunden verbreitern. J. G. Schillings fand unlängst bei vier Nashörnern im Tsavo-Nationalpark, Kenia, in diesen Wunden haardünne Filarien-Würmer, die von einer Stechfliege übertragen werden. Außerdem leben in den Mägen der Spitzlippen-Nashörner die Larven von Magenbremsen. Sie sind mit den Mundwerkzeugen an der Magenwand verankert und ernähren sich von Gewebesäften und Blut. Sobald sie reif sind, gehen sie durch den After ab und verpuppen sich im Boden. Die dickköpfigen Fliegen, die daraus auskriechen, sind 2 bis 3,5 Zentimeter lang, nehmen gar keine Nahrung auf, halten sich aber ständig in der Nähe der Nashörner und kleben ihre Eier vor allem an den Kopf und um die Hörner herum. Es ist unbekannt, wie sie von da in den Magen kommen. Es handelt sich um zwei Arten, Gyrostigma conjugens, die nur in Spitzlippen-Nashörnern, und G. pavesii, die sowohl in weißen, als auch in schwarzen Nashörnern lebt. Außerdem hat man 26 verschiedene Arten von Zecken an weißen und schwarzen Nashörnern gefunden, die aber auch auf anderen Tieren vorkommen, ferner eine Saugwurm-Art, die auch im Darm von Elefanten lebt; weiterhin sind sie Träger von Bandwürmern, die nur sieben bis

*Kleine Nashorn-Plagegeister*

zwölf Zentimeter lang werden; einer dieser Bandwürmer sogar nur einen Zentimeter. Alle diese tierischen Schmarotzer des Nashorns sind für Menschen und Haustiere nicht gefährlich. Außerdem sind Zoo-Nashörner meistens bald schmarotzerfrei. Im Zoo fehlen die Zwischenwirte, welche die Plagegeister übertragen.

# WAS DIE BEUTE DES LÖWEN FÜHLT

*Kommst du in ein Land, wo alle Welt den Löwen nachmacht,
kannst du nicht die Ziege nachmachen.*

*Afrikanisches Sprichwort*

Löwen müssen zwar den Elefanten ausweichen, wenn sie ihnen
in einem Hohlweg begegnen, und ebenso kann ein Nashorn
einen Löwen ohne weiteres vertreiben. Trotzdem ist für die
meisten heutigen Menschen der Löwe der König der Tiere, genau wie in den alten Tierfabeln. Wenn in Afrika ein waidge-
rechter Jäger wie üblich das Schießen immer mehr satt bekommt, dann hört er meistens zuerst mit dem Löwenschießen
auf. Schon drei meiner Freunde haben mir gestanden, daß sie

*Löwen lebten wild in Deutschland* die Flinte nur wieder in die Hand genommen haben — um für
einen alten oder kranken verhungernden Löwen ein Zebra zu
schießen. Löwen erregen also mehr als andere Tiere unsere Be-
wunderung. Die Könige von England, Schottland, Norwegen,
Dänemark führen den Löwen im Wappen, also Länder, die nie
Löwen gesehen haben: Die Städte Zürich, Luxemburg, das
Land Wales, der Graf von Holland, das Land Hessen haben
Löwenwappen — und immerhin hat es auch hier einmal Löwen
gegeben, denn man findet Knochen von Höhlenlöwen aus vor-
geschichtlicher Zeit überall in England, Deutschland, Frankreich
und Spanien. Der Höhlenlöwe, der noch mit Menschen zusammen gelebt hat, wird wahrscheinlich nicht viel anders ausge-
sehen haben als unsere heutigen Löwen. In Griechenland sind
die Löwen erst um das Jahr 200 v. Chr. ausgerottet worden,
und die Bibel erwähnt sie hundertdreißigmal in Palästina.

Eigentlich sind sie also gar keine tropischen Tiere. In Afrika
hat man ihre Spuren an den schneegekrönten Bergen Kenia

und Ruwenzori in 3500 Metern, ja vermutlich sogar in 5000 m Höhe gefunden. Ausnahmsweise stimmt es wohl nicht, daß die Menschen den Höhlenlöwen in unseren mehr nördlichen Ländern ausgerottet haben, denn mit ihren bescheidenen Waffen hatten sie das damals auch noch nicht mit Bären, Elchen, Wisenten und dem Auerochsen geschafft. Der Steppenbewohner Löwe wird wohl zurückgewichen sein, als immer mehr Wälder unseren Erdteil überzogen. Aber immerhin ist er so berühmt, daß Löwenfiguren in Stein seit Jahrtausenden vor den Tempeln und Palästen Chinas stehen, in dessen Nähe unsere Mähnenträger nun wirklich noch niemals gekommen sind.

*Warum starb der Löwe in Europa aus?*

Was beeindruckt uns eigentlich am Löwen so sehr? Sicher das mähnenumwallte Zeushaupt, sicher die Bernsteinaugen, die größer sind als unsere (Durchmesser eines Menschen-Augapfels 23 mm, eines Löwen-Augapfels 37,5 mm). Wohl auch sein Brüllen. Löwen, Tiger, Leoparden und Jaguare mit runden Pupillen sind »Brüllkatzen«, im Gegensatz zu den vielen gemütlichen »Schnurrkatzen«, die senkrechte Sehschlitze haben. Das Löwengebrüll soll der »großartigste und eindrucksvollste Laut der Schöpfung« sein, man kann es in günstigen Fällen acht bis neun Kilometer weit hören. Meistens steht der Löwe dabei und hat den Kopf leicht zum Boden hin gesenkt. Die Flanken sind eingezogen, und die Brust dehnt sich gewaltig wie ein Blasebalg. Oft wird der Staub vor dem Tier in Luftstößen aufgewirbelt. Auf mich wirkt Löwenbrüllen ähnlich wie Kirchenglocken, die ich als Junge geläutet habe: es stimmt mich feierlich und ernst. Manche Leute sagen, sie bekommen dabei ein prickelndes Wohlgefühl. Das gilt aber wohl nur, wenn man im Auto sitzt, es im Zoo hört, oder wenn es in Afrika durch das offene Fenster in das Wohnzimmer eines Hauses in der Steppe dringt. In der Serengeti brüllten die Löwen, so schien es uns wenigstens, manchmal ein paar Meter neben unserer Aluminium-Blechhütte, und wir fielen bald aus den Betten. Ist man dagegen zu Fuß allein in der Steppe, verursacht es nicht so sehr »ein prickelndes Wohlgefühl und feierliche Stimmung«. Löwen brüllen am ausgiebigsten kurz nach Sonnenuntergang, etwa eine Stunde lang.

*Was fühlen Sie beim Löwengebrüll?*

Wozu sie eigentlich brüllen? Man hat noch keine der üblichen einleuchtenden Erklärungen dafür gefunden. Prof. Hans Krieg meint, es sei einfach Luxus, so wie das Prachtgefieder beim Paradiesvogel, wie die Spiele der Affen, die Herumspring-Anfälle vieler Antilopen, die Gesangskonzerte der Brüllaffen und Gibbons, die Purzelbäume der Honigdachse. Aber vielleicht wollen Löwenmänner damit feierlich allen anderen Löwenmännern — und -weibern — verkünden, daß diese Gegend ihnen gehört. Ganz sicher stürzen jedenfalls die Antilopen und Zebras und Gazellen nicht in kopfloser wilder Flucht vor dem Brüllen davon, wie es in manchen Büchern zu lesen steht.

Das Löwen-Familienleben ist uns sehr sympathisch. Löwenmänner hauen sich zwar mitunter, daß man nachher ganze Büschel schwarzer oder gelber Mähnenhaare herumliegen sieht und Blutspuren findet. Gelegentlich kommt auch einer dabei um, aber das geschieht wohl nicht öfter als bei unseren Boxern im Ring. Löwen haben gewisse sportliche Regeln. Ein Löwenrudel bringt es fertig, gemeinsam vom selben Zebra zu speisen, während viele von unseren Haushunden nicht aus demselben Napf essen können. Die schwangere Löwin bekommt ihre Kinder zwar irgendwo zwischen Felsen oder im Gebüsch, aber sie
bringt sie mit sechs Wochen stolz ins Rudel zurück, so wie die bekannte Löwin Elsa ihre drei Kinder im gleichen Alter zu ihren Menschenfreunden ins Zeltlager führte. Löwenmänner fressen ihre Kinder nicht, sondern höchstens in Ausnahmefällen solche eines fremden Rudels. Sie dulden, wenn auch mitunter mit Fauchen und Grimassen höchsten Widerwillens, daß diese mit ihnen spielen und ihnen mit ihren kleinen Milchzähnchen die Fleischbrocken aus dem Munde zu zerren versuchen. Man jagt gemeinsam, Kranke und Schwache werden lange Zeit miternährt. Niemand weiß, ob alte Löwen vom Rudel ausgeschlossen werden oder aus freien Stücken die Gesellschaft der anderen meiden. Greise Löwinnen bleiben jedenfalls länger im Rudel als sie. Alle werden zum Schluß von Hyänen und Wildhunden zerrissen. An Krankheit und Alter stirbt man in der Wildnis nicht.

Löwen-Liebespaare sondern sich ab und haben tagelang nichts anderes vor als Zärtlichkeiten. Sie paaren sich in der

Hitze dreißig- bis vierzigmal am Tag. Im Dresdner Zoo hat sich *Vierzigmal am*
ein Löwenpaar innerhalb acht Tagen 360mal gepaart. Der *Tage gepaart*
eigentliche Akt dauert nur 3—6 Sekunden. Es scheint, als ob
Löwenmänner in Gebieten von vielen Quadratkilometern um-
herziehen und sich für einige Zeit mal dieser, mal jener Gruppe
von Frauen und Halbwüchsigen anschließen. Jedenfalls können
sich die stärksten unter ihnen so ein Leben leisten. In jedem
Löwenrudel gibt es eine Rangordnung, doch das schwächste
Männchen steht immer noch höher als jedes von den Weibchen.

Aber es ist überhaupt schwer zu sagen, was Löwen tun und *Löwen*
was nicht. Dutzende Leute haben sich mit Erfolg vor ihnen auf *auf Bäumen*
Bäume gerettet und dort übernachtet. So etwas kommt überhaupt in fast jeder Abenteurergeschichte vor. Aber ich habe
selbst Löwinnen auf hohen Bäumen fotografiert, ohne daß die
Baumstämme schräg geneigt waren. Im Manyara-Nationalpark
bei Arusha haben sich die Löwen angewöhnt, fast ständig auf
Bäumen zu sitzen. Die Besucher können sie dort bequem fotografieren. Vielleicht gibt es in Höhen von sechs, acht, manchmal
zehn Metern weniger Tsetsefliegen, vielleicht können sie von
dort oben ihre Beute besser erspähen — aber warum tun es die
Löwen fast nirgends anderswo?

Der Großwildjäger Sir Pease will den Sprung eines Löwen *Übertriebene*
mit zwölf Metern nachgemessen haben, Graf Telski sah einen *Löwensprünge*
Löwen über eine elf Meter breite und zweiundzwanzig Meter
tiefe Schlucht setzen. Auf den Freianlagen in den zoologischen
Gärten aber sitzen alle Löwen seit einem halben Jahrhundert
hinter Gräben von etwas über acht Meter Breite, und noch
niemals ist einer hinübergesprungen.

Dagegen sind Löwen schon im Zoo in Wassergräben ertrunken, wenn diese keine Ausstiege hatten. Man sieht sie im Tiergarten nicht freiwillig baden und schwimmen, während Tiger
das sehr gern tun. Die Löwin Elsa der Adamsons aber hat begeistert mit ihren Menschenfreunden stundenlang im Meer ge-
badet, und im Viktoria-See sind Löwen mehrfach nach der Insel
Ukerere geschwommen, die zweihundert Meter vom Festland
entfernt liegt.

Ein Löwe ist so faul, daß er keinen Schritt tut, wenn man

ihm das Futter im Liegen vor die Nase legt, behauptete der Wiener Zoodirektor Prof. Antonius. Wer sie in Afrika stundenlang, den ganzen Tag unter demselben Busch liegen sieht, möchte das unterschreiben. Dann aber wandern Löwen in wildübersäten Gegenden scheinbar ohne jeden Grund stundenlang *Weiße Löwen* umher. Während es weiße Tiger und schwarze Leoparden, Albinos und Schwärzlinge bei fast jeder Tierart gibt, hat noch niemand einen schwarzen oder weißen Löwen gesehen — bis im Jahre 1962 ein Besucher im Krüger-Nationalpark Südafrikas eine weiße Löwin nicht nur sichtete, sondern sogar filmte. Daß es Rassen von gefleckten Löwen gäbe, haben schon manche Jäger und Forscher behauptet. Aber es stellte sich immer heraus, daß es einzelne Löwen waren, die ihre gefleckte Jugendzeichnung auch erwachsen noch lange beibehalten haben. Umgekehrt werden Löwenwürfe geboren, denen die übliche Löwenkinder-Fleckung fehlt.

Überhaupt scheint es von Indien bis nach Südafrika nur *eine* Löwenart zu geben, während man im vergangenen Jahrhundert nach Schädeln und Häuten in den Museen Dutzende von Löwen-Unterarten aufgestellt hatte. Die letzten Löwen Indiens in dem Walde Gir nördlich von Bombay waren 1908 auf dreizehn Stück zurückgegangen und sind dann in den nächsten Jahrzehnten unter strengem Schutz wieder auf über zweihundert gestiegen. Aber auch sie haben nicht gelbe und kleinere Mähnen als die Afrikaner, wie überall behauptet wird, sondern es gibt alle möglichen unter ihnen. Diese indischen Löwen sind übrigens nicht von den Tigern verdrängt worden: Tiger leben ja im Wald, Löwen in der Steppe. Doch ein Waldtier ist eben nicht so leicht auszurotten wie eines, das im offenen Gelände gejagt werden kann. Auch die nördlichsten und südlichsten Löwen Afri-*Der aus-* kas, die längst ausgerottet sind, die Berberlöwen an der Mittel-*gestopfte Löwe* meerküste und die Kap-Löwen, waren nicht größer und *im Klublokal* schwarzmähniger als die anderen. Vor dreißig Jahren hat man in einem südafrikanischen Klublokal einen ausgestopften Löwen gefunden, der 1836 bei Kapstadt geschossen worden war. Dieser Löwe, der jetzt im Naturhistorischen Museum von London steht, unterscheidet sich kaum von den heutigen. Ebenso ist es

mit den zwei einzigen ausgestopften nordafrikanischen Berberlöwen, die man im Museum von Leyden in Holland ansehen
kann. In der Serengeti und im Ngorongoro-Krater aber kann
man kleine und große, kurzmähnige, semmelblonde und
schwarzbemähnte nebeneinander finden.

Es gibt bei Lebewesen kaum Regeln ohne Ausnahmen, schon
gar nicht bei Löwen. Ich hatte anfangs gesagt, daß Löwen im
allgemeinen Nashörnern ausweichen. Es ist mir einmal gelungen zu fotografieren, wie ein Nashorn gerade einen Löwen ver-
treibt. Zumindest kümmern sich die meisten Nashörner wenig
um Löwen, die in ihre Nähe kommen. Trotzdem hat man im
Ngorongoro-Krater beobachtet, wie sich Löwen damit ver-
gnügten, ein großes Nashorn von rückwärts auf die Hinterbak-
ken zu patschen. Das Tier drehte sich wütend um, und dann
machte ein Löwen-Lümmel von der anderen Seite dasselbe. Je- Löwen neckten<br>das Nashorn
mand anders hat fast dasselbe Löwen-Vergnügen in Kenia ge-
sehen. Und ein sehr beliebtes Rhinozeros, das sich immer in
der Nähe des Touristenlagers Ol Tukai im Amboseli-Reservat
aufhielt, wurde eines Nachts von zwei Löwenmännern umgebracht. Es quietschte bei seiner verzweifelten Abwehr so, daß
der Wildwart Taberer herausfuhr, die Löwen mit dem Scheinwerfer vertrieb und dem Tier, das ein Vorderbein gebrochen
hatte, den Gnadenschuß gab.

Im allgemeinen töten Löwen schnell. Meistens springen sie
an der Seite oder von hinten mit dem Vorderkörper auf den
Rücken des Beutetieres, wobei die Hinterbeine des Löwen auf
der Erde bleiben. Entweder packen sie das Tier mit einer Pranke Wie der Löwe<br>tötet
vorn übers Gesicht und reißen den Kopf in der Bewegung
ruckartig nach hinten. Daß dabei das Genick bricht, wird immer
wieder behauptet, ist aber nicht bewiesen. Für gewöhnlich jedoch
beißen sie von unten in die Kehle und ersticken sie so, mitunter
auch durch Zubeißen der Nase. Es stimmt nicht, daß das immer
die Löwinnen tun, während die Löwenmänner faul zusehen. Bei
»Überfällen« auf ein nachgemachtes Zebra, zu denen ich die
Löwen ermunterte, griffen aus gemischten Gruppen Löwen-
*männer* an.

Löwenrudel jagen gemeinsam. Zwei oder drei legen sich im

Abstand von Zebras oder Antilopen versteckt ins Gras. Die anderen pirschen sich im Kreis um die Opfer herum, greifen dann auf einmal von der entgegengesetzten Seite an und treiben sie geradewegs auf ihre Kameraden zu. Diese Jagdart ist angeboren, denn auch die Löwin Elsa des Ehepaars Adamson, die ja von Menschen aufgezogen worden ist und solch ein Rudeljagen von ihnen nicht lernen konnte, überrundete auf Spaziergängen Giraffen und jagte sie geradewegs ihren menschlichen Rudelgenossen zu. Handelt es sich in solchen Fällen etwa um Kaffernbüffel, dann kann das für die zweibeinigen »Löwen« unangenehm werden.

Löwin trieb ihren Menschenfreunden Büffel zu

Wer schnell — und damit nicht grausam — tötet, riskiert es auch am wenigsten, dabei selbst verletzt zu werden. Hungrige Löwen, die sich an zu große und kräftige Beutetiere heranmachen, müssen oft wütende Kämpfe bestehen, und mitunter unterliegen sie dabei. So wurden zum Beispiel unlängst einem Löwen ein paar Rippen von einem Kaffernbüffel gebrochen, in einem anderen Fall zerschmetterte ein Giraffenbulle einem angreifenden Löwen das Schulterblatt. Das schwerverletzte Tier blieb übrigens im Rudel und wurde mit ernährt, obwohl es selbst keine Nahrung erbeuten konnte. Junglöwen, die allein jagen müssen, wissen mit ihrer Beute oft nichts anzufangen und quälen sie langsam zu Tode.

Was Menschen im Löwenrachen empfinden

Manche Menschen haben das Glück gehabt, von Löwen gepackt und fortgetragen zu werden, dann aber doch noch Rettung zu finden, etwa weil ihre Begleiter oder Hunde den Löwen verjagten. So ist es zum Beispiel dem Wildwart Wolhuter im Krüger-Nationalpark und dem Afrikaforscher und Missionar David Livingstone ergangen, der seine Gefühle dabei genau beschrieben hat. Er empfand weder Schmerz noch Schreck, noch Todesangst, sondern war wie gelähmt und völlig gleichgültig, wie ein Patient, der operiert werden soll und schon halb in Narkose liegt. Ähnlich ergeht es sicher der Maus, die von der Katze weggetragen wird, und Antilopen im Rachen des Löwen. Manche, die schon fünf Minuten leblos herumgeschleppt worden waren, liefen dann doch davon, als der Löwe sie ablegte und abgelenkt wurde. Einem Bekannten von mir, Gordon Poolman, ging es umgekehrt. Er traf einen Löwen an, der gerade ein Gnu getötet hatte. Das Raubtier lief weg, und der Wildwart stieg aus dem Geländewagen, um sich ein Stück Gnufleisch aus dem Schenkel herauszuschneiden. Als er sich nach seinem schwarzen Fahrer umdrehte, rief dieser ihm »Achtung!« zu, denn das scheinbar tote Gnu war aufgesprungen und griff ihn gerade an. Er konnte es noch an den Hörnern packen und sich schnell in den Wagen retten.

Daß Löwen dreist in Zelte eindringen, dann aber in kopfloser Flucht davonstürmen, weil ein Koffer polternd herunterfällt, ist mitunter geschehen. Hingegen saß im Krüger-Park nachts eine Gruppe Löwen um einen eisernen Gong, und einer von ihnen brachte ihn mit einem leichten Prankenschlag von Zeit zu Zeit zum Tönen. Den Gummi-Wasservorratssack, der am Türpfosten zum Eingang zu unserem »Schlafzimmer« hing, rissen nachts immer wieder Löwen aus Spielerei mit den Krallen entzwei, und ebenso verschleppten sie draußen das Mikrofon und rissen das daranhängende Kabel durch die Wand. Ein Bekannter von mir, Herr C. A. W. Guggisberg in Ostafrika, hat außer vielen eigenen Beobachtungen an Löwen in seinem Buch »Simba« alles Bemerkenswerte niedergeschrieben, was Afrikaforscher und Jäger über Löwen vermerkt haben. Nach manchen sollen es Löwen bis auf 115 km/st Geschwindigkeit bringen. Aber selbst der Gepard, der sicherlich schneller ist als der Löwe, schaffte es hinter dem elektrischen Hasen auf einer englischen Hunderennbahn nur auf 70,7 km/st. Schon der amerikanische Präsident Theodore Roosevelt, der in Afrika reiste und ein großer Naturfreund war, betont, daß ein Löwe ein Pferd nicht einholen kann. Ein englisches Vollblutpferd bringt es auf der Rennbahn etwa auf 64 km/st. Dabei gibt ein Löwe seine Hetzjagd fast immer nach fünfzig bis hundert Metern auf, wenn er dann das Tier nicht gepackt hat. Nur ganz junge, noch nicht voll des Rennens fähige Tiere oder kranke hetzt er länger. Deswegen laufen Antilopen und Zebras vor Löwen, die an ihnen vorbeigehen oder frei sichtbar sind, auch keineswegs in ängstlicher Flucht davon. Sie weiden ruhig weiter und achten nur darauf, die Raubtiere nicht aus dem Auge zu verlieren. Kaffern-

*Löwen schlugen den Gong*

*Geschwindigkeit der Löwen*

büffeln und Elefanten ist es schon in den Kopf gekommen, Löwen von frischgerissenen Beutetieren zu vertreiben und stundenlang dabei zu bleiben, so daß die Katzen nicht wieder zurückkommen konnten.

Daß es keine »schädlichen« Tiere in der freien Natur gibt, wissen wir längst. Immerhin ist es interessant zu wissen, wieviel ein freier Löwe töten muß, um selbst leben zu können. Im Zoo gibt man ihm täglich sechs bis acht Kilogramm Fleisch, meistens Pferde-, Rinder- oder Walfleisch, was ihnen alles gut bekommt. Tiger, Leoparden, erst recht Geparden und andere Raubkatzen fühlen sich besser, wenn sie auch zwischendurch andere Fleischsorten bekommen. Aber Löwen leben ja auch in Freiheit sehr viel von Zebras, also Wildpferden. Ein wilder Löwe kann bis 18 Kilogramm auf einmal verschlingen, nach anderen Schätzungen sogar 31 Kilo. Aber das besagt nicht soviel, denn er muß ja nicht jeden Tag Mahlzeit halten. Andererseits tötet er oft mehr, als er selbst aufißt. Denn wenn er nichts mehr hinunterwürgen kann und in den Schatten des nächsten Busches geht, um erst einmal zu verdauen, holen Hyänen, Geier und Schakale immer wieder einen großen Teil seiner Beute weg, so wie er gern Hyänen von ihrer Beute verjagt. Wells hat geschätzt, daß ein Löwe im Jahr neunzehn Stück Wild von je 117 kg reißt, in zehn Lebensjahren sind das also rund 190 Tötungen. Wright hat in Ostafrika viele Monate hindurch in offener Steppe Löwenrudel unaufhörlich beobachtet. Sie liefen in einer Nacht 1,9 bis 10 Kilometer, rissen zu 60 v. H. männliche Tiere, und ihre Beute bestand zu drei Vierteln aus Gnus, Zebras und Thomson-Gazellen. Ein Löwe tötete im Durchschnitt jeden Tag 13 v. H. seines eigenen Gewichtes in Form von Wildtieren. Ob sich viele oder wenige der großen gelben Katzen in einer Gegend aufhielten, hing nicht allein davon ab, wie viele ihrer Beutetiere dort weideten, sondern noch mehr — von der Länge des Grases. Deswegen ziehen in der Serengeti die Gnuherden und Zebras, wenn sie Junge bekommen, ebenso wie die schwarzweiß an den Seiten gestreiften Thomson-Gazellen auf Landflächen, wo das Gras ganz kurz ist. Dort kann sich kein Löwe verstecken.

78

Ich brauche hier nicht die alten Geschichten von den Menschenfresser-Löwen zu wiederholen, die den Bau der Uganda-Eisenbahn wochenlang stoppten, weil sie einen Arbeiter nach dem andern wegholten und zum Schluß sogar den Ingenieur aus dem Waggon heraus. Die Eisenbahngesellschaft hält heute noch Telegramme von indischen Stationsvorstehern in dieser Gegend aus dem Jahre 1905 aufbewahrt: »Löwe auf Bahnsteig. Bitte weist Zugführer und Lokomotivführer an, vorsichtig und ohne Signal einzufahren. Zugführer soll Passagiere am Aussteigen hindern.« Oder: »Weichensteller sitzt auf Telegrafenstange beim Wassertank. Zug soll dort halten, ihn mitnehmen und dann weiterfahren.« Das letzte Telegramm dieser Art stammt immerhin aus dem Jahre 1955.

»Weichensteller sitzt auf Telegrafenmast«

In der Serengeti leben rund tausend Löwen. Nach Georg Schallers neuen Untersuchungen kommt dort rund die Hälfte der Jungen um. Sehr hungrige Löwenmütter verjagten sogar die eigenen Kinder vom Fleisch. Gefechte zwischen Löwen, meist Angehörigen verschiedener Rudel, sind sehr selten, können aber in Ausnahmefällen sogar zum Tode führen. Der Eigenbezirk eines Rudels, mit Harnspritzern der Männchen gekennzeichnet, kann bis 260 qkm groß sein. Diese Revierrudel folgen nicht den Massen der wandernden Herden von Antilopen und Zebras in die offene Steppe. Das tun nur kleine Gruppen von »Nomaden-Löwen«, die kein eigenes Revier erwerben konnten.

Früher gehörte zum Löwenschießen wirklich Mut und Können. Der große Jäger und Forscher Fr. C. Selous, der von 1870 bis fast an die Jahrhundertwende in Afrika umherzog, hatte die ersten Jahre eine wahre Donnerbüchse von 4,5 Kilo Gewicht, mit Kugeln vom Kaliber 10, hinter die 23 g Pulver in den Lauf gestopft werden mußten. Die Kugel wickelte er erst in ein wachsgetränktes Stückchen Leinwand, schnitt mit der Schere die Falten ab, rollte sie zwischen den Handflächen, stopfte sie mit dem Ladestock von vorn in den Gewehrlauf, setzte das Zündhütchen auf den Zündstift — und das alles auf dem Pferd, womöglich noch im Galopp. Diese mutigen Männer hatten außerdem noch gute Aussicht, auch bei mäßigen Verletzungen weitab im Busch an Blutvergiftung zu sterben. Von ihrem Ruhm und Ruf als

Wirklich mutige Löwenjäger und ihre Nutznießer

79

Afrikareisende und Löwenjäger hat so mancher in späteren Jahrzehnten noch mit gezehrt, der den großen gelben Katzen in Autos, mit modernen Waffen, mit Kühlschränken, Zeltstädten voll Komfort und Kisten voll Konserven nachfuhr.

Wie alle naturbegeisterten großen Jäger des vorigen Jahrhunderts wäre Selous *heute* mit großer Wahrscheinlichkeit ein Kamerajäger, wenigstens in seiner zweiten Lebenshälfte. Um die Jahrhundertwende zog Karl Georg Schillings, »Mit Blitzlicht und Büchse«, am Fuß des Kilimandscharo umher und nahm mühsam mit den unförmigen, schweren und unvollkommenen Apparaten die ersten Bilder von Löwen nachts am toten Zebra auf — an denselben Stellen, wo heute im Amboseli-Reservat täglich die Touristen vom Auto aus kurzem Abstand im schönsten Sonnenschein von zahm gewordenen Wildtieren die prächtigsten Farbbilder knipsen. Und trotzdem sind wirklich gute bildliche Löwen-Trophäen noch immer selten. Man kann wohl Löwen im Sitzen, im Liegen, im Stehen, am Fraß aufnehmen. Es gibt aber ganz wenig Bilder, die sie beim Jagen und beim Packen der Beute zeigen. Das geschieht eben zu selten und geht zu schnell.

Jahrzehntelang wurde in der ganzen Welt immer wieder ein gestochen scharfes Foto abgedruckt, auf dem Löwen gerade ein Zebra packen, das sich wild aufbäumt. Erst spät kam heraus, daß ein Wanderfotograf aus einem kleinen Museum in Rhodesien eine ganze ausgestopfte Gruppe heraus in die Sonne und vor die Büsche gestellt hatte . . .

Es sind also noch immer Löwen-Trophäen in Afrika zu gewinnen.

# VERSCHLINGEN RIESENSCHLANGEN MENSCHEN?

*Die Frauen sind wie die Vögel: sie wissen alles und sagen wenig.*
*Die Männer wissen nichts und sagen viel.*

*Afrikanisches Sprichwort*

Eine Riesenschlange, zwanzig, dreißig Meter lang, lauert auf dem Ast eines Baumes, schlägt den ahnungslosen Menschen mit ihrem harten Kopf halb bewußtlos, umwickelt ihn blitzschnell und bricht ihm alle Knochen im Leib — sofern nicht mutige Befreier sie rechtzeitig in Stücke schneiden. Solche haarsträubenden Vorfälle finden sich in so manchen Abenteuerromanen oder gar in »Expeditionsberichten«, die in den Tropen spielen.

Fallen Riesenschlangen wirklich Menschen an, können sie uns verschlingen? Kaum über irgendein anderes Tier wird soviel gefabelt wie über die Pythons, die Anakondas und die Boas. Aber bei wenigen anderen Tieren ist es selbst für den Fachmann so schwierig, in einzelnen Fragen zu entscheiden, was Märchen ist und was wahr.

Das beginnt schon bei der *Länge*. Selbst ernsthafte Reisende berichten, daß es im Urwald des Amazonas Anakonda-Schlangen von dreißig, vierzig Metern geben soll. Aber sie vergessen zu sagen, ob sie diese Tiere selber gesehen und gemessen haben, oder ob sie nur davon haben erzählen hören. Die Anakonda ist eine südamerikanische Boa und vermutlich die längste und stärkste von allen Riesenschlangen. Eine andere südamerikanische Boa, die sehr berühmt ist, die Boa constrictor, wird sicher »nur« fünf bis sechs Meter lang. Es ist auch gar nicht leicht, eine Riesenschlange zu messen. Am einfachsten geht das natürlich, wenn sie lang ausgestreckt ist. Das ist jedoch für eine große

*Wie lang sind sie wirklich?*

81

Schlange eine unnatürliche Haltung; manche können sie gar nicht einnehmen, sondern müssen wenigstens den Schwanz abbiegen. Freiwillig läßt sich also das starke Tier zum Messen nicht strecken. Ist es tot, so hat oft die Leichenstarre eingesetzt, und dann ist es erst recht unmöglich. Mißt man aber abgezogene Häute, die im Handel nach Metern bezahlt werden, so kommt man immer zu Übertreibungen. Eine frische Schlangenhaut läßt sich mindestens um zwanzig v. H., nach anderen Behauptungen bis zu fünfzig v. H. in die Länge ziehen, und die Häute-Jäger tun das. Nicht nur Häute, auch lebende Schlangen werden gern nach Länge gehandelt. Die Tierhändler nehmen den zoologischen Gärten für kleine und mittlere Pythons je Zentimeter achtzig Pfennig bis eine Mark ab. Immerhin hat die Zoologische Gesellschaft von New York seit langen Jahren einen Preis von 20 000 Mark für eine Anakonda ausgesetzt, die zehn Meter oder länger ist. Niemand hat ihn bisher verdienen können. Vermutlich mag es solche Riesentiere, vielleicht auch noch etwas längere, doch geben oder zumindestens bis vor kurzem gegeben haben. Sie sind dann aber auch recht schwer: Ein asiatischer Netzpython von nachgemessenen 8,8 m wog 115 kg. Deswegen sind sie im Inneren des Urwaldes ohne eine größere Schar von Helfern nicht so leicht zu überwältigen und bis zu Flugplätzen oder Häfen zu befördern. Beim Felspython (Python sebae), der in Afrika weit verbreitet ist, ist die nachgewiesene Rekordlänge 9,81 m. Der indische Python oder die Tigerschlange (Python molurus) wird bis 6,6 m lang, der ostasiatische Netzpython (Python reticulatus) bis 8,4 oder 10 m, je nachdem, welchen Quellen man Glauben schenkt. Der Amethystpython erreicht nicht ganz diese Länge. Damit haben wir auch schon alle sechs Riesen unter den Schlangen zusammen: die vier in der Alten Welt lebenden, eierlegenden Pythons und die zwei Boas der Neuen Welt, die lebende Junge gebären. Es gibt noch eine ganze Reihe anderer Boas und Pythons, aber die sind kleiner, und erst recht die 2500 anderen Schlangenarten, welche unsere Erde bevölkern.

Riesenschlangen sind nicht giftig. Zwar kann die giftige afrikanische Mamba bis vier Meter lang werden, und die indische

*Der Zentimeter Schlange kostet eine Mark*

*Sie sind nicht giftig*

Königskobra noch länger, aber sie sind beide schlank und dünn im Gegensatz zu den dicken Schlangenriesen. Um so gewaltig zu werden, braucht auch eine Riesenschlange Zeit. Im Zoo von Pittsburg wuchs ein acht Meter langer Netzpython jährlich 25 Zentimeter. Je älter hingegen die Tiere werden, um so langsamer werden sie länger. Man kann so einer Riesenschlange äußerlich keineswegs ansehen, ob sie männlich oder weiblich ist. Ein Paar Felspythons, das einjährig im New Yorker Zoo ankam, wuchs während der ersten sechs bis sieben Jahre gleichmäßig, dann blieb aber das Weibchen erheblich zurück. Der Grund dafür war, daß sie inzwischen geschlechtsreif geworden war und jedes Jahr Eier legte. Dabei fastete sie immer sechs Monate lang: während des Heranreifens der Eier im Leibe und während der Zeit des Bebrütens.

*Wie alt* Riesenschlangen überhaupt werden können, wissen wir natürlich nicht. Noch niemals hat jemand welche in Freiheit markiert, so wie man das seit Jahrzehnten mit Zugvögeln macht. Deswegen können wir nur danach urteilen, welches Lebensalter sie in Zoos erreichen. Am ältesten ist eine Anakonda im Zoo von Washington geworden: Sie hat 28 Jahre gelebt, von 1899 bis 1927. Eine Boa constrictor brachte es in Bristol, England, auf 23 Jahre und drei Monate, ein Felspython ebendort auf achtzehn Jahre, ein indischer Tigerpython im Zoo von San Diego, Kalifornien, auf 22 Jahre und neun Monate, und zwei ostasiatische Netzpythons in London und Paris auf je 21 Jahre.

Die Schlangenriesen sind die einzigen Großtiere auf Erden, die *stumm* sind, wie andere Schlangen auch. Bestenfalls zischen sie stimmlos. Sie sind auch taub, können also die Schwingungen der Luft nicht wahrnehmen, für welche wir und andere Tiere die Ohren haben. Erschütterungen der Erde oder der Unterlage, auf der die Schlangen ruhen, empfinden sie aber recht gut. Obendrein *sehen* die taubstummen Riesen keineswegs gut. Ihre Augen sind wenig beweglich, sie haben keine Augenlider, und die durchsichtige Hornhaut, welche die Augäpfel schützt, löst sich bei jeder Häutung wie ein Uhrglas mit ab. Ein Schlangenauge hat keine Irismuskeln, das Sehloch kann also bei

*Jährlich 25 cm länger*

*Das Höchstalter von Riesenschlangen*

*Sie sind stumm und taub*

83

grellem oder düsterem Licht nicht verengt oder erweitert werden, das Auge paßt sich kaum an. Ebenso läßt sich die Linse im Auge nicht wie bei uns krümmen, so daß wir nach Belieben nahe oder ferne Gegenstände scharf sehen können. Um das etwas besser zu erreichen, muß die Schlange den ganzen Kopf vor und zurück nehmen. Vielleicht ist das alles ganz zweckmäßig für das Schwimmen und besonders zum Sehen unter Wasser, aber es gibt wirklich sehr viel bessere Augen im Tierreich. Weil ein Python ebenso wie die anderen Schlangen beim Schlafen die Augen nicht zumacht, ist es also schwierig, ihm anzusehen, ob er wach ist oder schläft. Es ist behauptet worden, daß solche schlafenden Schlangen die Augen nach unten richten, daß also die Pupillen am unteren Augenrand sind; von anderen Schlangenforschern wird das wieder bestritten.

Von der Starrheit des Schlangenauges rührt wohl das ewig wiederholte Märchen her, daß die Schlangen ihre Beute mit dem Blick lähmen, hypnotisieren. Zwar bleiben Frösche, Eidechsen oder kleine Nager oft in Gegenwart von Riesenschlangen ganz ruhig sitzen. Zum Teil liegt das daran, daß sie die Gefahr gar nicht erkennen, zum Teil ist es eine recht nützliche Starre, weil die Schlange eine unbewegte Beute nicht sieht. Erst wenn der Frosch schnell weghüpft, schlägt sie zu und hat ihn.

Wie findet also so eine taubstumme, kurzsichtige Schlange ihre Beute? Sie hat immerhin Sinne, die uns abgehen. Besonders gut empfindet sie Wärme: eine menschliche Hand wird noch in dreißig Zentimeter Abstand wahrgenommen. So können die Großschlangen beim Umherschleichen besonders warmblütige Tiere auch in Verstecken gut finden. Damit der eigene Atem nicht stört, ist er z. B. beim Python nach oben und hinten gerichtet. Am feinsten arbeitet aber der Geruch. Merkwürdig genug, sitzt das Organ dafür im Mund, im Gaumendach, und die Zunge führt ihm kleine Teilchen aus der Luft zu, welche berochen werden sollen. So sind die Schlangen vom Tageslicht unabhängig, sie können Tag und Nacht gleich gut den Spuren ihrer Opfer folgen und sie überwältigen.

Mein Sohn Michael und ich haben eines Nachmittags nicht weit von der Serengeti einen Felspython von vielleicht drei oder

4 m Länge angetroffen, den wir mitnehmen wollten. Nun sind Riesenschlangen, wenn sie nicht gerade in Bäumen oder Sträuchern stecken, gar nicht so schwer zu fangen. Sie dürften in der Stunde gute anderthalb Kilometer zurücklegen, wenn sie sich die Mühe machen, eine ganze Stunde lang zu laufen. Die Riesenschlangen »schlängeln« sich nämlich nicht wie so viele kleinere Schlangen mit Seitwärtsbewegungen des Körpers vorwärts, sie tun das mit den Bauchschuppen. Die Rippen bleiben starr, und von ihnen gehen Muskeln aus, die die Schuppen wie kleine Greifer oder Anker vor- und zurückschieben.

Wir waren damals zunächst sehr vorsichtig und haben den Python mit Holzhaken gelenkt, die wir uns schnell aus den Büschen zurechtgeschnitten hatten. Aber schließlich packten wir das Tier am Schwanz, ohne daß es angriff. So lenkten wir es in einen Sack, banden den zu und legten ihn nachtsüber in unserer Hütte unter das Bettgestell. Leider war der Sack am nächsten Morgen leer. Die Riesenschlange war doch herausgekommen. Aber an ihrer Spur im Staub konnten wir spielend herausfinden, wohin sie gekrochen war. Sie hatte eine ziemlich gerade Fährte hinterlassen, so stark und breit, als ob man einen Autoreifen entlang gerollt hätte.

*Python entkam uns unter dem Bett*

Keine Schlange, auch keine Giftschlange, kann einen rennenden Menschen einholen. Dafür können die Riesenschlangen ausgezeichnet schwimmen, viel besser als die anderen großen Landtiere. Die Anakonda ist überhaupt schon bald mehr Wasser- als Landtier. Auch das Meer macht ihnen nichts aus. Eine Boa constrictor ist vom südamerikanischen Festland 320 km weit bis zu der Insel S. Vincent geschwemmt worden und kam durchaus vergnügt dort an. Als der Vulkan Krakatau im Jahre 1888 ausbrach, zerstörte er alles Leben auf seiner Insel. Die Biologen haben dann in den kommenden Jahren und Jahrzehnten beobachtet, wie allmählich die verschiedenen Flechten, Pflanzen und Tiere sich wieder einfanden. Von den Reptilien waren die Felspythons die ersten, sie nahmen die Insel 1908 wieder in Besitz.

*Sie schwammen sogar über das Meer*

Die Riesenschlangen haben sich nicht ganz so gut zu Stricken umgewandelt wie das meiste übrige Schlangenvolk. Boas und

Pythons haben noch *zwei* Lungenflügel im Körper, so wie wir. Bei den meisten anderen Schlangen ist der linke Lungenflügel völlig verschwunden; statt dessen hat sich der rechte ausgedehnt und stark verlängert. Die Riesenschlangen haben auch noch Reste des Beckens und der Oberschenkelknochen unter der Haut versteckt. Außen sind allerdings von den Hinterbeinen lediglich zwei armselige Krallen rechts und links vom After übriggeblieben.

*Ihr Geheimnis heißt Geduld*

Wie können nun so langsame Riesen ihre Beute erjagen? Ich glaube, das Geheimnis heißt Geduld. Zunächst einmal stimmt es nicht, daß sie mit ihrem Kopf einen Menschen oder ein Tier besinnungslos schlagen. So ein Riesenschlangenkopf ist nicht besonders hart, sicherlich weicher als unserer. Ihn zum Boxen zu benutzen, würde der Schlange selber wenig bekommen. Die Tiere schlagen überdies gar nicht so besonders schnell zu. Eine Riesenschlange von 125 kg hat dabei etwa dieselbe Kraft wie ein Hund von 20 kg, der einen anspringt. Trotzdem kann natürlich ein etwas unsportlicher Europäer davon umfallen. Immerhin könnte ein leidlich behender Mann eine Boa von bis zu 4 m allein abwehren, zumindest solange er stehen bleibt. Es dürfte gelingen, die Schlingen mit Hilfe der Schwerkraft und mit den Armen nach unten abzudrängen.

Viel wichtiger als das »Schlagen« ist für die Schlange, die Beute zu packen und nicht wieder loszulassen. Dazu reißt sie ihren Mund sehr weit auf. Ein Netzpython hat etwa hundert Zähne in sechs Reihen darin, die nach hinten gerichtet sind. Hat er also nur einen Finger gepackt, so kann man ihn nicht wieder herausreißen. Man muß sehen, die Kiefer aufzudrücken und die Hand eher zunächst noch tiefer hineinzustoßen, bis man sie wieder aushaken kann.

*Erst zubeißen, dann würgen*

Erst wenn die Schlange mit dem Kopf festen Halt gefunden hat, wirft sie ihre Schlingen um den Körper des Opfers. Geht man mit einer Riesenschlange um, so muß man sie also stets dicht hinter dem Kopf fassen und am Beißen hindern. Sehen Sie sich daraufhin bitte einmal Filmszenen oder Fotoaufnahmen an, auf denen ein Mensch mit einer Riesenschlange »kämpft« und von ihr scheinbar erwürgt oder gewürgt wird.

Sie werden so gut wie immer feststellen, daß das menschliche *Vorgetäuschte Schlangen-kämpfe* Opfer die Schlange an der Kehle gepackt hat. In Wirklichkeit hat er sie sich selbst um den Körper gewickelt und täuscht den wilden Kampf vor.

Hat die Riesenschlange ihr Opfer mit den Zähnen gepackt und mit mehreren Windungen umschlungen und bewegungslos gemacht, so vermag sie ihm keineswegs »alle Knochen zu brechen«. Riesenschlangen, auch wenn sie zentnerschwer sind, haben keinesfalls so ungeheure Kräfte, wie man in ihnen vermutet. Je größer und schwerer ein Tier wird, um so mehr nehmen seine Kräfte, gerechnet auf 1 kg Körpergewicht, ab. Ein Floh ist, dem Gewicht nach, zehntausendmal stärker als ein Elefant. Kleinere Schlangen können also die Beute, die zu ihnen paßt, viel stärker würgen als die Riesenschlangen.

Die Schlangenriesen töten nicht durch Knochenbrechen, son- *Sie töten durch Ersticken, nicht durch Knochen-brechen* dern durch Ersticken. Sie drängen den Brustkorb des Opfers so zusammen, daß dieses keine Luft mehr einholen kann, vielleicht lähmen sie durch den Druck auch das Herz. Die Schlingen des Schlangenkörpers, die sich um das Opfer zusammenziehen, wirken ja kaum wie ein Strick, vielleicht eher wie ein Gummiseil oder ein Gummituch. Auf diese Weise starke Knochen zu brechen, ist fast unmöglich. Wenn in manchen Berichten davon gesprochen wird, es seien Menschenschädel zerknackt worden, so ist das von vornherein Unsinn. Ein Menschenkopf ist eine recht harte Nuß, zumindest wenn man mit weichen Gegenständen dagegen arbeitet. Mein Mitarbeiter Dr. Gustav Lederer, der vierzig Jahre lang unser Exotarium geleitet hat, untersuchte drei Schweine, drei Kaninchen und drei Ratten, die von Riesenschlangen passender Größe getötet, aber noch nicht verschlungen worden waren. Nicht *ein* Knochen war in diesen getöteten Tieren gebrochen! (Andere Untersucher haben später in schon hinuntergewürgten Beutetieren doch gebrochene Knochen gefunden.)

Natürlich tut man gut daran, sich darauf nicht unbedingt zu verlassen. In zoologischen Gärten werden viele Riesenschlangen gehalten. Sie sind meistens wenig angriffslustig, solange man sie in Ruhe läßt, und werden recht bald zahm. Auch wildlebende Pythons, die angegriffen werden, verteidigen sich nur mit Zubeißen, werfen aber fast nie Würgeschlingen um den Angreifer. Das wird nur bei der Beute angewandt, die verschlungen werden soll. Aber immerhin müssen auch im Zoo frisch angekommene Tiere umgesetzt werden, oder man muß Gewalt anwenden, etwa um sie bei Krankheitsfällen zu behandeln. Man rechnet in solchen Fällen auf jeden laufenden Meter einen Mann, der aber kräftig zupacken muß und keinesfalls loslassen darf.

*Ein Mann je Meter Schlange*

Ich habe oft herumgefragt, konnte aber bis heute nicht einen Fall feststellen, in dem ein Mensch in einem zoologischen Garten durch Riesenschlangen getötet worden wäre. In der Tierhandlung Ruhe hat einmal vor Jahrzehnten ein 7 bis 8 m langer Netzpython den Oberwärter Siegfried umwickelt und »ihm mehrere Rippen gebrochen«. Ebenso erzählte eine frühere Schlangentänzerin unseren Tierpflegern im Frankfurter Zoo, daß eine ihrer Schlangen ihr einmal zwei Rippen gebrochen hätte. Auch dazu sind, zumindest gegenüber einem Mädchen, keine übermenschlichen Kräfte nötig. Einer meiner Söhne hatte einmal seine Braut vor lauter Liebe so fest in die Arme geschlossen, daß er ihr eine Rippe zerknackte.

*Tänzerinnen mit großem Schlangen-verbrauch*

Obwohl Riesenschlangen verhältnismäßig leicht zahm zu machen sind, brauchen die Tiere, welche sich Tänzerinnen in Varietés und Zirkussen um Schulter und Leib wickeln, keineswegs gezähmt zu sein. Es genügt, daß man die Tiere, welche ja wechselwarm sind, vor der Vorstellung abkühlt. Sie lassen dann fast alles mit sich geschehen und werden erst richtig lebendig, wenn sie wieder aufgewärmt sind. Natürlich bekommt solchen Schlangen ein derartiges Herumreisen, besonders im Winter, die Unterbringung in Bühnengarderoben oder ungenügend geheizten Hotelzimmern und Waggonabteilen, schlecht. Viele dieser Tänzerinnen haben deswegen einen ziemlichen Verbrauch an Pythons.

Riesenschlangen halten sich nicht mit dem Schwanzende an einem Baum fest, um dann mit dem anderen Ende die Beute zu packen und am Weiterlaufen zu hindern. Sie speicheln auch nicht das getötete Tier ein, ehe sie es verschlingen. Diese Behauptung, die man immer wieder findet, rührt wohl daher, daß sie gar nicht so selten ein Opfer wieder herauswürgen, das sie schon im Inneren hatten. Manchmal geschieht das, weil es sich als zu groß erwies oder weil es beim Verschlingen nicht die richtige Lage hatte, weil Hörner oder ein Geweih dran sind, wodurch die Sache nicht weitergeht, oder ganz einfach weil die Riesenschlange erschreckt oder gestört worden ist. Ein wieder herausgewürgtes Tier ist dann natürlich eingespeichelt und feucht. Auch sehr große und schwere Schlangen können ziemlich leicht durch Schlupflöcher, kleine Fenster oder zerlöcherte Wände, zum Beispiel in Hühnerställe, Schweineställe oder zu Ziegen, hereinkriechen. Wenn sie dann so ein unzerkleinertes Opfer im Bauch haben, kommen sie mit dem Riesenknoten nicht mehr durch das gleiche Loch aus dem Stall, und er wird für sie zum Gefängnis. Daß sie ihren Mageninhalt wieder herauswürgen, um erneut durch das Loch herauskriechen zu können, das scheint bei ihnen »nicht drin zu sein«. Solche Fälle sind schon mehrfach berichtet worden.

*Schlangen können mit vollem Bauch nicht mehr aus dem Stall hinaus*

Überhaupt fällt es natürlich am meisten auf, wenn man eine Schlange mit einer ungeheuren Anschwellung im Leib findet, die sich also gerade ein ziemlich großes Tier einverleibt hat. So etwas wird dann gern fotografiert und beschrieben, weil die Schlange in diesem Zustand ja auch sehr schwerfällig und recht hilflos ist. Wenn eine Anakonda ein paar Fische oder ein halbwüchsiger Python ein paar Frösche, Nagetiere oder Vögel im Bauch hat, dann verliert niemand ein Wort darüber. Das führt zu der Vorstellung, daß Riesenschlangen von viel größeren Beutetieren leben, als das in Wirklichkeit der Fall ist. Im Grunde genommen sind sie ungemein bescheidene Esser, und sie können unerwartet lange fasten. Die größten Opfer auch von sehr starken Riesenschlangen sind etwa Antilopen von der Größe eines mittleren Rehs oder Schweine, und zwar nicht unsere europäischen gewaltigen Hausschweine, sondern Wildschweine und Hausschweine der warmen Länder. Wenn also von Hausrindern oder großen Antilopen, wie Kudus, Topis, Wasserböcken und Elen-Antilopen, als Opfern von Riesenschlangen erzählt wird, dann handelt es sich immer um Jungtiere.

*Bescheidene Esser*

Im Toro-Wildreservat im Semliki-Tal von Uganda leben etwa zwölftausend Uganda-Kob. Diese Antilopen scheinen dort einen Teil der Nahrung der Felsenpythons zu bilden. Innerhalb eines Jahres wurden fünfmal zufällig welche angetroffen, die von ihnen umgebracht worden waren. Es handelte sich immer um nicht ausgewachsene Weibchen. Bei näherer Untersuchung stellte sich heraus, daß keine Knochen gebrochen waren, sondern daß die Tiere offensichtlich an Ersticken gestorben waren. Geier versuchten einen Teil der Beute zu erobern; in einem solchen Fall zischte der Python laut und schlug nach den Geiern, um sie wegzuhalten. Allerdings gelang es dem Tier niemals, einen Geier wirklich zu erwischen, wogegen diese erfolgreich Fleischstücke aus der Antilope herausrissen. In einem Fall hatte ein 4,5 m langer Python von 54 kg Gewicht eine kleine weibliche Uganda-Antilope von rund 30 kg Gewicht bereits

*Sie lief vor den Menschen nicht weg*

herunterzuwürgen angefangen. Kopf und Hals waren schon in der Schlange verschwunden. Ihr Körper war in mehreren Schlingen noch um die Antilope gewunden. Bei der ersten Annäherung der Wildwarte P. Hay und P. Martin blieb die Schlange regungslos. Als einer von den beiden jedoch einige Büschel Gras vor ihrem Kopf entfernen wollte, um besser fotografieren zu können, zischte der Python und zog sehr schnell seinen Kopf von der Beute ab. Im übrigen machte die Riesenschlange jedoch keine Anstrengung, die Menschen wegzutreiben und ließ auch weiter ihre Körperschlingen um die Beute. Im Kariba-Stauseegebiet von Sambia hatte ein Felsenpython mit seinen Zähnen einen voll ausgewachsenen Waran an den weichen Teilen des Halses gepackt und seinen Körper dreifach um den des Warans geschlungen. Der Schwanz des Warans klatschte immer wieder ins Wasser. Der Nilwaran hatte eine Länge von 1,53 m und starb bald nach seiner Befreiung, der Python war 2,40 m lang und hatte keinerlei Verletzungen. In einem anderen Fall lag ein 2,10 m langer Python auf einem Baum und hielt dabei einen 1 m langen getöteten Felswaran umschlungen (H. Roth).

Allerdings kann eine Schlange eine andere Schlange von gleicher Länge herunterwürgen, weil die verschlungene im Inneren dann zusammengebogen wird. Frau Sandy Terreblanche beob-

achtete in Transvaal, wie ein kleiner Python eine große *Schlangen*
schwarze Mamba erwürgte. Die Mamba wehrte sich erst heftig, *verschlingen*
aber nach zwei Stunden lag sie leblos da. *Schlangen*

Tatsächlich haben sich viele Schlangenarten auf andere
Schlangen als Beute besonders eingestellt; allerdings sind kaum
welche von ihnen »Kannibalen«, sie töten also nicht die eigenen Artgenossen. Im Magen eines 5,7 m langen Python wurde
immerhin einmal ein Leopard gefunden. Er hatte seiner Über-
wältigerin nur geringfügige Verletzungen beibringen können.
Ob es sich um einen voll ausgewachsenen Leoparden gehandelt *In Frankfurt*
hat, ist dabei nicht berichtet. Bei uns im Frankfurter Zoo hat *würgten sie*
ein 7 bis 8 m langer Netzpython äußerstens Beutetiere im Ge- *höchstens 55 kg*
wicht bis zu 55 kg verschlingen können. Ein 7,5 m langer indi- *hinunter*
scher Gitterpython würgte ein Hausschwein von 54,5 kg und
später einmal eine indische Langohrziege von 47,5 kg herunter.

Nicht das Abtöten, wohl aber das Verschlingen machte in
beiden Fällen der Schlange die allergrößten Schwierigkeiten.
Zwei Tage nach der Aufnahme des Schweines war sie noch
derartig ballonartig aufgetrieben, daß man eine schwere Schä-
digung des Tieres befürchtete. Alle anderen großen Netzpythons, die im Laufe der Jahrzehnte in Frankfurt gepflegt worden sind, verweigerten für gewöhnlich derartig große Beutetiere. Zwar ergriffen sie solche im Gewicht von 30 kg und darüber gelegentlich und töteten sie, sie waren aber vielfach nicht
imstande, sie zu verschlingen. Dr. Lederer hat notiert, daß es
einem 7,2 m langen sehr gefräßigen Tier auch in einstündiger
Anstrengung nicht gelang, eine Ziege von 34 kg herunterzu-
bringen. Ein anderer, etwa 7,7 m langer Python quälte sich
vergeblich ab, ein Schwein von 43 kg zu verschlingen. Noch nie
hat ein *Fachmann* behauptet, daß eine Riesenschlange Beute
von über 60 kg heruntergebracht hätte.

Geht das Packen und Töten also schnell, so nimmt sich die
Räuberin dann Zeit, sich das tote Opfer einzuverleiben. Sie
läßt es wieder los, beschnüffelt es und stülpt sich schließlich
selber wie einen Strumpf von einem Ende aus darüber. Meist
beginnt sie beim Kopf. Dabei legt sie Pausen, oft von einer Viertelstunde, ein. Schlangen können bekanntlich Ober- und Unter-

kiefer aus ihrem Gelenk lösen, so daß sie nur noch mit Bändern aneinanderhängen. Dadurch läßt sich der Mund recht weit aufreißen. Ober- und Unterkiefer, die mit ihren Zahnreihen einhaken, werden dann immer abwechselnd ein Stück weiter vorgeschoben. Auch der Kehlkopf wird nach vorn gedrückt, damit das Tier trotzdem noch atmen kann. Nur bis in den Magen ist die Schlange so dehnbar. Die weiteren Eingeweide sind dann eng, bis dahin muß alles aufgelöst sein.

Obwohl die Pythons und Boas so große Happen auf einmal hinunterwürgen, kann man sie wirklich nicht als gefräßig bezeichnen. Sie können bei einer Mahlzeit immerhin die vierhundertfache Menge von der Energie aufnehmen, die sie für einen Tag brauchen. Dafür fasten sie je nach Not oder Laune dann

entsprechend lange. Bei uns in Frankfurt hat ein Netzpython 570 Tage lang nichts zu sich genommen, dann einige Zeit gegessen, und dann wieder 415 Tage gefastet. Eine Gabunviper (eine kleinere Giftschlange aus Afrika) verweigerte 679 Tage, also fast zwei Jahre, die Nahrung. Ein anderer indischer Tigerpython nahm 149 Tage nichts zu sich und verlor dabei nur 10 v. H. seines Gewichtes.

Aus all dem kann man schon ziemlich weit Rückschlüsse ziehen, ob Menschen von Pythons getötet und verschlungen werden. Im Zoo bildet sich nach einiger Zeit ein gewisses Vertrauens- oder Freundschaftsverhältnis zwischen Riesenschlangen und ihren Pflegern aus. Der Tierriese gewöhnt sich an das Saubermachen und das Herumgehen seines Wärters in seiner Behausung und greift dann nicht mehr an. Manche Schlangen bleiben allerdings zeitlebens bissig. Jedes hastige Bewegen des Menschen kann sie zum Angriff veranlassen, sogar schnelles Bewegen der Augen. Hat die Schlange erst einmal einen Körperteil mit der Schnauze erfaßt, auch wenn er leicht bekleidet ist, so umschlingt sie den Menschen, wie wir in mehr als einem Halbdutzend Fälle beobachten konnten. Beißt sie in freihängende Kleider, etwa in den Übermantel, dann umschlingt sie

nicht. Ein geschulter Mann kann mit einem gesunden Python von 3 bis 4,5 m fertig werden. Gesunde Schlangen von über 6 m Länge können aber dem Menschen sehr gefährlich werden.

Trotzdem sind verbürgte Fälle, in denen freilebende Riesen- *Schlangen-*
schlangen Menschen getötet und sogar verschlungen haben, bis- *märchen*
her kaum bekannt geworden. Dabei muß man berücksichtigen,
daß besonders in einzelnen Teilen Ostasiens Riesenschlangen
oft sehr nahe bei menschlichen Behausungen leben. Sie sind als
Vertilger von Ratten recht beliebt und können, solange sie jung
und halbwüchsig sind, ja auch den Haustieren und den Menschen gar nicht gefährlich werden. Unlängst berichtete in einer
afrikanischen Fachzeitschrift ein Farmer, daß ein afrikanisches
vierjähriges Kind täglich mit seinem Napf voll Brei und Milch
hinunter an den Fluß gegangen sei, um mit »Nana« zu spielen.
Eines Tages sei der Vater nachgegangen und hätte gesehen, daß
das Kind einen großen Python fütterte. Er tötete die Schlange
sofort. Da ein Python sicher keine Milch und keinen Brei annimmt, erscheint mir auch die ganze übrige Geschichte höchst
unglaubwürdig. Daß Schlangen Milch trinken und sogar Kühe
ausmelken, ist ja ein fast unausrottbarer Aberglaube.

Im Napo-Fluß in Ekuador hat eine große Anakonda einmal *Verschlungene*
einen Mann beim Baden gepackt, hinuntergezogen und er- *Menschen*
tränkt, aber nicht verschlungen. Ein dreizehnjähriger Junge
wurde auch ertränkt, verschlungen, dann aber wieder ausge-
würgt. Die Schlange wurde vom Vater nach anderthalb Tagen
getötet. Auch das geschah in einem Nebenfluß des Napo. Ein
weiterer verbürgter Fall ist der eines vierzehnjährigen Malaien-
jungen auf der Insel Salebabu, der von einem Netzpython verschlungen wurde. Ein Tierarzt aus Niederländisch Indien, der
Anfang der zwanziger Jahre in den Frankfurter Zoo kam, berichtete ebenfalls über einen solchen Fall und konnte Lichtbil-
der davon vorzeigen.

Was für ungewöhnlich seltene Fälle dies jedoch sind — im
Gegensatz zu den dramatischen Schilderungen in Büchern —,
wird einem erst klar, wenn man sich vorstellt, wie viele solche
großen Schlangen es auf Erden gibt oder zumindest bis in die
jüngste Zeit gegeben hat. Das geht erst aus der Zahl ihrer Häute
hervor. Schlangen sind ja nicht »glitschig« und schleimig, wie
viele Menschen glauben, die sich vor ihnen ekeln, sondern angenehm kühl und trocken. Eine Schlange gleitet durch Wasser

und Schlamm, kommt aber trocken und sauber wieder heraus. Sie kriecht auf dem Bauch über Felsen und beschädigt sich dabei nicht. Seitdem die Gerber auch ungewöhnliche Häute richtig zu verarbeiten verstehen, sind deswegen Schlangenhäute, besonders für modische Gegenstände, recht verlockend geworden. Allerdings ist es noch niemandem gelungen, die schönen bunten Muster der Schlangenhaut im Leder zu erhalten. In den Handelsberichten der meisten Staaten werden nur »Reptilienhäute« aufgeführt, darunter fallen außer denen der Schlangen auch die von Alligatoren, Krokodilen, großen Leguanen und ähnlichen Tieren. Immerhin haben die Vereinigten Staaten 1951 acht Millionen Reptilienhäute eingeführt, Großbritannien zwölf Millio-

*Jährlich einen Gürtel aus Schlangenhäuten um den Erdball*

nen. Etwa die Hälfte davon sind Schlangenhäute, und zwar von größeren, fast ausschließlich harmlosen Schlangen, nicht von Giftschlangen. Insgesamt werden auf der ganzen Erde in jedem Jahr rund zwölf Millionen Schlangenhäute gehandelt. Das würde jährlich einen Gürtel aus Schlangenhaut um den Äquator, um den Leib der ganzen Erde herum, ergeben. Gemessen an dieser ungeheuren Häufigkeit der Schlangen in wärmeren Gegenden kann man die ungemein seltenen Todesfälle durch Riesenschlangen nur als Unglücksfälle bezeichnen. Wir Menschen gehören jedenfalls für gewöhnlich nicht zu ihrer Beute.

Umgekehrt kann man das nicht sagen. Schlangen werden von vielen Menschen durchaus gegessen. Madame de Sevigny schrieb Ende des 17. Jahrhunderts, daß gerade das Essen von

*Schlangenessende Menschen*

Vipern ihr Blut so aufgefrischt, gereinigt und verjüngt habe. Wohl am meisten werden Schlangen in China gegessen, vor allem Kobras. Pythons kommen nur im südlichen China vor, sie werden aber aus anderen Gegenden eingeführt. Im übrigen dost man ja auch in den Vereinigten Staaten Klapperschlangen ein und verkauft ihr Fleisch als besondere Delikatesse. Henry Raven, der auf Borneo jagte, erzählt, daß die Dajaks, welche ihn begleiteten, einen 8-m-Python töten konnten, wie er gerade in einen Fluß gleiten wollte. In der Schlange steckten zwei kleine Schweine, »und so hatten die Jäger ein Fest, bei dem es sogar Schweinefleisch gab«. In Afrika werden Riesenschlangen auch gegessen, vor allem der Felsenpython.

94

Sogar Geier können ihn mitunter überwältigen. Der Wildwart J. Shenton entdeckte bei Ngoma auf kahler, abgebrannter,
also deckungsloser Ebene einen Python, der von acht Geiern
angegriffen wurde. Sie saßen herum, hüpften auf die Schlange
zu, hackten auf sie ein und sprangen sofort zurück, ehe das
Tier wütend nach ihnen schlug. Die Schlange war schwer verwundet, hatte große Löcher im Fleisch, so daß Rippen und Eingeweide zu sehen waren, sogar ein Auge war ausgepickt. Der
Wildwart tötete das unglückliche Tier. Es war sonst in gutem
Gesundheitszustand und hatte keine alten Wunden.

*Geier zerhack-
ten Python*

Eine große Pythonschlange, die unter dem Kotflügel eines
Autos hervorkam, verursachte einen tödlichen Verkehrsunfall
in der Nähe von Machadodorp, Bezirk Johannesburg, Südafrika. Die Schlange kroch auf die Frau des Fahrers zu. Bei
dem Versuch, sie vor einem Biß zu schützen, ließ ihr Mann das
Steuerrad los. Der Wagen geriet von der Straße ab, überfuhr
einen Eingeborenen und tötete ihn. Die Schlange entkam in
das Gestänge des Wagens, während sich alles um den Unfall
kümmerte und die Polizei ein Protokoll aufnahm. Deswegen
wurde das Auto nach dem Transvaal Snake Park (Transvaal-
Schlangenpark) in Halfway House gebracht, da es nicht gelungen war, die Schlange totzuschießen. Der Inhaber des Parks war
drei Stunden lang mit seinen Helfern beschäftigt, bis sie endlich
die Schlange von 1,80 m Länge aus dem Wagen herausbeka-
men. Sie blieb unverletzt.

*Schlange im
Autogestänge*

In der Serengeti erbeutete ein Leopard eine ansehnliche Pythonschlange von über 3 m Länge. Er saß damit auf einem
Baum, aber wenn er von Fotografen gestört wurde, stieg er
stets mit dem toten Tier herab, das dabei weit hin und her
schwang, und verbarg sich im Gras. Später kletterte er wieder
den Baum empor.

Die Boas gebären lebende Junge. Das heißt, sie behalten die
Eier im Körper, bebrüten sie gewissermaßen im Mutterleib, so
daß dann die fertigen Jungen herauskommen, so wie das bei
vielen Fischarten und Reptilien der Fall ist. Eine weibliche Anakonda von 5,3 m brachte im zoologischen Garten 34 Junge
von je 70 cm Länge zur Welt. Die Pythons aber legen Eier,

manchmal zwanzig, manchmal bis zu siebzig Stück; bei uns im Frankfurter Zoo im Durchschnitt 46. Diese frisch gelegten weißen Eier sind geschmeidig, glänzend, weich und klebrig. Nach wenigen Minuten verschwindet der Glanz, die Eier kleben alle zusammen, wodurch ihre Gesamtoberfläche natürlich sehr verringert und damit die Verdunstung vermindert wird. Schon nach wenigen Stunden wird die Eihaut pergamentartig. Die Eier brauchen Wärme und Feuchtigkeit; geraten sie aber auch nur für kurze Zeit ins Wasser, dann sterben sie ab.

Die Pythons bebrüten ihre Eier, das heißt sie legen um ihr Gelege richtige Schlingen ihres Körpers, wickeln es gewisser-

*Python bebrütet*
*seine Eier und*
*fastet dabei*

maßen damit ein, und betten den Kopf oben darauf. Schon 1841 hat man im zoologischen Garten von Paris entdeckt, daß diese kaltblütigen Schlangen dabei ihre Eier richtig erwärmen. Im Zoo von Washington konnte man mit feinen Meßgeräten in den letzten Jahren feststellen, daß die brütende Felsenpython dabei ihre Körpertemperatur um 3—4° C erhöht; um soviel sind auch die Männchen kälter. Mißt man die Temperatur zwischen den aneinanderliegenden Windungen des weiblichen brütenden Schlangenkörpers, so ergibt sich häufig ein Unterschied

*Strauße sind in Nordafrika und Arabien längst wegen ihrer Federn völlig ausgerottet worden. Hätte man nicht gelernt, sie in Südafrika in Farmen zu züchten, wären sie wahrscheinlich schon längst vom Erdboden verschwunden.*

*Seite 98:*
*Die afrikanische Sporengans (Plectropterus gambiensis) ist eigentlich eine große hochbeinige Ente. Der scharfe Sporn am Flügelbug, der auf dem Bild gut zu sehen ist, kann wirklich gefährlich werden. Im Dresdener Zoo hat 1936 eine weibliche Sporengans mit diesem Flügelsporn einer Angestellten ins Auge geschlagen und ihr eine etwa 4 mm lange, aber ziemlich tiefe Schnittwunde im Augapfel zugefügt. Nur weil die Wunde sich nicht entzündete, blieb sie bedeutungslos. Sporengänse leben gesellig an großen Seen und Strömen. Sie weiden dort das Gras an den Ufern und kommen manchmal in großer Zahl zusammen.*

*Seite 99:*
*Diese drei Steinböcke, ein gehörntes Männchen und zwei Weibchen, haben sich im Etoscha-Nationalpark, Südwestafrika, in den Schatten eines Termitenbaues zurückgezogen. Steinböcke haben die (bei Antilopen recht ungewöhnliche) Angewohnheit, ihren Kot mit den Hinterbeinen mit Erde zu bewerfen, ähnlich wie ein Hund oder eine Katze. Sie scheinen sogar des öfteren für ihren Kot zunächst Löcher zu graben. Stört man sie, so laufen sie zunächst rasch davon, machen mitunter hohe Sprünge, bleiben aber bald stehen, senken den Kopf zu Boden und legen sich in eine Mulde in hohem Gras oder Gebüsch. So sind sie für den Betrachter auf unerklärliche Weise plötzlich verschwunden.*

von über sieben Grad zu der umgebenden Luft. So bleibt die Schlangenmutter etwa achtzig Tage fastend um ihre Brut gewickelt.

Die jungen Pythons häuteten sich bei uns fünf- bis neunmal im Jahr, große Tiere streifen nur drei- bis siebenmal ihre Haut ab, und zwar beginnend am Kopfende. Man kann diese durchsichtige Haut auch vorsichtig zusammenhängend abziehen. Würden wir Menschen unsere Haut nicht so ganz allmählich *Wenn* und schüppchenweise wechseln, sondern in einem Stück wie die *Menschen sich* Schlangen, dann umgäben wir unser abgelegtes Fell sicherlich *häuteten wie* mit besonderen Riten und Aberglauben. Zumindest müßten wir *Schlangen* jeden Abend in der Werbesendung des Fernsehens ein Halbdutzend Empfehlungen für Mittel und Salben über uns ergehen lassen, mit denen man das Häuten beschleunigen und die darunter liegende Haut bunter und schöner machen soll. Auch Riesenschlangen sind für Hilfe beim Häuten gelegentlich zu haben. In Transvaal wurde Herr J. J. Marais unlängst auf eine Anzahl von Kühen aufmerksam, die auf der Weide eifrig etwas auf der *Kühe beleckten* Erde beleckten. Als er näher ging, stellte er fest, daß es ein gro- *Schlange* per Python war, der sich gerade häutete. Die Riesenschlange lag ausgestreckt auf der Erde und wurde von den Rindern geleckt. Als sie die Anwesenheit des Menschen merkte, zog sich die Schlange in ein Erdloch zurück.

Wenn die Riesenschlangen fünf bis sechs Jahre alt geworden sind, gehen sie auf Brautschau. Die Männchen folgen den Spuren der Schlangenmädchen. Offensichtlich verrät ihnen der Duft *Schlangen-* von besonderen Drüsen im After der Weibchen, daß es sich um *hochzeit* weibliche Tiere handelt. Finden sich zwei, so heben sie die Köpfe gegeneinander, bezüngeln sich, dann bemüht sich das männliche Tier, sich auf das weibliche zu legen. Die Kloaken vereinigen sich: Die Paarung dauerte im Zoo bis zu zweieinhalb Stunden.

*Leoparden schleppen gern ihre Beute in Baumwipfel, um sie nicht mit Löwen, Geiern, Hyänen und Schakalen teilen zu müssen. Wie sehr sich einer mit einer toten Riesenschlange abmühte, beschreibe ich im Abschnitt fünf. In der Serengeti wurde 1968 ein Leopard vom Schleppseil eines Segelflugzeuges meterhoch in die Luft gehoben.*

Heutige
Riesen-
schlangen sind
die größten,
die es jemals
auf Erden gab

Nichts spricht dafür, daß es in früheren Erdzeitaltern Schlangen gegeben hat, die noch länger und gewaltiger waren als unsere heutigen Riesenschlangen. Im Gegensatz zu den Sauriern und anderen Reptilien, die ihre Blütezeit auf Erden längst hinter sich haben, hat das Geschlecht der Schlangen sich wohl erst in der modernen, der heutigen Zeit, so bunt und zahlreich entwickelt. Wir Menschen dürften am ersten mit Riesenschlangen in Afrika in Beziehung getreten sein, wo ja nach jüngsten Forschungen auch die Wiege des Menschengeschlechtes gelegen zu haben scheint. Von Hause aus scheinen wir sie nicht als gar so abstoßend zu empfinden, jedenfalls ist uns eine Schlangenfurcht nicht angeboren. Sowohl Menschenbabys als auch Menschen-affenkinder zeigen bis zum Alter von zwei Jahren keinerlei

Furcht und Schrecken vor Schlangen; sie spielen harmlos mit ihnen. Bis zu vier Jahren wächst dann das Interesse an diesen merkwürdigen kriechenden Lebewesen, und erst später entwickelt sich Furcht, offensichtlich nach dem Beispiel der Erwachsenen.

Wir haben die Schlangen durchaus nicht nur zu Teufeln gemacht, wie in der Schöpfungsgeschichte der Bibel, sondern auch zu Göttern. Bei Riesenschlangen ist das sogar fast die Regel. In Dahomey gab es Priesterinnen, welche den Gott-Python verehrten; sie trugen ihn in Prozessionen herum. Wenn jemand einen

Python tötete, so wurde er in einer Hütte eingeschlossen und diese angezündet. Konnte er sich aus der brennenden Behausung selber befreien, so blieb er straflos. Als die Könige von Nigeria Verträge mit den Briten machten, wurde der Schutz der Python darin besonders festgelegt. Ein Europäer, der in seinem Hause einen Python getötet hatte, wurde von den aufgeregten Afrikanern an den Daumen festgebunden, angespuckt und nackt ausgezogen. Die Kolonialverwaltung hielt es für weise, keine besonderen Strafmaßnahmen deswegen zu ergreifen. Aus Gegenden, wo Felsenpythons als heilig verehrt und niemals verfolgt werden, kommt doch die Nachricht, daß sie mehrmals kleine Kinder umgebracht und verschlungen haben sollen, in einem Fall eine kranke schwächliche Frau; es handelt sich um eine Insel im Viktoriasee.

In Dahome, Westafrika, gibt es Python-Verehrer, seit einer der Könige im 19. Jahrhundert diese Riesenschlangen zum Wahrzeichen erkor. Sogar im christianisierten Südteil des Landes fordern die Dahome-Einwohner Geldbußen für Pythons, die auf der Landstraße getötet wurden. Ouidah, über 30 km östlich von Cotonou, ist das Mekka der Python-Verehrer aus ganz Afrika. Diese Schlangen sind hier besonders häufig. Ein Amerikaner, der 1967 in einem Jahr 1265 Königs- und Felsenpythons fing und ausführte, hatte daher erhebliche Schwierigkeiten. Seine Nachbarn in Cotonou drohten, sein Haus, in dem er die Schlangen hielt, in Brand zu stecken, so daß er sich ein neues außerhalb der Stadt errichten mußte. Die Nachbarn demonstrierten davor, warfen Steine durch die Fenster und versuchten den Wagen seiner Frau umzuwerfen, sie beklebten sein Haus mit Plakaten, seine einheimischen Mitarbeiter wurden bedroht.

Mit dieser Gottverehrung hängen auch viele Märchen und Legenden zusammen. Danach sollen Riesenschlangen vorzugsweise Rinder*bullen* umbringen und die Kühe schonen. Die umschlingen sie nämlich und quetschen ihnen die Milch aus dem Euter. Ja sogar mit Menschenfrauen, die gerade Kinder säugen, sollen sie es in Nepal ähnlich machen. Eine Riesenschlange, die auf ein Schiff kam, drückte ein Wasserfaß so zusammen, daß die Eisenreifen einfach auf die Erde fielen. Ja, Riesenschlangen sollen bei Gefahr ihre eigenen Jungen zeitweise verschlingen, um sie vor Feinden zu schützen. Ein Missionsblatt empfahl sogar, sich bei Gefahr starr auf die Erde zu legen und ruhig zu warten, bis die Schlange einen umschnüffelt hat und anfängt, sich über die Beine zu stülpen. Ist sie dann bis zum Knie angelangt, greift man in die Tasche, zieht das Messer hervor und schlitzt den Mund der Schlange seitlich auf. — Die Stämme am Meru-Berg in Tanganyika bilden sich ein, daß ein sterbender Python zum Schluß einen Edelstein ausspeit. Ist dieser Stein nicht zu finden, so beschuldigen sie sich meist gegenseitig, daß einer der Beteiligten ihn unterschlagen hätte.

Die Steppen Afrikas und die Dschungel Indiens und Malayens sind für unser Nachrichtenwesen keineswegs weit abgelegen und aus der Welt. Wenn heute ein Mensch von einer Riesenschlange gepackt und verschlungen wird, dann können wir sicher sein, daß ein so gruseliges und aufregendes Ereignis sofort die Runde durch die ganze Weltpresse macht. Da wir solche Vorfälle aber in den letzten Jahren und Jahrzehnten nicht gelesen haben, können wir annehmen, daß sie sich nie oder fast nie ereignen. Boas und Pythons sind also für uns Menschen ziemlich harmlose Riesentiere.

# DER VOGEL STRAUSS

*Die vermeintliche Rechtlosigkeit der Tiere, der Wahn,
daß unser Handeln gegen sie ohne moralische Bedeutung sei, ist geradezu eine empörende Roheit und
Barbarei des Okzidents.*

*Arthur Schopenhauer (1788—1860)*

Wer heute seiner Freundin eine Handtasche aus Straußenleder
schenkt, braucht dabei kein schlechtes Gewissen zu haben, weil
er zum Ausrotten des größten Vogels auf Erden beitrüge. Dieses
Leder stammt heute überwiegend nicht von wilden Straußen,
sondern aus Straußenfarmen in Südafrika, die nach einem vorübergehenden völligen Verfall jetzt wieder im Aufblühen sind.
Augenblicklich werden da 42 000 Strauße in Koppeln gehalten.
Auch in Florida gibt es ein paar »Straußenfarmen«; dort hält
man die großen Tiere aber mehr, um sie von Touristen besich-
tigen zu lassen.

Um die Jahrhundertwende war die Straußenzucht eines der
größten Geschäfte in Südafrika. Noch vor dem ersten Weltkrieg
zahlte man für einen guten Zuchthahn bis zu dreißigtausend
Mark. Allerdings ging es damals nicht um das Leder, sondern
um die Federn. Um 1910 wurden 370 000 Kilo Federn jährlich
ausgeführt, während es siebzig Jahre vorher nur 1000 Kilo gewesen waren. Man schneidet den Hähnen diese Federn dicht
über der Haut ab und rupft sie nicht etwa wie bei Hühnern und
Gänsen aus.

Ein Strauß springt, wenn er in vollem Lauf ist, gut anderthalb Meter hoch. Deshalb muß man die Zäune etwa zwei Meter
hoch ziehen, und man muß sich überhaupt vor angriffslustigen
Straußenhähnen sehr in acht nehmen. Im Zoo Hannover bog
ein Strauß mit einem Schlag seines Beines eine ein Zentimeter

*Als die
Straußenfarmen
blühten*

105

dicke Eisenstange rechtwinklig ab; im Frankfurter Zoo erwischte ein anderer einen Tierpfleger nur mit einer Zehe an den Kleidern des Rückens, riß aber diese einschließlich der Unterkleider mit einem Ruck herunter und warf den Mann noch halb durch den Drahtzaun. Auf zahmen Straußen kann übrigens ein ausgewachsener Mann reiten, ohne daß dies den Vogel sehr anzustrengen scheint.

Als Dr. Klaus Immelmann im Zoo Frankfurt einige Nächte im Straußenhaus wachte, machte er eine ganz neue Entdeckung. Er wollte herausfinden, wie Strauße schlafen. Die Tiere saßen in jeder Nacht sieben bis neun Stunden, hatten dabei aber den Hals aufgerichtet, wenngleich die Augen geschlossen waren. In diesem Zustand lassen sie sich von Geräuschen und Bewegungen weniger leicht stören, als wenn sie wach sind. Allerdings stehen sie ein gutes dutzendmal auf, um Kot und Harn abzugeben, was Strauße im Gegensatz zu Hühnern und den meisten anderen Vögeln getrennt tun, allerdings wie bei jedem Vogel durch dieselbe Körperöffnung. Auch wenn Strauße tagsüber stehen, legen sie manchmal ermattet den Kopf auf den oberen Rand des Zaunes oder stützen ihn wenigstens auf, und dann fallen ihnen die Augen im Stehen zu.

Daß der Strauß im Schlafen auch den Kopf und den Hals der Länge nach auf den Erdboden legt, war ganz unbekannt. Das tut er in einer Nacht nur ein- bis höchstens viermal und nicht länger als für jeweils eine bis zu sechzehn Minuten. Erst dann ist der Strauß in richtig tiefem Schlaf, man kann ihn mit Blitzlicht fotografieren, auf den Boden klopfen und halblaut ansprechen, ohne daß er aufwacht. Die Tiere strecken dann auch gern die Beine, welche in Sitzhaltung unter dem Körper sind, nach hinten von sich weg. Niemals verfielen alle Tiere gleichzeitig in Tiefschlaf. Es wird wohl auch in Freiheit so sein, wenngleich dort noch niemand diesen echten tiefen Schlaf der Strauße hat beobachten können.

Wohl aber kann man eine ganz ähnliche Haltung bei anderer Gelegenheit sehen. Wenn ein Strauß wegläuft, dann kann es geschehen, daß er auf einmal verschwunden ist, obwohl er noch gar nicht den Horizont erreicht hat. Geht man ihm nach, sieht

man ihn mit lang ausgestrecktem Hals flach auf der Erde sitzen. *Ein Straußentrick*
Daher stammt wohl das Märchen von dem Vogel Strauß, der
den Kopf in den Sand steckt und glaubt, nicht gesehen zu werden. Die alten Araber haben es zuerst niedergeschrieben, und
seitdem haben es durch die Jahrhunderte die Römer und alle
Bücherschreiber nach ihnen wiederholt. Vor allem halbwüchsige Strauße legen sich gern so auf die Erde. Kommt man an sie
heran, dann springen sie jählings auf und sausen davon.

In den letzten Jahren ist es den Doktoren Ingrid und Richard
Faust im Frankfurter Zoo geglückt, junge Strauße im Brutappa-
rat auszubrüten und sie ohne Mutter aufzuziehen. Man muß
sich um die Straußenkinder, die schon so groß sind wie ein
Huhn, von Anfang an sehr kümmern. Deswegen haben sich
Strauße in zoologischen Gärten bisher nur recht selten fortge-
pflanzt. Das ist merkwürdig, weil doch die Farmen sehr viele
Strauße züchten. Sie tun es aber in dem richtigen Klima ihres
Heimatlandes und lassen Vater und Mutter brüten und die
Küken aufziehen.

Der Straußenhahn ist ein richtiger Kindervater. Er scharrt *Straußenhahn als Kindervater*
sich eine Mulde in die Erde und setzt sich hinein, die Henne legt
ihm die Eier vor die Brust, und er schiebt sie sich mit Hals und
Schnabel unter den Leib. Eine Henne legt im Wildleben bis zu
acht Eier. Die Brut dauert etwa 40 Tage. Trotz der hohen Außenwärme wird die Temperatur im Nest zwischen 35 und 41,5° C
gehalten. Die Eier müssen also eher abgekühlt und vor Aus-
trocknung bewahrt werden. Im Nairobi-Nationalpark legten
mehrere Hennen einem Hahn ins selbe Nest 42 Eier. Die kann
er dann natürlich schlecht bedecken, und so kamen davon auch
nur sechzehn Junge aus. Der Straußen-Ehemann brütet vom
späten Nachmittag bis in den frühen Vormittag, die Frau muß
also viel weniger still sitzen. Während es bei anderen Tierarten
nicht so sehr viel ausmacht, wenn man hauptsächlich die männlichen Tiere bejagt, so ist das bei Straußen anders. Das Überan-
gebot an Eiern für die letzten Hähne kann dazu führen, daß
überhaupt gar nichts mehr ausgebrütet werden kann. Denn
einfach welche liegenzulassen und sich nur auf einen Teil des
Eiersegens zu beschränken, das bringt ein Hahn nicht fertig.

Im Jahre 1960 ging es einer Straußenehegruppe im Nairobi-Nationalpark ähnlich. Zum Schluß waren es über vierzig Eier. Außerdem hatte der Hahn auch noch die Torheit begangen, das

*Löwen spielten mit Straußen-eiern*

Nest so anzulegen, daß Besucher es von der Autostraße aus sehen konnten. So waren er und seine Hennen immer wieder von Autos umringt, die bis auf zwei oder drei Meter herankamen und die unglücklichen Tiere filmten und fotografierten. Weil in den Nationalparks die Wildtiere den Menschen nicht als Feind kennen, hielten die Strauße aber aus. Eines Tages gerieten sogar kleine Löwen an das Gelege, spielten mit den Eiern wie mit Kugeln und zerstreuten sie im weiten Umkreis. Mühsam schob sie der Hahn später alle wieder in seine Mulde zusammen und brütete weiter. Kaum zu glauben, aber es kamen Küken aus! Schon vor dem Schlüpfen nehmen die Küken aus dem Ei heraus mit den Eltern und untereinander Stimmfühlung.

*Brummende Strauße*

Straußenhähne können brüllen und brummen wie Löwen. Dazu blasen sie die Luft aus der Luftröhre in den Mund, halten den Schnabel fest zu und drücken sie so zurück in den Schlund, die Speiseröhre, die sich stark ausweitet. Der Mageneingang wird dabei zugekniffen, so daß die Atemluft nicht auch noch in den Magen eindringt. Der ganze nackte rote Hals bläht sich auf diese Weise wie ein Ballon auf, und es ertönt ein dumpfes, weittragendes Gebrüll. Daß sie so schöne wallende Federn haben, war ein Unglück für die Strauße. Für die alten Ägypter wurden

*Sinnbild der Gerechtigkeit*

sie zwar dadurch das Sinnbild der Gerechtigkeit. Den Ägyptern war nicht entgangen, daß die Straußenfeder eine Vogelfeder ist, bei der die Fahnen beiderseits vom Schaft genau gleich breit sind. Jeder andere Feder hat eine schmale und eine breitere Fahne, der Schaft teilt sie also »ungerecht« auf. Die alten Ägypter hatten auch schon entdeckt, daß Straußenfedern für Menschen ein hübscher Schmuck sind. Solange aber nur die Ritter im Mittelalter ihre Helme damit schmückten, genügte es, die wilden Strauße zu jagen. Als im vorigen Jahrhundert Straußenfedern auch bei den Damen Mode wurden, sah es auf einmal für die Strauße recht bedrohlich aus. In Nordafrika und Ägypten waren sie längst ausgerottet. Auch in Persien und Arabien waren praktisch keine mehr zu finden. Der letzte Strauß ist in

Südarabien um 1900 verschwunden. Im Norden Saudi-Arabiens *Araber rotteten ihre Strauße aus* soll der letzte 1933 an der Grenze zum Irak geschossen worden sein, nach anderen Erzählungen hat man 1948 am Zusammentreffen der Grenzen von Irak, Jordanien und Saudi-Arabien nochmals zwei Strauße gesichtet und sofort erlegt.

Es liegt an den Straußenfarmen, daß der Strauß nicht überhaupt vom Erdboden verschwunden ist. Sonst geht es nämlich mit wilden Tieren, deren sich die Mode bemächtigt hat, rasend schnell bergab. Je seltener sie werden, um so höher steigen die Preise für ihre Felle oder was sie sonst liefern. Zum Schluß sind es geradezu schwindelhafte Phantasiepreise, die wegen der großen Seltenheit geboten werden. Diese unglaublichen Summen veranlassen habgierige Menschen, dem letzten wilden Nerz, *Gerettet durch* Chinchilla oder Zobel Woche, Monate und Jahre bis in die entlegenste Wildnis nachzustellen und sie irgendwie doch noch zu *Straußenfarmen* bekommen. Glückt es aber, dieselbe Tierart in Gefangenschaft zu züchten, dann werden mehr billigere Felle angeboten, langsam geht der Preis herunter, und es zahlt sich nicht mehr aus, den letzten Wildtieren noch so mühsam nachzustellen. So sind die Chinchilla, die Nutria, die Silberfüchse, die Nerze und die Zobel nur deswegen heute noch auf unserer Erde, weil man im letzten Augenblick gelernt hat, sie in Gefangenschaft zu halten und zu züchten. Die erste Straußenfarm wurde 1838 in Südafrika aufgemacht, und dann folgten bei den hohen Federpreisen bald welche in Algerien, Sizilien, in Florida, ja sogar bei Nizza in Südfrankreich fand man zur Zeit der Straußenfeder-Mode solche Farmen.

Wer das erstemal ein Straußenei in der Hand hat, wundert sich, wie es sein Insasse fertigbringt, ohne Hilfe der Mutter aus diesem Gefängnis herauszukommen. Die Schale ist so dick wie ein Porzellangeschirr, und unsereiner muß Säge und Hammer *Omelette aus* benutzen, um ein Straußenei aufzuschlagen. Es wiegt 1,5 bis *Straußeneiern* 2 Kilogramm, ist also so schwer wie 25 bis 36 Hühnereier. Man kann Straußeneier ohne weiteres essen, sie haben keinen Beigeschmack, und sie unterscheiden sich kaum von Hühnereiern. Im Kühlschrank bleibt so ein Straußenei bis zu einem Jahr frisch und genießbar. Es ist ziemlich einfach, daraus eine Omelette oder Rührei herzustellen. Um ein schönes großes Spiegelei zu braten, trennt man am besten Dotter und Weißei, brät dieses zuerst, spart den Platz für den Dotter durch einen kreisförmigen Blechstreifen, etwa eine Springform, aus und füllt den Dotter erst später hinein, wenn das Weißei schon halb erstarrt ist. Um ein Straußenei hart zu kochen, braucht man gegen zwei Stunden.

Die Straußenkinder schlüpfen nach 42 Tagen Brut aus, und sie wachsen dann wie Spargel, jeden Tag einen Zentimeter. Sobald sie richtig auf den Beinen stehen können, fangen sie schon an, die gleichen verrückten Tänze zu vollführen wie die großen. Sie rennen auf einmal in die Gegend, drehen sich dann um sich selber, schlagen mit den Flügeln und setzen sich dabei hin. Ein *Schwimmende* Kleinflugzeug begeistert die Strauße in der Serengeti auch hin *Strauße* und wieder zu solchen wilden Tanzvorstellungen. Kleine Strauße, die in Afrika im Hause künstlich als Lieblingstiere aufgezogen werden, folgen den Menschen wie treue Hunde. Geht die Familie baden, dann schwimmt der junge Strauß todesmutig wie ein Entlein im Wasser herum. In der Serengeti fangen die Strauße im September an zu brüten, und zu Weihnachten laufen sie mit ihren Küken herum.

Ausgezeichnete Läufer sind die Strauße. Der zweieinhalb Meter hohe Riesenvogel macht im Rennen spielend Schritte von *Sie sind gute* dreieinhalb Metern Länge. Fährt man hinter ihm her, so kann *Dauerläufer* man auf dem Geschwindigkeitsmesser des Wagens ablesen, daß ein Strauß ohne jede Anstrengung 50 km/st eine Viertel-, ja gegen eine halbe Stunde aushält, ohne Anzeichen der Ermüdung zu zeigen. Andere Wildtiere können immer nur ziemlich kurze Strecken schnell laufen. Strauße sollen es auf eine Spitzenleistung von etwa 70 km/st bringen; die des Menschen ist 30 km/st. Strauße müssen also unglaublich tüchtige Herzen haben.

Sie haben auch mutige Herzen, wenn es sein muß. Unlängst trafen wir einen Hahn und eine Henne, die acht Küken führten. Eine Hyäne griff an und wollte eins davon schnappen. Es gab ein großes Durcheinander, der Hahn kümmerte sich um die Kinder, die Henne aber ging auf die Hyäne los, schlug sie in die

Flucht und verfolgte sie noch einen guten Kilometer weit. Nach ein paar Tagen trafen wir die gleiche Familie wieder, es waren inzwischen nur noch sechs Junge dabei.

Dem Biologen-Ehepaar Professor Franz Sauer und seiner Ehefrau Dr. Eleonore Sauer von der Universität von Florida gelang es erstmals, Näheres über das Leben der wilden Strauße zu ermitteln. Versteckt in künstlichen, teilweise »wandernden« Termitenhügeln glückte es ihnen, in Südwestafrika ganz nahe an die Tiere heranzukommen. Die Strauße leben nicht nur in der offenen Savanne, sondern auch auf den pflanzenarmen Sandflächen der Wüsten, in dichten Dornbuschgebieten und sogar im steilen, felsigen Bergland. Ohne offenes Wasser müssen sie jedoch schließlich verdursten, denn wasserspeichernde Pflanzen können nur einen Teil ihres Wasserbedarfs decken. Während fast allen Jahreszeiten gelingt es den Tieren, wenigstens ein paar Junge heranzuziehen. Außer ihrer pflanzlichen Nahrung erbeuten sie auch niedere Tiere und kleine Wirbeltiere, denen sie oft im Zickzacklauf nachjagen. *Die Doctores Sauer als wandernde Termitenhügel* *Auch Strauße müssen trinken*

Die einzelnen Schwärme und Familien der Strauße schließen sich oft zu friedlichen Verbänden zusammen, die bis zu sechshundert Vögel umfassen können. In ihnen sind aber immer noch deutlich die einzelnen Gruppen zu erkennen. Fremden Straußen nähern sie sich in »Demutstellung« mit senkrecht nach unten gestelltem Schwanz und tiefgehaltenem Kopf und stellen so gesellige Verbindungen her. Eine Familie nimmt oft Küken oder Jungstrauße einer anderen an. Manchmal schließen sich Hähne zusammen und ziehen tage- oder wochenlang mit »Kinderschulen« halbwüchsiger Strauße umher. Jeder Straußenschwarm macht zum gemeinsamen Sandbaden eine sandige Vertiefung zur »Gemeinschaftsbadewanne«. *Straußenschwärme von 600 Köpfen*

Nach den Beobachtungen des Ehepaars Sauer leben die Strauße je nach den Verhältnissen in Ein- oder Vielehe. Streitigkeiten zwischen den Hähnen bei der Paarbildung und das Hetzen der ausgewachsenen Hennen führen oft zu Schaustellungen und »Tänzen« ganzer Schwärme. Für gewöhnlich hat ein Hahn eine Haupthenne und zwei Nebenhennen. Die Haupthenne duldet die Nebenhennen, und alle legen ihre Eier in ein *Eine Hauptfrau und zwei Nebenfrauen* gemeinsames Nest. In der Serengeti fand man 1968 ein Nest mit 45 Eiern! In der Regel verjagt die bruterfahrene Haupthenne die Nebenhennen vom Nest, sobald sie ihre Eier abgelegt haben.

*Der Liebestanz der Strauße*

Mit abwechselnden Flügelschlägen treibt oder lockt der Hahn in der Vorbalz die auserwählten Hennen von der Herde weg. Die Haupthenne hilft ihm, die herangewachsenen Jährlinge zu vertreiben. Die neue Familie zieht dann zum Brutbezirk, der verteidigt wird. In der Hauptbalz wandert der Hahn mit jeweils einer der Hennen von den andern weg und weidet mit ihr für eine Weile an einer abgelegenen Stelle. Dabei stimmen die beiden Vögel ihre Bewegungen immer mehr aufeinander ab. Es kommt dabei gar nicht mehr darauf an, daß wirklich Futter aufgenommen wird, sondern daß die Bewegungen zeitlich völlig gleichzeitig vor sich gehen. Gelingt das nicht, so wird dieses Vorspiel vorzeitig abgebrochen. Sonst aber wird der Hahn immer erregter und schlägt abwechselnd den rechten und den linken Flügel hoch. Er wirft sich auf den Boden und wirbelt mit gewaltigen Flügelschlägen den Sand auf, dreht und wendet gleichzeitig den Hals in schnellen Spiralbewegungen. Dabei wiederholt er immer wieder seine dumpfen Töne, während die Henne in Demutstellung um ihn herumkreist und die Flügel schleppen läßt. Sobald der Hahn plötzlich aufspringt, läßt sie sich zu Boden fallen, und das Männchen steigt flügelschlagend zur Begattung auf.

In Südafrika hatte während des ersten Weltkrieges niemand Zeit gehabt, Strauße zu jagen. Weil inzwischen aber Straußenfedern aus der Mode gekommen und ganz billig geworden

*Schande der »vogelfreien Strauße«*

waren, fand man nach Kriegsende, es seien zu viele Strauße da, und machte sie vogelfrei. Also fuhren geschäftstüchtige Leute mit dem Auto hinter ihnen her, schossen sie tot und kamen oft von einem Ausflug mit vier- oder fünfhundert Häuten zurück, aus denen dann die genarbten Brieftaschen und Damenhandtaschen gemacht wurden. Die 100 bis 150 Kilogramm Fleisch, die so ein Strauß hat, wollte niemand haben, besonders wenn so ein Vogel schon an die dreißig Jahre alt war. So verpesteten die toten Strauße die ganze Gegend, weil die Hyänen und Geier den plötzlichen Segen gar nicht schafften.

Wenn man im zoologischen Garten einen Strauß behandeln will, so braucht man ihm nur einen Strumpf über den Kopf zu ziehen; er ist dann wehrlos und läßt sich umherführen. In Zoos, in denen noch das Füttern erlaubt ist, hat man schon oft Kummer gehabt, weil die Strauße die unglaublichsten Dinge hinunterschlucken. In gestorbenen Straußen hat man dann Geldstücke, Nägel, halbe Hufeisen, Taschenmesser gefunden. Ja, ein Strauß hatte grüne Ölfarbe ausgetrunken, so daß sein ganzer Magen und Darm damit ausgekleistert waren. *Strumpf über den Kopf*

Der alte Carl Hagenbeck konnte in der zweiten Hälfte des vorigen Jahrhunderts noch in Suez Antilopen und Strauße kaufen, die dort gefangen worden waren. Die meisten dieser Tiere mußten damals, als es noch keine Transportautos gab, in Karawanen zu Fuß weitergetrieben werden. So führte man, was uns heute unglaublich erscheint, Giraffen einfach am Halfter durch die Gegend. Als Hagenbeck mit seinen Gehilfen sechzehn Strauße, die er gerade gekauft hatte, in der Koppel eines Gasthofes einfangen wollte, brachen diese aus und rannten mit Windeseile davon. Einer der Helfer von Hagenbeck kam auf die gute Idee, den Tieren die Herde von Ziegen, Schafen und Kamelen nachzutreiben, mit denen die Strauße vorher tage- und wochenlang bis nach Suez gezogen waren. Tatsächlich beruhigten sich die aufgeregten geflüchteten Strauße sofort, als sie diese Tiere sahen. Als der Zug den Flüchtlingen nahe kam, reckten die Strauße ihre Hälse, schlugen vor Freude mit den Flügeln und tanzten in weitem Bogen um die Ziegenherden und Dromedare herum. Und als ob nun alles wieder in Ordnung sei, setzte sich die ganze Karawane in Marsch nach dem Bahnhof. Die Strauße gingen so ruhig zwischen den Ziegen und Dromedaren, als ob sie von einer unsichtbaren Macht festgehalten würden. Ohne viel Sträuben ließen sich die Vögel greifen und in den für sie bestimmten Wagen führen. Allerdings hatte man die Strauße während einer 42tägigen Reise von Kassala bis Suakin ungefesselt zwischen der Ziegenherde und den Dromedaren befördert. *Eine List von Carl Hagenbeck*

# MEIN AUTO SCHWAMM ZWISCHEN KROKODILEN

*Ist der große Baobab-Baum gefallen, klettern und springen*
*die kleinen Ziegen auf seinem Stamm.*

*Afrikanisches Sprichwort*

Die Tierliebe des Menschen verteilt sich keineswegs gleichmäßig und gerecht auf alle Wesen vom Regenwurm bis zum Elefanten oder von der Amöbe bis zum Schimpansen. Wen der Mensch braten und essen kann, der ist ihm sympathischer als andere Tiere, die umgekehrt Menschen fressen könnten. Ich habe zum Beispiel noch nicht viele Tierfreunde getroffen, die sich für Krokodile begeistern, obwohl Krokodile ja im alten Ägypten und auch sonstwo als Götter verehrt worden sind.

Zwar sind Krokodile nicht ganz so gefährlich, wie das in Abenteuerbüchern steht. Ein Bekannter von mir, der Wildwart Frank Poppleton, schwamm jeden Morgen quer über den Viktoria-Nil, der wegen seiner vielen Krokodile berühmt ist. Nie hat ihm ein Krokodil dabei etwas getan (dafür hat er sich allerdings Bilharziose, eine Würmerkrankheit der Nieren, darin geholt). Aber einem seiner afrikanischen Helfer wurde eines Tages das Bein von einem Krokodil zerfleischt. Als es noch überall in Afrika Krokodile in Massen gab, kam es schon gelegentlich vor, daß auch Menschen von ihnen umgebracht wurden.

Im September 1962 badeten die drei acht- bis zwölfjährigen Söhne des Farmers William Cox im Kabue-Fluß bei Chingola. Der britische Polizist John Maxwell, der auch im Wasser war, sah ein vier Meter langes Krokodil auf die Kinder zuschwimmen. Er tauchte sofort, hob die Jungs auf einen Felsen, wurde aber selbst am Bein gepackt und hinuntergezogen. Weil er ein sehr tüchtiger Sportsmann war, drückte er dem Krokodil beide Augen aus — es ließ ihn daraufhin los. Inzwischen war Frau Malomi, eine Afrikanerin, auf seine Schreie herbeigeeilt. Obwohl die junge Frau selbst nicht schwimmen konnte, stieg sie in das Wasser, half Maxwell auf ihren Rücken klettern und trug den halbverbluteten Mann auf allen vieren aus dem Wasser heraus. John Maxwell wurde das linke Bein abgenommen, er wurde nach England geflogen und erhielt die St.-Georgs-Medaille. Afrikaner beweisen in solchen Fällen oft unglaublichen Mut und erstaunliche Hilfsbereitschaft. Leider sind in unseren Jugend- und Abenteurer-Büchern immer nur Indianer, Rothäute, als tapfer und verwegen beschrieben. So entsteht leicht ein sehr falsches Bild von einem Volk.

Vor ein paar Jahren mußte ich selber die Hand eines Bekannten von mir, des Biologen Ian Parker, in der Wildnis mit dem Nähzeug seiner Frau zusammennähen, weil sie von einem mittelgroßen Krokodil im Flachwasser zerbissen worden war. Ich muß eingestehen, daß ich jedenfalls nicht gerade gern in Gewässern bade, in denen Krokodile leben.

Auch wenn man keine sieht, können sie doch da sein. Ein er- wachsenes Krokodil kann über eine Stunde lang untergetaucht bleiben, ohne zu atmen.

Aber was man nicht liebt, kann doch sehr interessant sein. Leute, die heute in die Nationalparks von Afrika reisen, möchten gern Krokodile sehen, auch wenn es ihnen dabei gruselt. Nun sind Krokodile in der ganzen Welt so gut wie ausgerottet. Das liegt daran, daß ihr Leder für Handtaschen, Damenschuhe, Brieftaschen Mode geworden ist und daher für jeden Zentimeter Krokodilhaut eine ganz hübsche Summe gezahlt wird. Schon 1952 wurden aus Tanganyika die Häute von 12 509 Krokodilen exportiert, und damals war Krokodilleder noch nicht Modeartikel. Selbst in Florida in den Vereinigten Staaten führen Wildwarte und Polizisten einen bisher vergeblichen Kampf gegen organisierte Verbrecherbanden, welche die letzten — übrigens für Menschen ungefährlichen — Alligatoren aus ihren Schutzgebieten herausholen. Man verhaftete sogar scheinbar dicke Damen, die sich die frisch abgezogenen, blutigen Alligatorenhäute unter dem Kleid um den Bauch gewickelt hatten. Die schönsten und ältesten Krokodile Afrikas gibt es im Murchison-Falls-Nationalpark von Uganda. Fährt man mit einem der Motorboote von dem Touristenhotel aus den rasch strömenden breiten Victoria-Nil aufwärts bis zu den berühmten Murchison-Fällen, dann kann man die alten Burschen zu Dutzenden am Ufer und auf Sandbänken in der Sonne liegen sehen. Sie haben sich längst an die Boote mit den Besuchern ge-

*Sogar in den brodelnden, wirbelnden Wassern unterhalb der riesigen Fälle erwies sich das Schwimmauto als sicher. Die zweiundvierzig Meter hohen Murchison-Fälle sind der Mittelpunkt des nach ihnen benannten Nationalparks, der mit 31 600 qkm einer der größten Parks in Afrika ist. Präsident Obote von Uganda beabsichtigt, an diesem Hauptanziehungspunkt Ostafrikas ein riesiges Kraftwerk zu errichten, das neunzig vom Hundert des Wassers unterirdisch verbraucht ...*

*Seite 118 oben:*
*Dieser Krater liegt im Ngorongoro-Schutzgebiet, in dem der berühmte Ngorongoro-Krater heute ein beliebtes Ziel von Touristen geworden ist. Zum Embakai-Krater führen noch keine Straßen. Es ist daher sehr mühselig, dorthin zu gelangen; man muß biwakieren, obwohl es in der Nacht in dieser Höhe unangenehm kalt ist. Die Flamingos suchen in diesem Kratersee nur nach Nahrung, brüten aber nicht dort, sondern in dem flachen, salzigen Natron-See und Magadi-See.*

*Seite 118 unten:*
*Ich fuhr mit dem Schwimmauto geradewegs in Flußpferdherden hinein. Sie tauchten im letzten Augenblick weg. In zwei Fällen wurde ich aber von Flußpferdbullen in die Höhe gehoben. Das Auto vertrug das, ohne umzukippen. Nur wenn die Tiere auf den Gedanken gekommen wären, mit den Hauzähnen ein Loch in die dünne Blechhaut zu schlagen, wäre es mir übel ergangen.*

*Seite 119 oben:*
*Pelikane verschlingen sehr große Fische, haben also einen ungemein dehnbaren Schlund. Man kann ihnen ohne weiteres mit der Faust und dem Unterarm bis in den Magen fahren. Auf diese Weise holten wir im Zoo einmal ein verschwundenes Schlüsselbund wieder heraus. Im Zoo von Rom fielen im Herbst häufig Bleßhühner und Zwergtaucher auf dem Teich ein. Da verschluckte ein Pelikan auf einmal einen lebendigen Zwergtaucher. Der kleine Tauchvogel muß wohl im Inneren gehörig gekratzt und gebissen haben. Jedenfalls erschien er postwendend wieder auf der Bildfläche, munter und gesund. Der Pelikan hat nie mehr einem Taucher oder einem Bleßhuhn etwas zuleide getan. — Hier fliegen die Pelikane im Abendlicht vom Manyara-See zurück nach ihrer Brutkolonie und ihren Schlafbäumen.*

*Seite 119 unten:*
*Sowohl Elefanten wie weiße Nashörner vertragen sich gut mit anderen Tieren. Im allgemeinen ist der Elefant der »König der Tiere«; ihm weichen alle anderen aus, auch Löwen und Nashörner. Wo die Tiere jedoch enger miteinander leben müssen, können sie sich gut miteinander vertragen und sogar anfreunden, wie hier in dem neuartigen Zoo von Boras in Schweden.*

116

wöhnt, genau wie die Kaffernbüffel, die Elefanten, die Flußpferde und die Nashörner. Es ist die einzige Stelle in Afrika, ja vielleicht in der Welt, wo man einigermaßen sicher Krokodile fotografieren kann.

Schon vor Jahren habe ich hier stundenlang in der Badehose im kleinen Kanu vor Anker gelegen und den Ungetümen zugesehen. Man bratet so schön in der steilen Äquatorsonne, blinzelt zu den grüngrauen alten Herren hinüber, die genau dasselbe tun: sich sonnen und umgekehrt mich im Auge behalten. Hin und wieder platscht ein großer Fisch im Wasser, kleine Büschel von grünem Nilsalat treiben rasch vorbei. Man wird faul und vergißt die Kamera, denn die alten Herren da drüben tun ja doch nichts. Manche von ihnen haben bereits als Babys *Heutige Kroko* im Ei einen halben Meter unter der Erde gezirpt, ehe der erste *dile sahen schon die* Weiße hier auf den Nil kam. Sie mögen schon dem britischen *ersten Afrika-* Entdeckungsreisenden Samuel Baker vor achtzig Jahren ebenso *Entdecker* uninteressiert zugesehen haben, als er sich, zusammen mit seiner jungen hübschen ungarischen Frau in langen viktorianischen Röcken, hier heraufpaddeln ließ. Ist ein Krokodil erst mal über zwanzig Jahre alt, wird es in jedem Jahr nur 3,6 cm länger. Echsen, die mehr als 5,5 m messen, sind also wohl über hundert Jahre alt. Das längste, das man hier in der Gegend geschossen hat, hatte 6,3 m, wäre also in einem Wohnzimmer nicht unterzubringen. Aus dem Bauch eines anderen großen Krokodils holte man hier in Uganda unlängst eine Pythonschlange von über fünf Metern heraus. Einer unserer Wildhüter beobachtete *Krokodil zog* vor zwei Jahren, wie eine Gruppe von fünf trinkenden Löwen *Löwen ins* vor den zusehenden Menschen erschrak. Im selben Augenblick *Wasser* wurde ein junger Löwe von einem Krokodil am Bein gepackt, ins Wasser gezerrt und ertränkt. Trotz alledem sind Krokodile recht bescheidene Esser. Sie brauchen für ihr ruhiges Leben eben einen geringen Aufwand an Energie. Der Biologe H. B. Cott fand im Magen von 263 Tieren von 2 bis 4,5 m Länge bei 54,8

*Von den vier Unterarten der Spießböcke oder Oryx-Antilopen sind die südafrikanischen (dort auch »Gemsbock« genannt) am lebhaftesten gezeichnet. Sie kommen in erstaunlich wasserarmen Gebieten durch und graben z. B. im Kalahari-Gebiet die Tschamma, eine wasserhaltige, melonenartige Frucht, und deren Wurzeln mit den Vorderhufen aus.*

vom Hundert gar keine Nahrung oder nur unverdauliche Reste, Haare, Schuppen, Krallen usw. Lediglich 68 v. H. hatten kurz vorher ausgiebig Nahrung zu sich genommen. Bei uns im Zoo braucht ein erwachsenes Krokodil 150 Tage, um sein eigenes Körpergewicht in Form von Nahrung zu sich zu nehmen. Ein Pelikan verschlingt bei einer Mahlzeit ein Drittel seines Körpergewichtes an Fischen. Man kann Krokodile also wirklich nicht gefräßig nennen.

*Pelikan viel gefräßiger als Krokodil*

Der Murchison-Falls-Nationalpark in Uganda ist ein Krokodilparadies; Zoologen, die das Leben dieser Riesenechsen erforschen wollten, sind immer hierher gegangen.

Das heißt, so war das bis vor ein paar Jahren. Zwar sind noch immer Krokodile am Viktoria-Nil, aber sie werden von Monat zu Monat weniger. Angelockt durch die hohen Preise, rudern besonders in der Nacht Eingeborene aus den Fischersiedlungen am Albert-See in den Nil hinein, leuchten die großen Echsen mit Scheinwerfern an und schießen sie zwischen die Augen oder speeren sie. Zwar hat man Wildhüter am Ufer stationiert, aber wie sollen die aufs Wasser kommen, wenn sie dunkle Gestalten auf dem Fluß erblicken? Sieht der Wildwart sie vom Geländewagen aus, hoch auf den steilen Ufern stehend, dann muß er zwanzig oder dreißig Kilometer zurückfahren, in ein Motorboot steigen und den Fluß wieder hinaufgleiten. Bis dahin sind die Diebe längst im Gebüsch verschwunden und können meistens auch noch ihre Boote verstecken.

»Zu schade, daß man mit dem Geländewagen nicht übers Wasser fahren und mit dem Motorboot nicht durchs Gebüsch flitzen kann«, sagte mir der Wildwart Jan Wheater.

*Wasserauto gegen Krokodil-Wilderer*

Das kam mir in den Sinn, als ich irgendwo las, daß man bei uns in Deutschland Autos baut, mit denen man ins Wasser fahren und darauf herumschwimmen kann. So etwas muß doch großartig sein, um Krieg gegen Wasser-Wilddiebe in Uganda zu führen. Mit so einem Auto kann man schnell am Ufer entlangfahren. Sieht man verdächtige Gestalten im Wasser, dann fährt man einfach mit dem Wagen hinein. So haben die Wilderer keine Zeit, noch zu verschwinden. Man kann sie mit dem Scheinwerferkegel des Autos verfolgen, und selbst wenn sie die

Boote im Stich lassen und wieder an Land gehen, ist noch eine Aussicht, ihnen dort nachzufahren. Auf jeden Fall lohnt es, die Sache zu probieren. Auch die Wildwarte werden wieder Mut bei ihrem endlosen Kampf bekommen.

Ich bestellte mir so ein Fahrzeug, ließ es gleich nach Mombasa in Kenia verladen; mein Mitarbeiter Alan Root nahm es dort in Empfang und fuhr es die paar tausend Kilometer bis nach Uganda. Als ich in Entebbe (nach neunstündigem Flug von Frankfurt her) ausstieg, stand er mit einem eleganten roten Auto bereit. Ich lud meine Koffer ein, klappte das Verdeck zurück, und ab ging es zu den Nationalparks. So schnell kommt man heute dorthin.

Das Auto sauste 110 km/st über die Landstraße und sah gar nicht wie ein Geländewagen aus, sondern wie ein hübscher moderner Personenwagen. Wenn wir tankten, versammelte sich allerdings immer gleich eine Schar von Afrikanern, die sich bückten und von hinten darunter sahen. Sie hatten sofort entdeckt: da waren zwei Wasserschrauben daran. Ihr Staunen, daß man mit diesem Auto auch im Wasser fahren kann, war groß. Als ich ihnen aus Übermut klarmachte, man könnte auch in der Luft damit fliegen, verblüffte sie das gar nicht.

*Propeller an der Hinterfront*

Nein, man brauchte keineswegs sehr vorsichtig und langsam in den Kazinga-Kanal im Queen-Elizabeth-Nationalpark oder in den angrenzenden Eduard-See hineinzufahren, auf dessen anderer Seite der Kongo liegt. Wir haben uns bald angewöhnt, das ganz flott zu machen und mit einem Platsch hineinzuschießen, daß eine Wasserfontäne vor der Windschutzscheibe aufspringt. Um den Antrieb von den Rädern auf die Schiffsschrauben umzustellen, legt man nur einen Hebel um, und lenken tut man das Gefährt einfach weiter mit dem Autolenkrad, denn als Steuerruder dienen die Vorderräder. Welch ein Vergnügen, die aufgerissenen Augen all der Afrikaner auf der Fähre zu sehen, die ich überhole und umkreise. Die beiden Türen meines Autos reichen ins Wasser, sind aber ganz dicht. Ehe man das Trockene verläßt, drückt man sie noch mit einem Hebel besonders zu.

Natürlich ist so ein Wasserauto auch ein hübsches Spielzeug für ausgewachsene Männer. Eine Flußpferd-Familie hält meinen Amphicar zunächst für ein Boot, ein Bulle schießt ein paar Meter im Wasser drohend auf mich zu. Aber wie ich ungerührt weiter mitten zwischen die zwanzig großen Köpfe fahre, versinken sie rechtzeitig vorher lautlos. An Bahnen von Luftblasen, die strahlenförmig nach allen Seiten auseinanderstreben, erkenne ich, wo die Tiere geblieben sind. Sie laufen nämlich auf dem Grund entlang, und ihre breiten Füße lassen die Gase aus dem Schlamm emporsteigen.

Ein Bulle allerdings ist doch nicht weggelaufen. Ich merke plötzlich, wie die Räder des Autos auf etwas Rundliches fahren, wie sich unter mir etwas bewegt. Dann wird das ganze Gefährt in die Höhe gehoben. Es liegt aber so sicher im Wasser, daß ich keinen Augenblick Sorge habe, das Flußpferd könnte mich umkippen. Vor ein paar Jahren hat einmal eine Flußpferdkuh drüben im Kongo, auf der anderen Seite des Eduard-Sees, mein

großes Eisenboot angegriffen. Zwar hat sie es auch nicht umgekippt, aber ein Afrikaner, der auf dem Rand saß, flog im Bogen ins Wasser, ausgerechnet mit dem Hinterteil auf den Stoßzahn des Tieres, und riß sich das Gesäß auf. Getan hat sie ihm auch nichts. Aus diesem Wasser-Auto hier schleudert mich hingegen auch der dicke Bulle nicht so leicht heraus, denn ich sitze bequem hinter dem Steuerrad im Polstersitz und markiere so recht den »Sieg der menschlichen Technik über die Natur«. Schlimm wäre es nur, wenn der Bulle mit einem Stoßzahn ein Loch in das Blech des Autos risse und das Ding auf diese Weise unterginge. Aber der große Bulle meint es nicht ernstlich böse.

Alan hat das Anheben des Autos durch das Flußpferd, mit dem ich gar nicht gerechnet hatte, tatsächlich gefilmt. Er ist weit mehr gefährdet als ich, denn er sitzt in einer Nußschale von Holzboot mit Außenbordmotor und hat noch seine junge Frau Joan mit drin. Der hintere Rand des Bootes ragt gerade drei Zentimeter über das Wasser und Joan muß es immer wieder ausschöpfen. Wenn da ein Flußpferd antippte, könnten die beiden schnell naß werden. Sie halten sich schön im Abstand von den Ungetümen und benutzen lieber Tele-Objektive.

Elefanten verfolgen einen Feind niemals oder selten ins Wasser hinein. Deswegen fahre ich frech an eine Gruppe von Elefanten heran, die gerade am Ufer trinken. Obwohl ich den Motor rechtzeitig abstelle und mich nur darauf zu treiben lasse, werden die vier Riesenkerle unruhig. Sie drängen in dem weichen Ufersand zurück, bewegen die großen Ohren aufgeregt vor und zurück, klettern schnell die Steilböschung dahinter empor und sind im nächsten Augenblick verschwunden. Alles ist wieder still, niemand würde glauben, daß hier eben noch die grauen Riesenleiber standen.

Ein einzelner großer Bulle hinter der nächsten Landzunge muß sich dagegen etwas näher mit mir beschäftigen, ob er will oder nicht. Er war nämlich so leichtsinnig, auf dem flachen schmalen Strand dicht am Wasser entlangzugehen. Die Steilwand nach dem Land zu ist selbst für einen so guten Kletterer wie einen Elefanten zu glatt, er kann sich nicht verdrücken. Den Weg am Wasser entlang zurück mag er nicht gehen, denn dort sind wir inzwischen dicht ans Ufer geglitten, mein rotes Autochen und ich. So weicht er, zwischen Wasser und Steilufer, immer mehr zurück, aber nach dreißig Metern ist ihm der Weg durch einen großen Baum versperrt. Damit habe ich also den Herrn in der Falle. Da er nicht weglaufen kann, geht er rasch trompetend ins aufplatschende seichte Wasser ein paar Schritte auf mich zu. Weil das rote Ding in den Fluten nicht vor ihm wegläuft, wie er wohl erhofft hat, verläßt ihn der Mut wieder, und er weicht zurück. Dabei könnte ich gar nicht so schnell den Motor wieder anspringen lassen und zurückfahren. Schließlich packt den gewichtigen Herrn die Verzweiflung, er macht im Geschwindschritt mit angehobenem Schwanz einen Durchbruch am Ufer entlang, an mir vorbei, und türmt dann sofort empor, wo die Böschung etwas wegsamer ist.

Wenn Riesen kreischend vor einem weglaufen, kommt man sich leicht überlegen vor. Ich mache mir klar, wie sehr viel bescheidener ich mich fühle, wenn ich einmal zu Fuß in Afrika durch den Busch marschiere. Aber immerhin — es ist ein ganz neues »Autogefühl« — und natürlich genieße ich das, bequem im Polster sitzend. Nur wo das Ufer sehr flach ist, passe ich auf, damit ich nicht gar zu oft im ungeeignetsten Augenblick stekkenbleibe. Die Schrauben gehen zwar nicht so leicht entzwei,

125

weil sie hoch zwischen den Hinterrädern sitzen und auf diese Weise vom Grund abgehalten werden. Auch wenn man sich festgefahren hat, kommt man ziemlich unschwer wieder los, indem man die Hinterräder laufen läßt. Aber bis man umschaltet und sich wieder in Bewegung gesetzt hat, vergeht eine kleine Weile, und das ist ein bißchen ungemütlich, wenn ein empörter Kaffernbüffel-Bulle dicht daneben am Ufer Drohangriffe macht. Sollte bei so einer Gelegenheit Wasser hineinschwappen, braucht man nur einen Knopf zu ziehen, und schon wirft es eine elektrische Pumpe wieder hinaus.

Ich weiß nicht, warum in so einem Ding unlängst bei Hamburg zwei Leute ertrunken sind, wie ich in der Zeitung las. Wahrscheinlich hatten sie das Verdeck hochgeklappt und die Türen zu und konnten sie in der Aufregung nicht rechtzeitig aufmachen. Ich fahre vorsorglich im offenen Auto, was mir auch ganz neu ist. Denn sonst benutzen wir in Afrika ja Geländewagen, in denen man wie in einem Gehäuse sitzt und bestenfalls durch ein Loch auf das Dach steigen kann. Aus diesem offenen Wagen knipst es sich viel besser. Ein Löwenrudel hat nichts dagegen, daß ich es besuche und vorsichtig zwischen den Löwinnen und ihren Kindern hindurchfahre.

*»Hochmütige«*
*Löwen*
Sie benehmen sich genau wie alle modernen Löwen in unseren Nationalparks. Das heißt, sie lassen die Überheblichkeit von uns Besuchern in Autos immer kleiner und kleiner werden.

Nicht, daß sie uns etwa angriffen oder auch nur anfauchten, nein. Sie nehmen uns einfach nicht zur Kenntnis. Liegen sie im Schatten, dann kann kein Geländewagen, können keine zwanzig Touristen sie bewegen, auch nur einen Meter heraus in die Sonne zu gehen, damit man sie schön fotografieren kann. Die *Du bist Luft*
*für Löwen* Löwin sieht an dir vorbei, und du könntest husten, schreien, dich auf den Kopf stellen — du bewegst sie nicht dazu, ihre Augen auch nur einmal auf dich zu richten. Blickt dich dagegen ein anderer Löwe an, weil es ihm gerade so paßt, dann hast du das Gefühl, er sieht durch dich hindurch, du bist Luft für ihn.

Nicht beachtet zu werden, ist für die meisten Menschen sehr schwer zu ertragen. Sie möchten am liebsten mit Steinen werfen, damit der König der Tiere sie doch nur einmal eines flüchtigen Blickes würdigt. Aber die große gelbe Katze steht auf, geht schräg auf dich zu, einen halben Meter neben den Hinterrädern des Autos vorbei, als ob es das Auto gar nicht gäbe, und verschwindet hinter dem nächsten Hügel.

Die Löwen, die ich hier endlich mitten im ganz kahlen Gelände neben einer umgefallenen Kandelaber-Euphorbie entdeckt habe, lassen sich von meinem roten Wagen ebensowenig beeindrucken, obwohl sie wahrscheinlich noch nie so ein leuchtendes und oben offenes Ding gesehen haben. Es sind drei große Löwinnen mit halbwüchsigen Kindern und sogar einem Baby von vielleicht vier Monaten. Wenigstens das Baby interessiert sich ein wenig für mich. Es trollt sich von den Müttern weg, mustert mich flüchtig und geht um den roten Amphicar herum. Jetzt kann seine Mutter es nicht mehr sehen. Wird sie vielleicht aufmerksam, wird sie besorgt herkommen? Aber gar nichts. Ich bleibe Luft für sie. Sie sitzt so nahe, daß ich ihre Schnurrbarthaare zählen kann. Dabei ist sicher ein böser Übeltäter unter diesen Löwen.

Denn gerade eine Nacht vorher, zum erstenmal seit fünfzig Jahren, ist ein Mann nicht weit von hier an der Grenze des Nationalparks buchstäblich aufgefressen worden. Er hatte Fische gefangen, kam spät abends an die Zollgrenzstelle zum Kongo und wurde nicht mehr hindurchgelassen. Die Zöllner sagten ihm, er sollte doch im nächsten Haus, einer Hütte an der Straße, übernachten. Die Leute, die darin wohnten, hatten nichts dagegen. Er wollte aber seine gefangenen toten Fische mit in die Hütte hineinnehmen, und das allerdings paßte den Insassen nicht. So schlief er draußen vor dem Eingang, die Fische neben sich. *Ein Mann wurde hier von Löwen verzehrt*

Am nächsten Morgen fand man nur eine Blutspur, die eine kleine Steigung hinauf ins Gebüsch führte. Dort war dann eine große Blutlache. Nur eine Hand und einen Fuß hatte der Löwe übriggelassen. *Nur eine Hand und ein Fuß blieben übrig*

Zur Ehrenrettung der Löwen möchte ich allerdings gleich hinzufügen, daß in den letzten Jahrzehnten ein Vielfaches von Menschen auf der Straße, die durch den Queen-Elizabeth-Nationalpark führt, durch Autos umgebracht worden sind. Ein paar Tage vorher war ein Lastwagen mitten in eine Gruppe Löwen hineingefahren, hatte einen getötet und die anderen übel zerschrammt, so daß sie humpelten.

Ich hätte das Schwimmauto dreimal an amerikanische Touristen verkaufen können, die ganz entzückt davon waren. Mit Aufschlag vermutlich. Aber ich hatte es schon zusammen mit Aubrey Buxton den Uganda-Nationalparks zum Geschenk gemacht. Hoffentlich gelingt es dem neuen afrikanischen Direktor dieser Parks, Herrn Francis Katete, damit den Wilddieben das Handwerk zu legen. Die Zoologische Gesellschaft Frankfurt hat ihm außerdem noch ein Motorboot zur Wilddiebbekämpfung auf dem Nil gestiftet.

Ein paar Monate später erhielt ich von Alan Root folgenden Brief:

»Ich bin jetzt endlich aus dem Krankenhaus heraus, aber fühle mich noch sehr schwach, und mein Arm und die Hand sind noch geschwollen und schmerzen. Es geschah im Zeltlager von Joy Adamson (Verfasserin der ›Löwin Elsa‹) im Meru-Nationalpark. Ich fand eine Puffotter, die etwa 1,20 m lang war, dicht bei ihrem Lager und fing sie, um das Tier ihr und einer Amerikanerin vorzuführen, die uns begleitete. Ich öffnete den Mund der Schlange und drückte ein wenig des Giftes heraus, um ihnen die Giftmenge zu zeigen, die diese Schlangen haben. Dann setzte ich das Tier ab, weil die junge Dame den Film in der Kamera wechselte. Ich wollte dann die Puffotter von neuem greifen, aber sie war jetzt sehr verärgert — als ich sie um den Hals packte, wandte sie den Kopf und biß mich. Weil ich schon vor zehn Jahren gebissen worden war und damals Gegengift eingespritzt bekommen hatte, wußte ich, daß ich empfindlich gegenüber weiterem Gegengift sein würde. Daher wartete ich mit den Einspritzungen eine Weile, um zu sehen, wie gefährlich der Biß sein würde. Weil ich der Schlange das Gift schon teilweise abgenommen hatte, glaubte ich, daß ich keine sehr große Menge davon abbekommen hätte. Der Arm schwoll jedoch sehr schnell an, ich wurde benommen, und mir wurde übel. So gab mir Joan (seine Frau) die drei Einspritzungen (30 ccm) in den Muskel, während wir nach Nairobi zurückflogen.

*Schlangengift abmelken*

128

Wie wir erwartet hatten, antwortete mein Körper heftig auf das Gegengift; ich erbrach mich, und Herzschlag und Atmung beschleunigten sich sehr schnell. Als wir in das Krankenhaus in Nairobi kamen, dachte der Arzt, dieser Zustand sei durch den Schlangenbiß verursacht, und gab mir weitere 10 ccm Gegengift in die Vene. Ich bekam sofort einen anaphylaktischen Schock, und dann arbeiteten sie wild mit Antihistaminen, Kortison, Adrenalin und Sauerstoff, um mich am Leben zu erhalten.

In den nächsten drei Tagen wurde mein Zustand immer schlechter. Die Hand hatte den dreifachen Umfang und war mit ungeheuer großen blutgefüllten Blasen bedeckt. Mein Arm schwoll zum Umfang meines Oberschenkels an und war auch voll von Blut, ich hatte große blutige Schwellungen, die von meiner Achselhöhle bis zu meiner Hüfte gingen, über meine Schulterblätter und vorn bis an meine Kehle. Am vierten Tage ging mein Hämoglobin-Test auf 36 bis 40 herunter, was die unterste Grenze sein soll. Mir wurden 2,2 l Blut übertragen, woraufhin ich mich viel besser fühlte. Von diesem Tag an begann es aufwärtszugehen.

Joan ließ Professor David Chapman, einen Fachmann der Schlangenbißbehandlung, von Südafrika im Flugzeug kommen, um mich zu behandeln. Sein Rat war von großem Wert. Während dieser ersten vier Tage hatten die Ärzte ernstlich meinen Arm abzunehmen erwogen, da sie überhaupt keinen Pulsschlag mehr darin fühlen konnten und da die Hand und die Finger so geschwollen und zugerichtet waren, daß sie glaubten, sie würden keinerlei Wert mehr für mich haben. Jetzt aber, vier Wochen nach dem Biß, hat der Arm beinahe wieder seinen gewöhnlichen Umfang, und meine Hand hat sich wie durch ein Wunder erholt. Sie ist immer noch sehr geschwollen und schmerzt, aber mein Daumen und die drei äußeren Finger haben wieder eine leidlich gute Form. Ich kann sie bewegen und habe auch beinahe wieder das volle Gefühl darin.

Mein Zeigefinger, in den ein Giftzahn offensichtlich tief eindrang, sieht nicht so gut aus. Die ganze obere Oberfläche ist durch das Gift bis auf die Sehnen herab weggefressen. Innerhalb der nächsten Wochen wird mir neue Haut auf diesen Finger

*Der vergiftete Zeigefinger*

übertragen. Erst in einiger Zeit werden wir dann wissen, ob der Finger noch Wert für mich hat. Du hast mir von Deinem Finger mit dem Schimpansenbiß erzählt. Ich habe beobachtet, daß Du diese Hand recht gut gebrauchst, obwohl er steif ist. Es wird wohl noch gegen zwei Monate dauern, bevor ich wieder imstande bin, irgend etwas mit meiner Hand zu tun. Obwohl ich bereits wieder ungeduldig bin, sollte ich natürlich dankbar sein, daß ich noch so davongekommen bin. Dir beste Wünsche von uns zweien

herzlich Alan.«

Der Zeigefinger mußte doch abgenommen werden. Da der Daumen nur begrenzt beweglich blieb, flog mein Freund Alan Root nochmals für zwei Monate nach England, wo man die Hand mit bestem Erfolg erneut operierte. Als er zurückkam und alle Bekannten seine verstümmelte Hand bedauerten, griff er in die Tasche und drückte ihnen den abgeschnittenen, blutigen Zeigefinger in die Hand, den er sich konserviert und aufgehoben hätte. Er hatte sich in London einen Finger aus weicher Plastikmasse, einen Scherzartikel, besorgt.

*Abgeschnit-*
*tener, blutiger*
*Zeigefinger*
*in der*
*Hosentasche*

Kurz hinterher war ich in Botswana (früher Bechuanaland) in den Okavango-Sümpfen. Der Schwiegervater meines Gastgebers, Herr Robert Langley-Elton, 51, war gerade vier Wochen vorher, am 19. 12. 1968, bei der Krokodiljagd von einer Mamba-Giftschlange in die Wade gebissen worden. Das geschah 350 km von seiner Behausung entfernt, als er ins Boot steigen wollte. Er spritzte sich selbst nach einer halben Stunde Schlangenserum ein, aber eine der zwei Ampullen zerbrach ihm in der Aufregung. Leider versuchte er, den Geländewagen selbst nach Hause zu fahren. Dabei starb er, vier Stunden nach dem Biß. Er liegt auf einer Insel bei dem Lager begraben.

Es gibt also doch noch gelegentlich Giftschlangen-Unfälle in Afrika. Der gewöhnliche Tourist aber hat keine Aussicht, dort überhaupt eine Schlange zu erblicken — es sei denn, sie liegt überfahren auf der Landstraße.

# AUCH HEUTE NOCH
## HEUSCHRECKEN-HEERZÜGE

*Wer einen Hund schlägt, meint seinen Herrn.*

*Afrikanisches Sprichwort*

»Und Gott der Herr sprach zu Moses: ›Breite deine Hände aus über Ägypten, um die Heuschrecken herbeizurufen, damit sie sich auf die Erde niederlassen und alle Pflanzen auffressen, die der Hagel übriggelassen hat.‹

Und Moses tat es, und der Herr ließ den ganzen Tag und die folgende Nacht einen brennendheißen Wind wehen; und als der Morgen anbrach, trug der heiße Wind die Heuschrecken herbei, die sich auf die Erde Ägyptens niederließen und sich in so großer Zahl ausbreiteten, daß alle Provinzen Ägyptens von ihnen überschwemmt waren — und alle Pflanzen des Landes wurden aufgefressen und alle Früchte der Bäume, die der Hagel nicht vernichtet hatte, so daß nichts Grünes auf den Feldern in ganz Ägypten übrigblieb.«

*Und Gott der Herr sprach zu Moses*

Heute mutet uns diese Landplage aus dem Alten Testament wie eine Legende an. Aber ganz zu Unrecht: Sie verheert nach wie vor weite Teile dieser Erde. 1873, 1874, 1875 kamen noch Heuschreckenschwärme mitten nach Deutschland hinein. Sie stammten meistens aus den Gebieten am Schwarzen und Kaspischen Meer; die vierflügligen Heerscharen surrten über Polen, Galizien bis nach Schlesien und Brandenburg, aber auch weiter nach Frankreich und England. In der Mark Brandenburg hat man einmal auf knapp zweitausend Hektar Land 4425 Scheffel Heuschreckeneier gesammelt, das sind nach heutigen Maßen rund 250 000 Liter. Auf Zypern aber trug man bei einem Heuschreckenzug die zehnfache Menge zusammen. In Breslau und Gotha hat man der Heuschrecken wegen Gedenkmünzen geschlagen. 1879/80 mußte man in Südrußland die Häuser schließen, um die Insektenmassen draußen zu halten, die Straßen waren ungangbar. In Elisabethpol mußte man das Wasser filtrieren, weil die Kanäle und Wasserläufe voll von toten Heuschrecken waren; man konnte kein Brot backen, da selbst die Backöfen mit Heuschreckenmassen verstopft waren. In der Don-Steppe konnten die Eisenbahnzüge nicht verkehren, weil die Räder sich in den Insektenmassen wie in Schmierseife drehten.

*Eisenbahn-
räder drehten
sich in Heu-
schrecken wie
in Schmierseife*

1955 überfiel ein Heuschreckenschwarm von 250 km Länge und 20 km Breite Südmarokko. Im Jahre 1961/62 wurde dort die Bekämpfung der Heuschrecken erschwert, weil die Autos wegen Regenfällen auf den lehmigen Straßen nicht fahren konnten. Innerhalb von fünf Tagen verursachten die Heuschrecken daher auf einer Fläche von mehr als 5000 qkm Schäden von über einer Milliarde Franken. Im gesamten Sous-Tal wurde mehr als ein Fünftel der landwirtschaftlichen Kulturfläche vernichtet, auf den übrigen vier Fünfteln Fläche die Hälfte. In fünf Tagen verzehrten die Heuschrecken 7000 t Orangen, das heißt stündlich 60 000 kg. Diese Menge bedeutet den Bedarf von ganz Frankreich und mehr. Um den Schaden auszugleichen, waren etwa fünf Jahre nötig. Aber schon vorher kamen neue Schwärme an. Einzelne vernichteten immerhin mehr als 150 qkm Fläche. Zu ihrer Bekämpfung mit Insektiziden wurden mehr als 25 Flugzeuge eingesetzt. Ohne diese neuzeitlichen Bekämpfungsmittel und günstiges Wetter dafür wären die großen Zitrusplantagen zwischen dem Anti-Atlas und dem Atlas vernichtet worden. 1966 hatten die südafrikanischen Eisenbahnzüge Verspätung, weil die Geleise mit Heuschrecken bedeckt waren. Hunderte von Autos brachten Insektizide heran, um die Farmgebiete des Oranje-Freistaates zu schützen. Diese Bekämpfung kostete 5,6 Millionen Mark.

*Milliarden-
verluste
noch heute*

Von über zehntausend Heuschreckenarten, die es gibt, unternehmen nur etwa fünf solche Massenwanderungen, und zwar vor allem Schistocerca gregaria, Locusta migratoria, Schistocerca paranensis, Locustana pardalina, Nomadacris septemfasciata.

*Von zehn-
tausend Heu-
schreckenarten
wandern nur
fünf*

All die vielen übrigen hüpfenden und zirpenden Heuschrek- Erster Erfolg
ken leben einzeln und meiden es, zu eng zusammenzukommen, im Heu-
außer wenn sie sich lieben. Aber auch die Wanderheuschrecken schreckenkrieg
tun das für gewöhnlich; die Reiselust befällt sie nur hin und
wieder, und nur in bestimmten Bezirken, die dafür besonders
günstig sind. Nur von dort her kommen für gewöhnlich die gefräßigen Heere. Nachdem man das erst einmal erkannt hatte,
hatte man schon so manches im Krieg gegen die Insekten-Heer-
scharen gewonnen.

Erst einige Wochen oder Monate, nachdem die Heuschrecken
bei ihrer letzten Häutung Flügel bekommen haben, werden sie
geschlechtsreif. Die meisten Arten verfärben sich dabei auch,
zum Beispiel werden die Weibchen strohgelb, die Männchen
zitronengelb. Viele Heuschreckenarten finden sich nur nach Weibchen
dem Zirpen: nur solange der Mann geigt, strebt bei den Laub- richten sich nur
heuschrecken das Weibchen zu ihm hin; sobald er aufhört, irrt nach dem
es richtungslos umher. Die wandernden Heuschrecken aller- Zirpen
dings sind in solchen Massen zusammen, daß die Geschlechter
sich wohl kaum lange zu suchen brauchen. Immerhin verhin-
dert die Tonlage und die Art des Zirpens, daß sich Angehörige
verschiedener Heuschreckenarten begatten. Jedes Tierchen paart
sich mehrere Male.

Nachdem die Weibchen durch die Männer beritten worden
sind, fangen sie an, ihre Eier im Boden abzulegen. Dazu haben
sie vier Chitinplatten am äußersten Ende ihres Hinterleibes, der
außerdem durch Dehnen der Zwischenringhäute dafür erheblich länger wird. Damit graben sie ein Loch im Sand, legen jeweils dreißig bis hundert Eier hinein und schließen das Ganze
durch einen Schaumpfropfen, der luftdurchlässig ist. 1890 zerstörte man in Algerien während eines Heuschrecken-Einfalles
560 Milliarden Eier und 1450 Milliarden frisch geschlüpfter 2720 Milliarden
Jungen, dazu noch die Eier in den getöteten Weibchen, insge- Heuschrecken
samt auf einem begrenzten Gebiet 2720 Milliarden Heuschrek- vernichtet
ken. Ein Weibchen vergräbt nach einer Befruchtung zehn solche
Gelege. Man kann die Bodenflächen, in denen diese Unzahl von
angehenden Heuschrecken stecken, leicht an den weißen
Schaumpunkten erkennen. Fünfzig bis sechzig Tage später, je

nach Feuchtigkeit und Wärme, ist dann der Boden von Aber-
tausenden kleiner Insekten bedeckt, die wie Würmer vorwärts
kriechen. Sie sind etwa 8 mm lang, müssen sich erst von einer
Hülle befreien, um ihre Glieder voll bewegen zu können, marschieren aber alsbald in riesigen Massen in bestimmter Richtung ab, wobei sie Hügel, Gräben und selbst Flüsse überqueren,
mit ungeheueren Verlusten. Während dieser Zeit des Fußmar-
sches verzehren die Larven, was sie nur vorfinden, wachsen und
häuten sich noch fünfmal. Sie sind dann schon über drei Zentimeter lang geworden und haben bereits Flügelstummel, sind
aber noch nicht fähig zu fliegen.

Um sich dann wieder, und zum letztenmal, zu häuten, suchen
sie, ständig essend, auf einem Zweig einen festen Stand und
werden unbeweglich. Die neue Haut, beziehungsweise der künf-
tige Chitinpanzer, sitzt wiederum gekräuselt und gefaltet unter
der alten Haut, die zu eng geworden ist. Am Rücken bildet sich
eine Ansammlung von Blut und Luft, welche die alte Umhül-
lung der Länge nach platzen läßt. Langsam, sehr langsam kriecht
daraus die Heuschrecke in ihrer endgültigen Gestalt hervor.
Aber immer noch sind die Flügel in einem Kreisbogen auf dem
Rücken zusammengerollt. Allmählich entfalten und glätten sie
sich unter dem Druck des Blutes, das in die vielen Gefäße ein-
strömt. Endlich ist die Heuschrecke fertig: sie schlägt mit den
Flügeln. Bis sie sich wird fortpflanzen können, vergehen drei
Wochen oder sogar mehrere Monate.

Schon der erste griechische Geschichtsschreiber Herodot hat
vor 2400 Jahren erzählt, daß die Bewohner der Wüste Heuschrecken sammeln, trocknen und mahlen; das Mehl vermischen
sie mit Milch und essen es dann. Alfred Brehm allerdings behauptet, die Heuschrecken schmeckten widerlich und seien
wenig nahrhaft. Aber auch heute noch bekommt man in den
Oasen der Sahara neben getrockneten Datteln auch knusprige,
in Öl gebackene Heuschrecken angeboten. Um sie zu essen,
bricht man erst den Kopf, die Flügel und die Unterschenkel ab.
Sie schmecken keineswegs widerlich, sondern sind fettreich,
nahrhaft, und der mit Pflanzenstoffen prallgefüllte Darm enthält zweifellos viel Vitamine. Johannes der Täufer, der vierzig

Tage in die Wüste ging und dort von Heuschrecken und Honig lebte, aß also keineswegs Asketenspeise. Das Mehl, das man aus den Heuschrecken macht, ist auch heute noch bei dem Wüstenstamm der Tuareg oft die einzige Karawanen-Nahrung. Sein unangenehmer Geruch verliert sich, wenn man es mit Milch vermengt.

Nach Franz Kollmannsperger brauchen die Heuschrecken in der südlichen Saharasteppe kein Trinkwasser. Sie müssen aber unaufhörlich Nahrung aufnehmen und können nicht lange hungern. Das liegt daran, daß ihre Verdauung darauf abgestellt ist, aus trockener Pflanzenmasse Wasser zu gewinnen. Deswegen verzehren sie alle auch noch so trockenen pflanzlichen Stoffe. Ihre Chitinhaut ist im Gegensatz zu der von manchen Käfern durchaus wasserdurchlässig, sie hindert die Verdunstung nicht. Durch diese verhältnismäßig hohe Wasserverdunstung wird eine Verdunstungskälte, ein eigenes kühleres »Körperklima«, erzeugt. Deswegen sind diese Kerbtiere unempfindlich gegen Hitze, sie fliegen sogar Böden an, die 58 Grad heiß sind. Nach R. Chapman suchten Wanderheuschrecken-Larven (Schistocerca gregaria) des zweiten Entwicklungsabschnittes in der Temperaturorgel Wärmegrade unterhalb 32° und oberhalb 43°C zu meiden. (Eine Temperaturorgel ist ein Apparat, in dem die Tiere nach Belieben stufenweise ansteigende Temperaturen aufsuchen können.) Alle von ihm untersuchten Wanderheuschrecken-Arten liebten Temperaturen um vierzig Grad.

Manche Gegenden — besonders warme, feuchte mit reichlich Pflanzenwuchs — sind wahre Brutstätten für Wanderheuschrecken-Heerzüge. Das gilt zum Beispiel für das Rukwa-Tal im Südwesten von Tansania, ein Teil des Großen Afrikanischen Grabens. Von dort aus sind häufig Heerzüge nach Südafrika ausgeflogen. Deswegen hatte man schon um 1950 etwa ein Dutzend europäischer Beamter in diesem entlegenen Tal angesiedelt, hat Häuser für sie gebaut, Straßen, Brücken und Landefläche für Flugzeuge. Es ist natürlich am besten, die Heuschrecken bald, nachdem sie aus dem Ei gekommen sind, mit Insektiziden zu bearbeiten. Die Rote Wanderheuschrecke (Nomadacris septenfasciata Serville) fliegt dort nach Beobachtungen von

135

R. Chapman niemals bei unter achtzehn Grad Lufttemperatur und wenig unter 22° C, am liebsten bei 29 bis 35° C. Bei mehr als 3 m/sec Wind wird kaum noch geflogen. Die Tiere flogen kaum höher als sieben Meter; schwachem Wind flogen sie entgegen, mit starkem Wind fliegen sie mit. Es kann also geschehen, daß sie sich im selben Schwarm unten und oben in verschiedener Richtung fortbewegen.

Zunächst machen die Tiere nach der letzten Häutung, bei der sie Flügel bekommen haben, Kreisflüge und kommen wieder zu ihren Abflugplätzen zurück. Erst wenn sich so ziemlich die ganze Schar anschließt, fliegen sie ab. Das tun sie auch dann, wenn in ihrem Geburtsland noch durchaus genug Nahrung grünt.

*Warum sie in die Ferne ziehen*

Deswegen hat man sich gefragt, was denn nun eigentlich die Wanderheuschrecken-Arten, die sich für gewöhnlich gegenseitig meiden, zu solchen Massenheeren vereinigt und in die Ferne treibt. Nach Versuchen von Faure, Husain und Mathur liegt es an der Siedlungsdichte. Je öfter sich die Heuschrecken treffen, um so mehr wandeln sie sich von einzeln lebenden Tieren zu

*Eine Tüpfelhyäne bringt es beim Verfolgen einer Beute auf 65 km/st. Sie kann an einem Tag achtzig Kilometer zurücklegen. Gazellen sind die häufigste Beute der Tüpfelhyänen im Ngorongoro-Krater. Dort leben 420 Hyänen.*

*Seite 138 oben:*
*Das malerische Fort Namutoni wurde von der deutschen Schutztruppe 1904 erbaut. Sieben deutsche Soldaten widerstanden darin erfolgreich einem Angriff von über fünfhundert aufrührerischen Ovambos am 28. Januar 1904. Nachdem sie sich in der Nacht zurückgezogen hatten, wurde das Fort zerstört. Drei Jahre später errichtete man es jedoch neu und viel größer, in der heutigen Gestalt. 1957 stellte die Regierung von Südwestafrika dieses historische Gebäude ganz in der alten Form wieder her. Es ist jetzt eine sehr beliebte »zünftige« Besucher-Unterkunft im Etoscha-Nationalpark. Im Vordergrund Makalani-Palmen.*

*Seite 138 Mitte und unten:*
*Diese ungewöhnlich weißlich gefärbte Giraffe lebt teils im Tsavo-Park, teils im Mkomazi-Wildschutzgebiet in Nordtansania. Sie ist schon seit über zwölf Jahren beobachtet worden. Die eingeborenen Wilddiebe bringen ihre Farbe mit dem Schneegipfel des nahen Kilimandscharo in Verbindung und lassen das Tier daher aus Aberglauben unbejagt. — Darunter ist ein ungewöhnlich weißlich gefärbtes Steppenzebra abgebildet.*

*Seite 139:*
*Diesen Löwen interessiert es außerordentlich, daß der Lautsprecher oben am Baumast die aufgeregten Laute in die Gegend ruft, die Tüpfelhyänen an einer gerissenen Beute ausstoßen. Auf diese Weise konnten wir Löwen nach völlig unglaublichen Plätzen locken.*

EXERCISE CAUTION
YOU MAY
GET OUT OF YOUR CAR AT THIS POINT ONL

Soldaten eines Massenheeres. Die Forscher hielten also viele junge Larven von einzeln lebenden Wanderheuschrecken-Arten dicht zusammen in einem Behälter — sie wandelten sich auch hier zu Massenreisenden. Das geht aber nicht plötzlich, auch nicht in Freiheit. Vielmehr muß immer eine Generation dazwischen liegen. Bei der wird die Zahl der Häutungen geringer, es sind nur sechs gegenüber sonst sieben, der Unterschied zwischen Männchen und Weibchen ist weniger auffällig, die Larven werden dunkler, und erst aus den Eiern dieser Tiere schlüpfen dann die wanderlustigen Insekten. Auch wenn aus den Massenreisenden wieder einzeln lebende Heuschrecken werden, ist erst eine Zwischengeneration eingeschaltet. Schon die jungen Larven der wandernden Form strömen zusammen, während die einzeln lebenden Tiere eher auseinanderstreben.

Diese Wanderungen sind offensichtlich nicht ziellos. Zwar mögen Heuschrecken-Heere, die nach Deutschland und England einfallen, wohl verloren sein. Die Heuschrecken, die über die Sahara fliegen, brüten dagegen in Marokko von März bis Juli, gehen dann nach Süden und legen im Steppengebiet der Südsahara und in der Gegend des Niger nochmals von Juli bis Oktober Eier.

*Wildtiere gehen selten auf die Spitzen von Bergen und Hügeln. Deswegen steht im Amboseli-Reservat Kenias an einem Aussichtspunkt dieses Schild: »Sei vorsichtig. Sie dürfen aus Ihrem Wagen nur an diesem Punkt aussteigen.« Mit Hilfe des Tonbandgerätes und der Hyänenrufe lockten wir ein ganzes Rudel Löwen gerade um dieses Schild herum. So kamen wir dahinter, daß Löwen sich von Hyänenrufen angezogen fühlen.*

*Bei den Massenwanderungen der großen Gnuherden durch die Serengeti ertranken 1966 bei Seronera 53 während der Überquerung eines Flusses. Solche Unglücke können geschehen, wenn in den zusammengedrängten Herden plötzlich eine Panik ausbricht. Im Krüger-Nationalpark hinderte ein Rudel von sieben Löwen die Gnus, am Rabelais-Wasserdamm zu trinken. Ein weibliches Gnu wurde zwischen den Löwen und dem Wasser eingeschlossen. Es galoppierte wild mitten zwischen den Löwen durch. Während die Raubtiere ihm dicht auf den Fersen waren, sauste es zwischen den Autos der Besucher hindurch. Als es sich in einem Abstand von etwa zweihundert Metern sicher fühlte, drehte es sich um und betrachtete seine Verfolger, die sich niedergelegt hatten und nach Atem schnappten.*

# DAS BILD DER HYÄNE HAT SICH GEWANDELT

*Ginge die Sonne um Mitternacht auf, fände man, daß nicht
nur die Hyäne schlecht ist.*

*Afrikanisches Sprichwort*

Ich habe Hyänen zeitlebens ganz nett gefunden, einzelne von
ihnen sogar sehr sympathisch. Sie werden nämlich, wenn man
sich näher mit ihnen beschäftigt, leidlich zahm und zutraulich.
Aber ich war mir immer klar darüber, daß ich mit meiner Meinung ziemlich allein dastehe. Der alte Geheimrat Ludwig Heck
schreibt noch im letzten »Brehms Tierleben«, sie seien »häß-
liche, mißgestaltete und ungelenke Aas- und Knochenfresser«.

*Auch Du bist
ein Aasfresser*

Nun ist Aasfressen an sich noch kein Grund für Abscheu; ich
selbst bin ein Aasfresser und Sie auch. Denn wir beide bringen
die Tiere nicht selber um, deren Fleisch wir essen; die meisten
von uns wären dazu gar nicht imstande.

Nach landläufiger Meinung, auch von alten erfahrenen afrikanischen Jägern und Farmern, wartet die Hyäne, bis Löwen,
Leoparden und andere mutige Raubtiere eine Antilope umgebracht haben, und versucht dann, ein Stück von dem Fleisch zu
stibitzen oder die Reste zu verschlingen, wenn der König der
Tiere sich gesättigt hat. Man sieht ja auch so oft Löwen an
einem Zebra und ringsherum Hyänen, Schakale und Geier, die
hungrig und geduldig warten, bis der Oberste der Tiere die
Mahlzeit beendet hat.

Einige Wissenschafter, die in der Serengeti arbeiten, und ich
selbst hatten manchmal Zweifel daran, ob das landläufige
Bild von der Hyäne, das seit 150 Jahren in jedem Buch zu
finden ist und immer wieder beschrieben wird, auch wirk-

lich richtig ist. Deswegen haben mein Freund Alan Root und ich Rufe von Löwen und von Hyänen auf Band aufgenommen und später an anderen Stellen mit dem Lautsprecher wieder abgespielt. Dabei kam etwas sehr Verblüffendes heraus. Nicht die Hyänen kümmerten sich um das Löwenbrüllen, sondern die — Löwen ließen sich durch das keifende »Gelächter« der Hyänen anlocken, das oft ertönt, wenn ein Rudel dieser Tiere gierig und hastig ein Beutetier zerreißt, verschlingt und sich dabei noch zankt. Diesem Ruf können die meisten Löwen nicht widerstehen. Einer nach dem anderen hört mit seiner üblichen Beschäftigung, dem süßen Nichtstun, auf und geht dorthin, wo die Hyänen kreischen. Wir haben mit Hyänenrufen ganze Löwenrudel um unseren VW-Bus versammelt, ja, wir haben sie bis auf die Kuppe von Hügeln gelockt, auf die weder Nashörner noch Giraffen oder Antilopen steigen und daher auch keine Löwen kommen. Deswegen steht auf solch einem Aussichtshügel im Amboseli-Park ein Schild: »Das ist der einzige Platz, an dem es erlaubt ist, aus dem Auto zu steigen.« Genau unter diese Frieden verheißende Inschrift haben wir Löwen mit unseren Hyänen-Rufen gelockt und haben dann zum Spaß Schild und Löwen zusammen aufgenommen.

*Hyänenrufe aus dem Lautsprecher*

Wenn eine Hyäne sich einsam vorkommt und Fühlung mit anderen Angehörigen ihres Rudels sucht, dann stößt sie, den Kopf leicht zur Erde geneigt, einen langgezogenen, nicht sehr lauten Ton aus. Als wir diesen Ton dann zwischen Felsen ertönen ließen, eilten nacheinander vier, fünf Hyänen herbei und standen verwundert und erwartungsvoll um den Lautsprecher herum.

Haben die Hyänen selbst ein Tier erbeutet und lassen bei der hastigen Mahlzeit ihr aufgeregtes kicherndes Gekeife ertönen, so schlendern ziemlich sicher nach einiger Zeit Löwen herbei, verjagen die Hyänen und tun sich selber daran gütlich. Nur selten gelingt es, wie neulich im Mikumi-Nationalpark Tansanias, umgekehrt den Hyänen, die Löwen vom Riß zu vertreiben. Aber in diesem Fall waren unter den elf Löwen acht Jungtiere. Die elf Hyänen wagten sich im Schutz des hohen Grases dicht heran und machten die Löwen immer unsicherer und

*Nicht Hyänen, sondern Löwen kamen*

143

ängstlicher. Für gewöhnlich müssen die Hyänen warten und herumstehen. Die meisten Tiere werden nachts gejagt und getötet. Kommen wir tagsüber hin, dann glauben wir, die Löwen hätten das Zebra umgelegt, und die Hyänen seien die wartenden Aasesser. Nach unseren Tonbandversuchen konnte es genau umgekehrt sein. Aber das waren nur Vermutungen; für den Naturforscher gelten nur Beweise.

*Das Bild der Hyäne hat sich gewandelt*

Diese Beweise sind in letzter Zeit von dem jungen holländischen Naturforscher Dr. Hans Kruuk und seiner Frau in der Serengeti und im berühmten Ngorongoro-Krater erbracht worden. Wir alle werden künftig die Hyänen mit ganz anderen Augen ansehen müssen.

Zunächst einmal mußten die beiden ihre Nächte opfern, besonders helle Mondnächte. Denn bisher hatte man die Hyänen immer nur tagsüber beobachtet und sich ein Urteil danach gemacht. Das Hauptleben der Tüpfelhyänen spielt sich aber in der Nacht ab. Besonders gut lassen sich solche Forschungen immer im riesigen Ngorongoro-Krater betreiben. Es sind stets dieselben Tiere darin, sie gehen kaum jemals über die 500 m hohen Abhänge nach außen. Weil dort schon so lange nicht mehr gejagt wird, sind die etwa viertausend Zebras, die rund zehntausend Gnus und die vielen anderen Tiere in den letzten Jahren immer zahmer und zahmer geworden und kümmern sich kaum noch um Autos oder beobachtende Menschen. Der Ngorongoro ist ein großer Zoo, voll von frei und natürlich lebenden Wildtieren. In den außen anschließenden weiten Ebenen der Serengeti haben die Tiere nicht ganz das gleiche Zutrauen zu Menschen, weil sie große Wanderungen machen und dabei zu manchen Zeiten des Jahres außerhalb des Nationalparks auf Wilddiebe und Jäger stoßen.

*Fünfzig Hyänen betäubt*

Im Ngorongoro-Krater leben etwa vierhundert Tüpfelhyänen. Von ihnen konnte Hans Kruuk fünfzig mit eingeschossenen Drogen betäuben und ihnen Ohrmarken anhängen, so daß er jedes einzelne Tier wiederzuerkennen vermochte. Von den fünfzig so gekennzeichneten Tüpfelhyänen hat er im nächsten halben Jahr immerhin 45 wiedergesehen, und zwar fast alle etwa in der Gegend, wo er ihnen die Ohrmarke eingedrückt hatte. Es gibt acht große Eigenbezirke von Hyänen auf der Bodenfläche des Kraters, die etwa 250 qkm umfaßt. In jedem Bezirk lebt ein Rudel, das achtzig bis hundert Köpfe stark sein kann. Nur die gekennzeichneten Männchen waren teilweise außerhalb dieses Reviers zu sehen, nicht die Weibchen. Die fünf Ohrmarkenträger, die nie wieder gesichtet worden sind, waren Männchen und Jungtiere. Die Hyänen jagen meistens innerhalb ihres Eigenbezirks. Läuft das gehetzte Tier in einen Nachbarbezirk, dann werden die Jäger durch die anderen Hyänen oft von der Beute vertrieben. Überhaupt werden Tüpfelhyänen, die von andersher kommen und nicht zum eigenen Rudel gehören, leicht angegriffen und feindselig behandelt. Das Rudel hat auch seine Baue im eigenen Jagdbereich, sehr oft einen Wirrwarr von Löchern und unterirdischen Gängen an einem Platz.

*Jedes Hyänenrudel hat eigenen Landbesitz*

In der offenen Serengeti ist es etwas anders. Hier haben die Kruuks bis jetzt hundert Hyänen gekennzeichnet. In den weiten Ebenen, in denen die großen Herden der Gnus, Zebras und Thomson-Gazellen umherwandern, haben die Hyänenvölker zwar auch ihren eigenen Landbesitz und ihre festen Bauten, sie wandern aber zum erheblichen Teil mit den Scharen der Weidetiere umher. Manchmal kommen sie mehrere Tage nicht zu ihrem Bau zurück, und man trifft sie bis zu 80 km davon entfernt an. Einem Wildwart im Kalahari-Nationalpark Südafrikas hatten Hyänen nachts Ziegen vom Haus weggeholt. Er war so wütend, daß er ihrer Spur bis zum Bau folgte. Der war 40 km entfernt. Die Hyänen waren also 80 km marschiert, um ihm die Ziegen wegzustehlen. Der südafrikanische Forscher F. C. Eloff hat dort 1964 ebenfalls festgestellt, daß die Hyänen ihre Beute selber töten und kaum Aasesser sind. Von 1052 Hyänen, die bei der Nahrungsaufnahme beobachtet wurden, verzehrten 82 v. H. Tiere, die von Hyänen getötet waren, nur 11 v. H. die Beute anderer Raubtiere, von Schakalen, Löwen, afrikanischen Wildhunden, Leoparden und Geparden. Bei den übrigen war unklar, wer die Beute zur Strecke gebracht hatte. Von den Hyänen, die tagsüber beim Essen angetroffen wurden, hatte allerdings ein Drittel die Beute anderer Jäger vor. Daher kommt wohl ihr Ruf als Aasesser.

*Hyänen marschierten 80 km, um Ziegen zu holen*

145

Afrikanische Tüpfelhyänen können sich die unglaublichsten Dinge zu Gemüte führen. Mervyn Cowie, der inzwischen in den Ruhestand getretene Direktor der Nationalparks von Kenia, erzählte mir, daß ganze Horden von Hyänen von den Abfällen der Schlächterei Mbagathy bei Nairobi besonders während des Krieges 1914/18 lebten. Man verwertete damals nur das Fleisch und warf Eingeweide, Knochen und Köpfe einfach weg. Dann aber wurde nach dem Krieg diese Schlächterei plötzlich aufgehoben, und die Hyänen waren geradezu verzweifelt. Sie bissen von den Besen die Borsten ab, holten Töpfe weg, zerkauten und verschlangen alles Leder, Schuhe, sogar die verschwitzten Lederbänder in den Hüten, Radfahrsättel, sie durchwühlten alle Abfall-Eimer und überfielen und fraßen mehrere Frauen, die auf den Feldern arbeiteten.

*Da verzweifelten die Hyänen*

Einmal hatte Herr Cowie die Viertel eines geschossenen Gnus mit Stricken hoch an die Äste von Bäumen aufgehängt, damit die Hyänen sie nicht erreichen konnten. Er wollte am nächsten Tag damit Löwen anlocken und füttern. Herr Cowie hätte vorher nie geglaubt, was er dann sah: Eine Hyäne sprang 2,4 m hoch, bis sie das Gnubein gepackt hatte, und blieb dann oben hängen. Eine zweite Hyäne hüpfte nach, verbiß sich in das Bein der oberen, und beide pendelten, bis schließlich der Strick riß und das Fleisch zusammen mit den Hyänen herunterfiel. Die erste Hyäne hatte also mit ihrem Gebiß nicht nur sich selbst festgehalten, sondern auch noch den zweiten schweren Kameraden, der in ihr Bein verbissen war. Das war das Zeichen für die anderen, gleiche unglaubliche Sprünge zu probieren. Bald kam ein Stück Fleisch nach dem anderen herunter, bis alles verschwunden und verschlungen war.

*Eine Hyäne hing sich an die andere*

In dem Zeltlager für Touristen bei Mweya im Königin-Elisabeth-Park, Uganda, war ein Rucksack mit Tassen, Thermosflaschen, Besteck und anderen Dingen verschwunden. Man glaubte an einen Diebstahl, bis sich der Sack am Eingang eines Hyänen-Baues wiederfand. In einem Hühnerstall hatte in der Serengeti unlängst eine Hyäne zwölf Gipseier zerbissen und verschlungen. Allerdings werden manche Schandtaten zu Unrecht Hyänen zugebucht. In dem Eingewöhnungs-Zoo Cros de

Cagne an der Riviera war eine junge Hyäne entlaufen. Sobald *Hyäne als Sündenbock* das bekannt wurde, mußte der Besitzer täglich tote Kaninchen, Hühner, Tauben und anderes Hausvieh bezahlen, was er auch willig tat, um nicht noch mehr Schwierigkeiten mit der Polizei zu bekommen. Nach ein paar Tagen wurde die junge Hyäne tot hinter Kisten im Zoo selber gefunden; sie hatte die Einzäunung nie verlassen.

Tüpfelhyänen sind angenehme Zoo-Insassen, auch wenn sie bei den Besuchern meistens nicht sehr beliebt sind. Mit ihren kräftigen Gebissen knacken sie auch Knochen, die von Löwen und Tigern mit ihren scharfen Reißzähnen nicht zerbrochen werden können, und verwerten das Mark darin. Deswegen ist der Kot oft hart und wird leicht fossil. Daher und von vielen erhaltenen Knochen wissen wir, daß Europa einst auch die Höhlen-Hyäne beherbergt hat. Sie war größer als die Tüpfelhyäne, *Europäische Hyäne war noch größer* die größte der heute lebenden drei Hyänen-Arten, aber sonst sah sie wohl ziemlich ähnlich aus. Hyänen leben auch im Zoo recht lange; im Berliner Zoo hat eine vierzig Jahre lang gehaust. Ein Hyänenleben dürfte demnach durchschnittlich drei- *Hyäne lebt dreimal länger als Löwe* mal so lange dauern wie das eines Löwen, Tigers oder Leoparden. Die meisten Menschen vergleichen Hyänen mit Hunden, die ihnen vertraut sind. Deswegen kommen ihnen der Kopf der Hyäne zu plump, die Schulter zu mächtig, der Rücken zu abfallend und der Hinterkörper zu klein vor, das ganze Tier häßlich und mißgestaltet. Aber jede Tierart hat eben ihre eigene Gestalt und ihre eigene Schönheit und darf nicht nach den Schönheitsbegriffen von anderen Arten oder von uns Menschen gewertet werden.

Hyänen sind auch viel weniger hundeähnlich, als man zu- *Hyänen sind keine Hunde* nächst glaubt. Die Tüpfelhyäne hat nur zwei Zitzen und gebärt demzufolge meistens zwei, ganz selten drei Junge, niemals mehr, nach einer Tragzeit von 99 bis 110 Tagen. Im Gegensatz zu Hunden und fast allen anderen Landraubtieren kommen die Tüpfelhyänen-Kinder mit offenen Augen zur Welt und können gleich laufen. Sie haben auch schon die meisten Schneidezähne und auf jeden Fall alle vier Eckzähne, gut 0,5 cm lang. Übrigens werden die Tüpfelhyänen kohlschwarz geboren. Erst nach anderthalb Monaten werden sie heller, zunächst am Kopf. Mit neun Monaten sind sie getüpfelt wie die Eltern. Wenn man sich mit ihnen beschäftigt, werden die Kerlchen sehr anhänglich, verspielt und lustig. Die Kruuks hatten eine im Hause großgezogen, die frei herumlief. Weil sie aber in Seronera, dem Hauptquartier der Serengeti, auch oft ins Hotel lief und die Besucher erschreckte, sperrten ihre Zieheltern sie schließlich aus: sie sollte selbständig und wild werden. Eines Tages jedoch öffnete sich das mächtige Tier selbst die Haustür und sprang zu Frau Kruuk, die gerade badete, in die Wanne. Zahme Hyänen wollen gestreichelt, gekrault und geliebt werden.

*Große Hyäne sprang mit in die Badewanne*

Hunde und Wölfe heulen den Mond an, mit dem Kopf schräg nach oben, Hyänen aber rufen mit zum Boden gesenkten Mund. Ein Kummer im Zoo ist es auch, daß man niemals recht weiß, ob sie männlich oder weiblich sind. Die Geschlechtswerkzeuge sind äußerlich völlig gleich. Manche alte Farmer in Afrika glauben fest an das Märchen, daß eine Hyäne abwechselnd als Männchen Junge zeugen und als Weibchen Junge gebären könne. Nach Dr. Wikingen kann man bei den männlichen Hyänen den Penisknochen fühlen, aber dazu muß das Tier schon sehr zahm sein oder betäubt oder geröntgt werden.

Die Tüpfelhyänen sind des öfteren in Zirkussen gezähmt worden. Aber immerhin hat eine dem Dompteur Trubka einmal beide Fußgelenke durchgebissen. Von den meisten Reisenden werden die Hyänen nicht ganz ernst genommen, während man vor Löwen, Leoparden oder Nashörnern durchaus Angstgefühle hat. An sich ist das ganz berechtigt, denn Hyänen greifen in zehntausend Fällen vielleicht einmal einen Menschen an, wie Löwen und Leoparden übrigens auch. Wenn man aber einmal in einer hellen Mondnacht gesehen hat, wie Hyänen selbst große Zebras und Gnus hetzen und niedermetzeln, dann sieht man sie doch mit ganz anderen Augen an.

Tüpfelhyänen jagen entweder allein oder zu zweien und dreien, können aber auch in Rudeln von bis zu hundert gemeinsam die Hetzjagd betreiben. Einzeljagden sind weniger erfolgreich. Nur in vier von 21 Einzeljagden, die Hans Kruuk mit ansah, erwischte die Hyäne die Beute. Einmal machte eine ein-

zelne Hyäne einem ausgewachsenen Gnu den Garaus, indem sie *Jagd im Rudel*
es schließlich im See ertränkte. Von elf Rudeljagden, die Kruuk *ist erfolgreicher*
beobachtete, führten dagegen acht zum Ziel. Aber sonst werden
überwiegend Jungtiere und Gazellen allein niedergestreckt,
während sich bei der Jagd auf Zebras und Gnus mehrere Hyänen zusammentun. Von 188 Hyänen-Kotproben, die im Ngorongoro untersucht wurden, enthielten 83 v. H. nur Haare von
Gnus, 46 v. H. Zebra-Haare, 16 v. H. Haare von Thomson-Gazellen. Unter 214 Proben in den Serengeti-Ebenen enthielten
54 v. H. Gnu-Haare, 30 v. H. Zebra, 53 v. H. dagegen Thomson-Gazellen. Das mag einmal daran liegen, daß die einzelnen
Hyänenvölker verschiedene Geschmäcker haben, zum anderen
gibt es eben in der Serengeti weit mehr Thomson-Gazellen als
im Ngorongoro-Krater.

Bei den Nachtangriffen laufen die Zebra- und Gnu-Gruppen *Hyänen*
mit einer Geschwindigkeit von 40 km/st weg, Hyänen bringen *schneller als*
es aber auf 65 km/st. Übrigens sind die meisten Tiere, die von *Zebras*
den Hyänen in Stücke gerissen werden, bei guter Gesundheit.
Das spricht keineswegs dagegen, daß die Tüpfelhyänen und
andere Raubtiere vor allem kranke und schwache Tiere aus-
merzen; es gibt eben in einer Wildherde nicht genug davon, um
all die Räuber zu versorgen. Vor allem fällt ihnen ein erheb-
licher Teil der Jungtiere zum Opfer. Wäre das nicht so, so würden die Weidetiere bald im Übermaß zunehmen, die Landschaft
zerstören, und man müßte sie dann in großem Ausmaß mit
Gewehren abschießen. Dadurch aber werden sie wiederum
scheu gegenüber dem Menschen, und die Touristen bekommen
sie nur aus großer Entfernung, bei Nacht oder gar nicht zu
sehen, so wie das in Europa mit unseren Rehen, Hasen, Hirschen, Kaninchen und Füchsen ist.

Die hetzenden Hyänen packen ihr Opfer meistens an den
Beinen und in den Flanken, sie beißen zu und halten fest, bis
es umfällt. Dann reißen sie sofort das weiche Fleisch zwischen
den Hinterbeinen und am Bauch heraus. Dabei lebt das Beutetier noch eine Weile weiter und versucht sich zu wehren. Wenn
mehr als zehn Hyänen an einem Zebra oder Gnu reißen, sinkt
es in meistens vier bis fünf Minuten auf die Knie und ist in

etwa zehn Minuten tot. Andererseits habe ich oft gesehen, wie ein oder zwei Hyänen kleine Gnus oder Gazellen mitten in einer verstreut weidenden Herde jagten, packten und zerrissen. Wohl versuchten die Mutter oder dieses oder jenes Alttier in der Nähe einzugreifen und die Räuber zu vertreiben; die andere Herde kümmerte sich kaum darum. Bei Zebras ist es dagegen fast die Regel, daß auch der Vaterhengst einer Familie das Jungtier mit gefletschten Zähnen und den Vorderhufen verteidigt. Meist kommen auch die anderen Stuten seiner Familiengruppe hinzu und helfen bei der Abwehr. Der Wildwart Myles Turner sah zu, wie eine Hyäne einen Goldschakal mitten in einer Herde von Thomson-Gazellen jagte und nach vier Minuten fing. Die ersten Gnu-Kinder, die zu Beginn der Regenzeit geboren werden, haben wohl überhaupt keine Aussicht, am Leben zu bleiben. Erst wenn dann alle Gnu-Mütter fast auf einmal ihre Jungen gebären, sind so viele da, daß die Hyänen und die anderen Fleischesser sie gar nicht bewältigen können. In einer sehr dunklen Nacht richteten in der Serengeti Hyänen ein wahres Blutbad unter Thomson-Gazellen an. Sie töteten an einer Stelle über hundert, verzehrten aber nur ein paar davon.

*Zebras kämpfen, Gnus kaum*

Wo die wilden Weidetiere von Wilddieben fast alle abgeschossen sind, oder wo das Land zur Besiedlung frei gemacht werden soll, können Hyänen auch für Menschen recht gefährlich werden. Im Mlanje-Bezirk von Malawi (früher Nyassaland) wurden 1955 drei Menschen durch Tüpfelhyänen vom Leben zum Tode gebracht. Erst war es ein Kind, von dem nur der Kopf übrigblieb, dann wurde eine Frau von einer Hyäne gepackt und drei Meter weit weggeschleppt. Die Frau schrie um Hilfe und konnte noch von anderen Dorfbewohnern gerettet werden, aber sie hatte den Arm verloren und war am Nacken so zerbissen, daß sie ein paar Stunden später starb. Es war wohl dieselbe Hyäne, die das Kind getötet hatte, denn die Tatplätze lagen nur 11 km auseinander. Als dritter kam ein geistesschwacher Mann zwischen zwei Dörfern zu Tode; er wurde aufgefressen, wiederum von nur einer Hyäne, die, als sie abgeschossen war, 71 kg wog. 1956 ließen im gleichen Bezirk fünf Menschen durch Hyänen ihr Leben, 1957 wieder fünf, 1958 sechs

*Menschen von Hyänen getötet*

und 1959 sogar acht, meistens ab September. Im Winter schlafen die Eingeborenen in diesem Gebiet in den Hütten, nicht außerhalb, deswegen gab es dann keine Hyänenopfer. Übrigens rühren Tüpfelhyänen in der Regel kein Hyänenfleisch an, nur F. Balestra berichtet von zwei Fällen, in denen sie es doch taten. Mervyn Cowie, der vor vierzig Jahren in einem Bezirk über tausend Hyänen zu vertilgen hatte, erzählte mir, daß sie sich wohl gegenseitig totbeißen, im Kampf um Weiber oder Beute. Niemals rührt hingegen eine Tüpfelhyäne die Leiche einer anderen an, bevor diese nicht weitgehend verwest ist. Das braucht mindestens vier Tage. Die Geier fangen sofort mit der Mahlzeit an, aber die anderen Hyänen beteiligen sich nicht. *Hyänen sind keine Kannibalen*

In Rhodesien packte eine Tüpfelhyäne eine Frau in einem Gehöft beim Mt. Darwin. Obwohl Hilfe kam, war die Frau einige Stunden später tot. Am selben Tag begleitete ein Mann sein Kind von der Schule nach Hause. Das Kind wurde unterwegs von einer großen Hyäne angefallen; der Vater konnte sie mit der Axt abwehren, wurde aber in die Hand gebissen. Ein anderer Mann, der zur Hilfe kam, bekam einen Biß ins Bein. Die Hyäne wurde von einem heftigen Axthieb auf dem Kopf getroffen und später erschossen. Vor ein paar Jahren schlief ein deutscher Lehrer unweit der Touristenunterkunft am Ngorongoro-Krater in einem Schlafsack im Freien, weil er kein Zimmer mehr bekommen hatte. Nachts wachte er auf, wie er am Bein gepackt und weggeschleppt wurde. Er glaubte erst, es sei ein Löwe. Auf seine Hilferufe kamen andere Menschen und vertrieben den Räuber. Es war eine große Hyäne, die ihn durch den gepolsterten Schlafsack am Bein gepackt und nach dem Gebüsch hingezerrt hatte. Das Bein war erheblich verletzt. *Hyäne zog deutschen Lehrer am Bein weg*

Die Hetzjagd kann auch für die Hyänen schlecht ausgehen. Im Kalahari-Nationalpark, Südafrika, hetzten sieben Tüpfelhyänen einen Orxyantilopen-Bullen 5 km weit. Er tötete in der Abwehr eine davon, indem er sie mit seinen langen spitzen Hörnern durchbohrte. Dann brachten ihn die sechs übrigen Hyänen um. Myles Turner sah in der Serengeti zu, wie ein männlicher Löwe eine große Hyäne tötete und sich dann nacheinander an zwei andere anpirschte. Für gewöhnlich kümmern sich Löwen nicht viel um Hyänen. Bei anderer Gelegenheit aber jagten im Krüger-Park Hyänen zwei junge Löwen auf einen Baum, ein anderes Mal sogar eine erwachsene Löwin. Turner wiederum sah eine Hyäne schlafend unter einem Baum liegen, unmittelbar neben zwei ebenfalls schlummernden Warzenschweinen, von denen die Hyäne sogar eins berührte. Warum ein einzelner Elefant vor Wut kreischend eine Hyäne auf dem Sand eines Flußufers verfolgte, bis sie sich schließlich die Böschung hinauf ins Gebüsch retten konnte, ist nicht recht klar. In einem Kampf zwischen einer Hyäne und einem Python in der Nähe eines Papyrus-Sumpfes, bei dem Cherry Kearton Zeuge war, konnte die Riesenschlange ihre Kraft nicht voll anwenden, weil sie sich in dem freien Gelände an keinem Baum verankern und an der Hyäne auch nicht festzubeißen vermochte. Sie wurde von ihrem Gegner so zerbissen, daß sie schließlich tot liegenblieb. Als in der Serengeti vier der gefürchteten afrikanischen Wildhunde eine junge Hyäne gepackt hatten, liefen zwölf große Tüpfelhyänen herbei und schafften es, ihren kleinen Kameraden zu befreien und die Hunde zu vertreiben. Der afrikanische Wildwart N. L. Ochara in Uganda erzählte mir, daß die Leute dort glauben, die Galle der Hyäne sei giftig und verursache unmittelbaren Tod. Das Fleisch soll die Frambösie, eine tropische Hautkrankheit, heilen. Besitzt man die Nase einer toten Hyäne, so kann man selber ausgezeichnet riechen. Ein blinder Mensch findet dann seinen Weg ohne einen Führer. Wer aber so eine Nase bei sich hat, darf niemals einen Kranken besuchen, sonst bringt er ihm den Tod. Zermahlt man die erste Rippe einer Hyäne und ißt sie, so bringt sie Geschäftsleuten Glück; sie heilt auch Brustleiden. Wir brauchen über solchen afrikanischen Aberglauben nicht überlegen zu lachen, denken Sie nur an die astrologischen Ratschläge in unseren Illustrierten.

Außer der großen Tüpfelhyäne, die in Afrika südlich der Sahara zu Hause ist, gibt es noch zwei andere Hyänen-Arten, die auch vor allem nächtlich leben: die braune Hyäne, Strandwolf oder Schabrackenhyäne in Südafrika und die Streifenhyäne; sie lebt in Nordafrika und Südasien. Diese kleineren und scheueren Streifenhyänen sind schon von den alten Ägyp-

*Hyänen gegen Löwen*

*Python kämpft mit Hyäne*

*Man riecht mit der Nase einer toten Hyäne*

tern gezähmt, zur Jagd verwendet, ja sogar gemästet worden. In einer Höhle, die der Forscher C. K. Brain untersuchte und die von braunen Hyänen zum Koten benutzt worden war, fanden sich neunzig erkennbare Knochenreste der Beutetiere. Sechzig davon stammten von Hasen und Klippschliefern. Nur das Leben der Tüpfelhyäne ist — und wie gesagt auch erst in den letzten Jahren — näher erforscht worden. Wie die beiden anderen Arten leben, darüber weiß man, wie bei so vielen Wildtieren, bis heute noch kaum etwas.

# GIRAFFEN LERNTEN ÜBER ZÄUNE SPRINGEN

*Wenn Menschen daran sind zu sterben, sind sie lieb zueinander.*
*Wenn Kühe daran sind, auszugehen, leckt eine die andere.*

*Afrikanisches Sprichwort*

Wie würden Sie einen tonnenschweren Obelisken befördern? Flach liegend, auf Rollen geschoben oder aufrecht stehend, sorgsam im Gleichgewicht, damit die lange Säule nicht umkippt? Die Natur hat im allgemeinen den ersten Weg gewählt — flache, langgestreckte Tiere wie Schlangen und Eidechsen bewegen sich unschwer vorwärts. Steil aufrecht zu gehen, wird um so schwerer, je größer man ist. Die Giraffe aber ist das höchste von allen heute lebenden Tieren, 500–750 kg schwer, bis über 6 m hoch und dabei recht kurz. Ihr Herz muß bis zum Kopf eine Blutsäule von über zwei Metern hochdrücken. Deswegen ist die Wand der Halsschlagader 1,2 cm dick und der Blutdruck doppelt so hoch wie bei einem Menschen. Im Physiologischen Institut Leningrad hat man nachgemessen, daß eine Giraffenlunge nur zwölf Liter Luft faßt gegenüber dreißig Litern beim Pferd. Deswegen kann man wohl auch eine flüchtende Giraffe zu Pferde ohne weiteres einholen und so lange hetzen, bis sie stehenbleibt oder zu Boden bricht. Amerikanische Wissenschafter setzten in die Halsschlagader zweier großer *Meßgerät in eine Giraffe eingesetzt* Tiere ein Meßgerät ein, das mit einem selbsttätig arbeitenden Transistorfunkgerät gekoppelt war. Ein Empfänger auf einem Geländewagen wertete die übermittelten Daten aus. Danach scheinen Herzschlag und Blutdruck einer Giraffe ungewöhnlich stark zu schwanken. In der Ruhe schlug das Herz zwischen neunzig- und hundertmal, beim schnellen Laufen jedoch hun-

dertsiebzigmal. Außerdem schwankte der Blutdruck beim Galoppieren, und zwar im Takt mit dem Aufsetzen der Vorder-
hufe. Er erhöht sich und senkt sich offenbar durch die Veränderung des Flüssigkeitssäulen-Drucks in der Schlagader mit
dem Heben und Senken des Kopfes.

Ziegen und Antilopen stellen sich auf den Hinterbeinen auf,
um tänzelnd einen Ast zu erreichen. Das bringt eine Giraffe
niemals fertig; sie bleibt immer mit allen vieren auf der Erde.
Wie soll so ein Tier, das mit den Beinen derartig an der Erde
festklebt, mit Drahtzäunen fertig werden? In Transvaal sind
Giraffen erst einfach hindurchmarschiert und haben die Drähte
hinter sich hergeschleppt. Dann, nach drei bis vier Jahren Erfahrungen mit den neuen Dingen, lernten sie zum Erstaunen
der Farmer darüberzuspringen. Stacheldrahtzäune von sogar
1,85 m Höhe machten ihnen zum Schluß keine großen Schwierigkeiten mehr. Sie werfen Kopf und Hals zurück, bringen erst
die Vorderfüße darüber, und es macht wenig aus, wenn die
Hinterbeine dann die obersten Drähte beim Springen berühren. *16 Stunden
nach dem Kind
gesucht*
Nur die Jungen schaffen es manchmal nicht. Als einmal ein
Muttertier zusammen mit ihrer Herde über einen Zaun hin-
weggesetzt war, blieb das Kind auf der anderen Seite. Die Mutter lief volle sechzehn Stunden am Zaun entlang, kam aber
nicht auf den Gedanken, allein wieder zurückzuspringen.
Schließlich verschwand das Giraffenjungtier irgendwo im Busch
und ging wohl verloren. Sogar aus den Zementtrögen für die
Hausrinderherden zu trinken lernten die Giraffen, was so
manche andere Wildtierart nicht über sich bringt.

Im Januar 1963 brachte die Wildverwaltung von Kenia vier
Giraffen mit erheblichen Schwierigkeiten aus dem Eldoret-Ge-
biet in den ehemaligen Menengai-Krater, 160 km von der
Hauptstadt Nairobi entfernt. Ein Giraffenbulle wollte in der *Ausgerechnet
an Leoparden
geraten*
neuen Heimat im Gipfel eines Baumes weiden, als er einen
Leoparden störte, der dort oben auf einem Zweig schlief. Der
Leopard setzte sofort zum Sprung an und richtete den Hals der
Giraffe so übel zu, daß sie starb.

Im allgemeinen leben Giraffen sonst mit ihrer Umwelt in
Frieden. Nur manchmal scheinen seltsame Gedanken in ihre

hohen Köpfe zu steigen. Zum Beispiel traf ein Arzt mit seiner Familie bei Rusermi, Südafrika, in der Morgendämmerung im Auto auf zwei Giraffen, die ihm auf der Straße entgegenkamen. Er hielt seinen Wagen an und schaltete die Scheinwerfer aus, weil er dachte, die Tiere könnten davon geblendet werden. Eine der Giraffen ging von der Straße weg, die andere aber schritt ruhig und entschlossen auf den Wagen zu, dessen Motor immer noch lief. Sie drehte sich um und begann das Fahrzeug mit den Hinterfüßen zu bearbeiten. Das Tier brachte es fertig, dem Kühler und dem Vorderteil des Autos mindestens drei gutsitzende Tritte mit vollstem Schwung zu verpassen, bis es dem verdutzten Arzt endlich gelang, mit Vollgas zu entkommen. Er war später so stolz darauf, daß sein Wagen von einer Giraffe derartig zugerichtet war, daß er damit noch eine ganze Weile herumfuhr, bis er ihn endlich wieder ausbessern ließ.

*Giraffe griff Auto an*

1963 kehrte ein Geländewagen der Geologischen Forschungsabteilung nach Einbruch der Dunkelheit nach Moroto, der Hauptstadt des Karamoja-Bezirkes von Nordost-Uganda, zurück und wurde dabei von einer Giraffe angegriffen. Der Fahrer hielt an, als er nach einer Kurve das Tier etwa 25 m entfernt im Scheinwerferkegel stehen sah. Die Giraffe wendete sich um

*Gegen Löwen und andere Raubtiere schlagen Giraffen mit den Vorder- und Hinterbeinen. Sie können einen Löwen ohne weiteres töten. Untereinander bearbeiten sich Giraffenbullen jedoch durch wuchtige Hiebe mit ihren schweren, harten Schädeln und den kurzen Hörnern. Sie machen nur aus, wer stärker ist, vertreiben aber den Schwächeren nicht — im Gegensatz zu Hirschen, Antilopenböcken und vielen anderen Tierarten. Nur ganz selten kann man den erbitterten Kampf zweier Giraffenbullen beobachten und gar fotografieren. Die Bullen werden bis zu sechs Meter hoch und über eine Tonne schwer. Es kann passieren, daß ein Bulle durch einen harten, gutsitzenden Schlag betäubt wird und bis zu zwanzig Minuten auf der Erde liegen bleibt. Der Gegner läßt ihn dann sofort in Frieden. Die übrigen Mitglieder einer Giraffenherde beteiligen sich nicht an dem Kampf zweier Bullen. Sie sehen zu oder weiden inzwischen weiter.*

*Seite 158/159:*
*Als ich diese Herde Giraffen fotografierte, brach ich mir höchst überflüssig eine Rippe. Ich fuhr außerhalb des Serengeti-Nationalparkes in den Kirawira-Ebenen gleichlaufend zu den rennenden Giraffen und stand dabei auf der Plattform eines Geländewagens. Als dieser mit dem Vorderrad in ein Warzenschweinloch geriet, wurde ich gegen das Eisengestänge geschleudert, über das sonst die Plane gezogen wird. Die Eisenstange war erheblich verbogen, aber mir war sonst weiter nichts passiert. Diese Gegend ist von der neuen Regierung unter Dr. Julius Nyerere jüngst dem Serengeti-Nationalpark zugeschlagen worden. Dazu mußten schwarze Dörfer ausgesiedelt werden.*

und schlug mit den Vorderbeinen nach dem Fahrzeug. Dabei wurden die Scheinwerfer zertrümmert, die Windschutzscheibe zerbrochen und das Steuerrad verbogen. Schließlich sprang das Tier während des Angriffs über das Dach des Wagens, in dem jedoch niemand verletzt wurde. Ich selbst habe schon dutzendmal Giraffen im Gelände und auf Straßen getroffen, ohne daß eine auch nur die geringste Miene gemacht hätte, mit meinem Wagen anzubinden. Es handelt sich also in diesen beiden Fällen um ein ganz ungewöhnliches Verhalten, das dementsprechend auch von den Betroffenen weitergemeldet wurde.

*Giraffe sprang über ein Auto*

Etwas schwieriger wird die Sache für diese Türme auf vier Beinen schon in gebirgigem Gelände. Sie gehen deswegen dort auch nicht gern hin. Im Ngurdoto-Krater des Arusha-Nationalparks, einem der neuen Naturschutzgebiete, welche die unabhängige Regierung von Tansania geschaffen hat, wurde unlängst ein alter Giraffenbulle beobachtet, der auf einem recht steilen Kaffernbüffel-Pfad aus dem großen, wundervoll bewachsenen Innenkrater den Rand nach außen emporsteigen wollte. Da es gerade nach einem schweren Regen war und der Pfad immer steiler wurde, begann die Giraffe mehr und mehr auszurutschen, bis sie schließlich auf die Brust fiel. Als sie es endlich geschafft hatte, wieder aufrecht auf ihren vier Beinen zu stehen,

*Wenn das Erdhörnchen läuft, hält es den langen buschigen Schwanz meistens tief. Hat es jedoch den Eingang seiner Behausung erreicht, steht es oft noch einmal auf seinen Hinterbeinen auf, um sich den Störenfried anzusehen. Erst dann verschwindet es in seinem Bau, der bis zu 1,50 m tief ist. Die kleinen Kerle leben von Pflanzenkost, und ihre Baue sind unterirdisch miteinander verbunden.*

*Wenn Kaffernbüffel miteinander kämpfen, krachen die mächtigen hörnigen Stirnwülste weithin hörbar zusammen. Die Tiere schieben und stoßen sich mit ihren massigen Hornhelmen gegenseitig zurück und vor. Die eigentlichen gefährlichen spitzen Hörner werden bei diesem sportlichen Wettkampf unter Artgenossen nicht angewendet. Der Kampf endet daher in den meisten Fällen unblutig. Wohl aber können sich die gebogenen Hornenden ineinander verhaken und abbrechen. In das Hospital in Arusha, Tansania, wurde ein Massai eingeliefert, dessen Brust von einem Speer durchstoßen war. Massai-Speere haben bekanntlich nicht nur eine meterlange dünne Eisenspitze, sondern auch noch unten ein kurzes scharfes Eisenende. Es dient dazu, den Speer senkrecht in den Boden zu stecken, so daß er aufrecht steht. Der betreffende Massai hatte einen Kaffernbüffel mit dem Speer angegriffen. Das Tier drang jedoch auf ihn ein und trieb das spitze Rückende des Speeres durch die Lunge des Massai-Kriegers, während das Vorderende im Tier steckte. Der Massai kam mit dem Leben davon — so erzählte mir der Chefarzt Dr. Eckhard.*

saß ihr ein Rudel Paviane gegenüber. Die Tiere starrten die Giraffe an, da sie ihnen den Weg nach dem Wasserloch unten im Krater versperrte. Nach einer ganzen Weile, in der nichts passierte, schlüpfte ein frecher halbwüchsiger Pavian zwischen den Giraffenbeinen hindurch nach unten. Die Giraffe schlug aus und versuchte ihn zu treffen, aber er legte sich einfach flach auf den Bauch. Als das die anderen sahen, rannte die ganze Pavianmenge wie ein Sturzbach den Pfad hinterher, dicht neben und unter der Giraffe hindurch. Sie stand ganz still und bewegte sich nicht. Als die Paviane durch waren, drehte sie sich langsam um und schlitterte »traurig« den Weg wieder zurück.

Man kann Giraffen einzeln antreffen, aber selten. Wenn man sich näher umsieht, entdeckt man in der Nähe meistens noch weitere zwischen den Bäumen und Büschen weiden. 1962 sahen wir bei Seronera, dem Hauptquartier des Serengeti-Nationalparkes, eine Riesenherde von 51 Giraffen zusammen. Ist eine Giraffe allein, so traut sich schon eher einmal ein Löwe an sie heran. Sonst legt er keinen besonderen Wert darauf, sich mit so großen und wehrhaften Beutetieren anzulegen. Der Wildwart De La Bat beobachtete an der bekannten Etoscha-Pfanne, einer Landschaft in Südwestafrika, wie ein Löwe eine einzelne Giraffe anpirschte. Als die Giraffe ihn sah, stürmte sie davon. Aber der

Löwe hatte sie nach wenigen Sätzen eingeholt, sprang ihr in den Nacken, krallte sich dort fest und zerbiß ihr wohl die Halswirbelsäule. Jedenfalls brach das Riesentier alsbald taumelnd zusammen. In einem zweiten Fall war der angreifende Löwe nicht nahe genug an die Giraffe herangekommen, bevor diese ihn bemerkte. Deswegen mußte er länger hinter ihr herrasen, bis er sie eingeholt hatte. Da Löwen ja nicht ausdauernd im Laufen sind, war er wohl schon etwas ausgepumpt, als er zum Sprung auf den Rücken ansetzte. Er landete auf dem Hinterteil

der Giraffe, rutschte ab und bekam von dem auskeilenden Bullen beide Hinterbeine voll in die Körperseite gehauen. Als das getroffene Raubtier sich auch nach Stunden noch nicht wieder erholen konnte, wurde es von einem der Wildwarte erschossen. Es zeigte sich, daß der Brustkorb eingedrückt und die Rippen fast alle gebrochen waren.

Wenn Giraffen untereinander kämpfen, schlagen sie dagegen niemals mit den Beinen. Ich habe erst unlängst in der Serengeti stundenlang diese wuchtigen Prügeleien zwischen Giraffenbullen beobachtet. Offensichtlich haben die Giraffen auch eine Rangordnung; sie leben aber meistens untereinander so friedlich, daß kaum zu erkennen ist, wer der Höherstehende und wer der Rangtiefere ist. Am ehesten kann man es noch daran sehen, daß der Ranghöhere einfach schräg vor dem anderen quergeht und ihm den Weg abschneidet. Außerdem tragen die Ranghöheren den Kopf höher und das Kinn mehr angehoben. Ein Tieferstehender zieht den Kopf etwas nach unten, wenn der »Vorgesetzte« vorbeigeht. Eine Giraffe beeindruckt und bedroht eine andere Giraffe — im Zoo auch den Wärter — indem sie den Kopf anhebt.

Kein junger Giraffenmann darf in Gegenwart eines Höherstehenden »flehmen«. Das ist bekanntlich eine Geste, die bei Pferden, Kamelen, Bären, überhaupt sehr vielen Tieren weit verbreitet ist: der Kopf wird leicht angehoben, der Mund etwas geöffnet, die Oberlippen aufgestülpt. Dieses Flehmen hat wahrscheinlich mit den Geschlechtsbeziehungen zu tun. Will eine Giraffe eine andere ernstlich vertreiben, dann geht sie geradewegs auf sie zu, biegt den Hals etwas nach vorn und neigt den Kopf: sie droht also mit den kurzen Hörnern. Die sind überhaupt die Hauptwaffe zwischen zwei Giraffenbullen, zusammen mit dem großen schweren Kopf selber, der wie ein fürchterlicher Hammer wirkt. Die kurzen Giraffenhörner sind ja mit Fell überwachsen. Bei den Bullen sind die Haare jedoch an der stumpfen Hörnerspitze abgeschabt, sie sind kahl. Man kann schon daran die Geschlechter unterscheiden.

*Giraffenhörner — kurz aber wirksam*

So mancher, der schon jahrzehntelang in Afrika lebt, auch im Busch, hat trotzdem noch niemals zwei Giraffenbullen ernstlich miteinander kämpfen gesehen; so selten geschieht das, wenigstens in vielen Gegenden. Es ist ein aufregendes Schauspiel, obwohl sich alles im Zeitlupentempo abzuspielen scheint.

Die beiden Kämpfer stehen sich dabei nicht gegenüber wie Hirsche, Antilopenböcke oder Raubkatzen, sondern für gewöhnlich nebeneinander, entweder wie zwei Pferde im Gespann

*So kämpfen Giraffen miteinander*

mit den Köpfen zur selben Seite, oder einer mit dem Kopf nach der einen Seite, der andere nach der anderen. Sie versuchen auch niemals, sich zu beißen. Statt dessen hauen sie mit weitausholenden Hälsen ihre Schädel gegen Kopf, Hals, mitunter auch die Vorbrust oder die Nackenseite des Gegners, oder wenn sie umgekehrt stehen, auf Hinterteil und Hinterbeine. Man kann sich die Wucht eines solchen Schlages kaum vorstellen. Unser Giraffenbulle »Otto« im Frankfurter Zoo hat einen wohl 500—600 kg schweren gewaltigen Elen-Antilopenbullen, der ihn ständig belästigte, mit einem Kopfhieb durch die Luft geschleudert, so daß das Tier mit gebrochener Schulter liegenblieb und getötet werden mußte. Ein bösartiger Londoner Giraffenbulle, der den Wärter verfehlte, schlug ein richtiges Loch hinter ihm in die Mauer. Ich habe darüber in meinem Buch »Thulo aus Frankfurt. Rund um die Giraffe« (Kosmos, Stuttgart) näher berichtet.

Solche Rangordnungszweikämpfe können eine ganze Weile dauern, eine halbe Stunde und länger. Oft stehen andere Bullen und Weibchen dabei, es gibt aber auch Prügeleien ohne weibliche Zuschauer. Ich konnte bei Seronera in der Serengeti gleichzeitig drei Paare Bullen auf demselben Schauplatz miteinander kämpfend filmen. Jedes Paar war 80—100 m von den andren entfernt und kümmerte sich nicht darum. Ringsum weidete die übrige Herde. Mitunter kann ein fechtender Bulle den anderen Gegner an den Baum drücken, oder die beiden bewegen sich um einen Baumstamm herum. Fühlt sich endlich einer von von den beiden unterlegen, dann geht er ein paar Schritte vom

*Besiegter wird* *nicht vertrieben* Sieger fort, und dieser folgt ihm mit erhobenem Kopf, aber nicht weit. Während Hirsche, Antilopen, viele Raubkatzen den besiegten Tiermann aus ihrem eigenen Gebiet vertreiben und nicht mehr hereinlassen, sind die Giraffenbullen im allgemeinen wieder zueinander friedlich, wenn sie erst ausgemacht haben, wer stärker ist. Mitunter reiben sie gleich nach dem Kampf die Hälse aneinander oder weiden friedlich nebeneinander weiter.

*Todesfälle bei* *Giraffen-* *kämpfen* Es gibt selten ernstliche Verletzungen oder gar Todesfälle bei solchen Kämpfen. Wahrscheinlich sind das unglückliche, nicht beabsichtigte Zufälle, wie etwa bei menschlichen Boxkämpfen.

164

Vielleicht rühren die Schwellungen und Wucherungen, die man gar nicht so selten am Hals von Giraffen findet, von solchen Zweikämpfen her. Ich selber habe im nördlichen Teil des Serengeti-Nationalparks mehrfach solche Tiere angetroffen; aus dem südafrikanischen Krüger-Nationalpark wurde 1958 von einem Giraffenbullen »mit gebrochenem Hals« berichtet. Die Verletzung war etwa ³/₄ m unterhalb des Kopfes und verheilt, das Tier war in guter Gesundheit, aber »es sah aus, als ob der Hals sehr leicht wieder brechen könnte« — eine wohl etwas kühne Feststellung, wenn man das Tier nicht näher untersuchen konnte. Dort fand man auch bei anderer Gelegenheit einen Giraffenbullen tot liegen, der »durch einen Mambabiß gestorben« sein sollte. So etwas wird immer gern behauptet, wenn man tote Tiere in gutem Gesundheitszustand ohne jede äußere Verletzung antrifft. Ich glaube nicht recht daran. Ein Großtier mit einer Masse von über einer Tonne mag wohl schließlich an dem Gift einer Mamba sterben, das natürlich zum sehr schnellen Töten von Kleintieren ausreicht. *Sie* sind ja die Beute der Giftschlangen. Schon bei einem Menschen vergehen im allgemeinen Stunden, manchmal Tage. Die Leiche ist dann nicht unversehrt, sondern es kommt zu starken Schwellungen des getroffenen Gliedes, Blutungen aus allen Körperöffnungen, oft zum Absterben des Gewebes, Bloßlegen der Knochen, blutigen Verfärbungen der Haut. Bei einem Großtier, bei dem das Gift je Kilo Körpermasse noch viel mehr verdünnt ist, dürfte es im allgemeinen bis zum Tode noch viel größere Verheerungen anrichten. Schädelbrüche und Genickbrüche als Folge gutsitzender Hiebe während der Zweikämpfe sind wohl eher eine Erklärung für tote Giraffen, die man — sehr selten — äußerlich unverletzt auffindet. So beobachtete Herr Innes 1958 einen Bullen, der beim Kampf bewußtlos wurde und zwanzig Minuten lang auf dem Boden lag. Auch die Halswurzel ist mit ihren großen Blutgefäßen bei der Giraffe besonders empfindlich. Bei der Jagd von Giraffen, die heute als unweidmännisch durchweg verpönt ist, suchte man immer besonders die Halswurzel zu treffen.

Bei Heilbron in Südafrika fand im Juli 1958 eine Gruppe von Ausflüglern eine voll ausgewachsene Giraffe ausgestreckt etwa

*An Giftschlangenbissen gestorben?*

30 m neben der Straße auf der Erde liegen. Die Leute dachten, sie wäre tot, stiegen aus, um sie näher anzusehen, und stellten fest, daß das Tier atmete und sie mit offenen Augen anblickte. Da es sich nicht rührte, bekamen sie allmählich Mut, und die Herren dieser Ausflugsgruppe brachten es schließlich fertig, das Tier auf seinen Bauch zu wälzen und die Beine heranzubiegen — wahrscheinlich in ziemlicher Ahnungslosigkeit von der Gefahr eines solchen Verfangens. Zooleute wären dabei erheblich vorsichtiger gewesen. Schließlich stand das Tier von allein auf. Es wehrte sich überhaupt nicht gegen diese Hilfe. Als es wieder auf seinen Beinen stand, sah es von oben »hochmütig« auf die Leute herab, die es filmten und fotografierten. Dann schlug es mit seinem Schwanz und ging ruhig in den Busch. Von Zeit zu Zeit sah es sich noch nach seinen Helfern um.

In der Serengeti haben wir übrigens im April 1963 eine unverletzte tote weibliche Giraffe gefunden, die an einer Schwergeburt zugrunde gegangen war. Im Krüger-Nationalpark wurde ein Weibchen beobachtet, das während der Geburt ganz allein war. Man konnte das Tier von der Straße aus deutlich sehen. Es stand unter einigen Bäumen in einer kleinen Senke. Hals und Vorderbeine des Kalbes waren bereits sichtbar. Die Mutter störte sich nicht an den Zuschauern, die nur zwanzig Meter entfernt im Auto standen, sondern blieb ganz ruhig. Von Zeit zu Zeit hatte die Giraffenkuh Wehen und drückte das Jungtier immer einige Zentimeter heraus. Endlich erschienen die Schultern des Kalbes. Nach einigem Drücken rutschten sie auf einmal heraus und gleich hinterher der restliche Teil des Körpers. Durch das Herunterfallen des Jungtieres wurde die Nabelschnur abgerissen. Die Mutter beugte sich bald mit weitgespreizten Vorderbeinen herab, um den Neuankömmling zu besehen. Er machte nach etwa fünfzehn Minuten Versuche zum Aufstehen. Das gelang ihm lange Zeit nicht, die Mutter weidete jedoch dabei zufrieden an den umherstehenden Bäumen und sah sich von Zeit zu Zeit das Kalb an. Bei einer anderen Giraffengeburt im Krüger-Park standen neun Giraffen im Kreis um die gebärende Mutter. Dem Jungen gelang es nach etwa zehn Minuten, auf die Beine zu kommen, es fiel jedoch wieder hin. Diese Anstrengungen wurden etwa fünfundzwanzig Minuten lang wiederholt, danach lief die junge Giraffe um ihre Mutter und schien recht stark zu sein. Alle anderen Giraffen berührten das Kind mit den Nasen.

Junge männliche Giraffen kämpfen oft auch nur spielerisch miteinander. Bei uns im Frankfurter Zoo tat das der Giraffenbulle »Otto« gern und ausgiebig mit seinem Sohn »Thulo«. In Ermanglung eines wirklichen Gegners bekämpfte Otto auch bevorzugt den hoch aufgehängten Futterkorb mit Kopfschlägen. In einem anderen Fall berichteten Touristen über einen Kampf von zwei Giraffen auf der Malelane-Straße im Krüger-Park. *Wirbelbruch* Eine soll getötet worden sein. Der Wildhüter de Clerck ging so- *beim Kampf* fort hin und fand einen großen Giraffenbullen gerade neben der Straße liegen. Er hatte ein gewaltiges Loch genau hinter dem Ohr. Aus der Wunde war eine Menge Blut herausgekommen. Der oberste Wirbel war zersplittert, und Teile der Knochensplitter waren in das Rückenmark eingedrungen.

Schwer vorzustellen, was in so einem harten Giraffenkopf vorgeht, wie die Welt sich in den turmhohen Giraffenaugen widerspiegeln mag. Nach recht gründlichen Untersuchungen, *Giraffen* die Dr. Backhaus bei uns im Frankfurter Zoo vornahm, können *können Farben* Giraffen immerhin die Dinge mit Sicherheit farbig sehen; sie *sehen* unterscheiden zumindest die Hauptfarben Gelb, Blau, Grün und Rot. Ihr eigenes Aussehen stört sie in ihren Neigungen wohl weniger. Jedenfalls gibt es sehr viele verschieden gefleckte und gefärbte Giraffen, oft in derselben Herde. In der Serengeti sah ich längere Zeit immer wieder einen sehr dunkel, fast schwärzlich gefärbten Bullen; weiße Giraffen hat man im Garamba-Nationalpark und im Murchison-Nationalpark beobachtet, erst 1963 wieder eine, die friedlich zwischen üblich gefärbten weidete, im Rukwa-Schutzgebiet von Sambia. Es gelang so- *Weiße Giraffen* gar, sie vom Flugzeug aus zu fotografieren. 1965 wurde eine weiße Giraffe im Mkomazi-Wildreservat in Nord-Tansania bekannt, welches an den Tsavo-Park von Kenia anstößt. Es handelt sich um einen alten Bullen, der allein steht und nie zusammen mit anderen Artgenossen gesehen wurde. Da unter anderem die Augen dunkel sind, dürfte es sich wohl nicht um einen

reinen Albino handeln. Das Tier ist seit über zehn Jahren bekannt und konnte auch schon im Tsavo-Park, etwa 30 km vom
jetzigen Aufenthaltsort entfernt, beobachtet werden. Glücklicherweise scheint diese weiße Giraffe vor den eingeborenen
Wilddieben sicher zu sein, da diese die Farbe des Tieres mit
dem Gipfel des nahen Kilimandscharo und seinen Geistern in
Verbindung bringen und in abergläubischer Furcht vor Vergel-
tung diese Giraffe unbejagt lassen. 1967 wurde im Zoo von
Tokio, Japan, eine völlig fleckenlose Giraffe geboren.

# HEUTE LEBENDE KROKODILE HABEN STANLEY
UND LIVINGSTONE GESEHEN

*Wenn du in der Lagune watest, sollst du den Mund
des Krokodils nicht beschimpfen.*

*Afrikanisches Sprichwort*

Jedes Jahr reisen mehr Menschen nach Afrika, um auf bequeme
Weise die eindrucksvollen wilden Großtiere dieses Erdteils aus
nächster Nähe zu bewundern und zu fotografieren. Als gewöhnliche Touristen haben sie, wie gesagt, aber eigentlich nur
noch an *einer* Stelle Gelegenheit, mit Sicherheit große Krokodile aus der Nähe zu sehen: im Murchison-Falls-National-Park,
vom bequemen Motorboot aus auf den Sandbänken des Viktoria-Nils, unterhalb der Murchison-Wasserfälle. Schon im
zweiten großen Nationalpark Ugandas, dem Queen-Elizabeth-
Park am Eduard-See, gibt es keine, obwohl man dort auch
ganze Tage zwischen Wildtieren auf dem Wasser verbringt. Die
Nilkrokodile und eine Reihe von sonst weitverbreiteten Fischarten sind durch Vulkanausbrüche im Eduard-See vor Urzeiten
vernichtet worden. Die Krokodile haben es niemals geschafft,
vom Albert-See aus durch den Semliki-Nil, der beide verbindet,
wieder empor bis in den Eduard-See zu dringen. Vielleicht liegt
das an den Wasserfällen mitten im Urwald, wahrscheinlich aber
daran, daß die Schmelzwasser vom schneegekrönten Ruwenzori-
Gebirge, die durch Seitenflüsse in den Semliki hineinkommen,
den Riesenechsen zu unbehaglich kühl sind. Aber auch im Viktoria-Nil sind die Riesenkrokodile seltener geworden, und die
Massenansammlungen wie vor Jahrzehnten gibt es nicht mehr.
Es ist aber wirklich notwendig, die letzten Krokodile zu ver-

teidigen, schon weil sie so interessante Geschöpfe sind. Früher
waren sie in allen Flüssen und Seen Afrikas zu finden. Erst in
dem ersten Jahrzehnt unseres Jahrhunderts hat man sie in Palästina, dem heutigen Israel, ausgerottet. Ein paar einsame, ver-
kümmerte leben jetzt sogar noch in den Gewässern einiger
Oasen in der südlichen Sahara. Man hat Krokodile immer gejagt, weil sie Haustiere und gelegentlich auch Menschen verzehren. Aber das hat nie ihren Bestand gefährdet, erst die modernen Feuerwaffen haben ihnen den Garaus gemacht, und in den
letzten Jahren die Mode der Krokodilleder-Handtaschen und
-Schuhe, wodurch die Preise der Häute ungemein gestiegen sind.

So hat es sich gelohnt, mit Booten in den entlegensten Flüssen und Sümpfen herumzufahren, die Tiere nachts mit Scheinwerfern anzustrahlen und in die widerleuchtenden Augen zu
schießen. Selbst die winzigen Krokodilchen, die noch längst
nicht geschlechtsreif sind, bringen ausgestopft als Touristen-Sou-
venir ihr gutes Geld. Ein weißer Jäger hatte in den letzten Jahren in den Okavango-Sümpfen im Botswana-Land jährlich eine
viertel Million Mark durch Krokodiljagd erlöst. Er hatte dem
Batawan-Stamm 35 000 Mark und der Regierung 12 000 Mark
für die Jagderlaubnis bezahlt. In den letzten Jahren jagte eine
41jährige Nonne in Neu Guinea eifrig ausgerechnet *die* Kroko-
dil-Art, die auf Erden am meisten vom Aussterben bedroht ist —
um von dem Erlös eine kleine neue Missionskirche zu bauen. In
Florida führen die Wildhüter einen verzweifelten, bisher vergeblichen Kampf gegen organisierte Verbrecherbanden um die
letzten Alligatoren in den Schutzgebieten.

Die Krokodile haben in Afrika sogar die Insel Madagaskar
weit draußen im Ozean besiedelt, weil sie das Salzwasser nicht
scheuen. Man hat dort Knochen von zehn Meter langen ausgestorbenen Nilkrokodilen gefunden. Im Nil selbst sind sie ausgerottet bis hinauf zum zweiten Nil-Katarakt. Noch zu Anfang
unseres Jahrhunderts waren sie im heutigen Tansania, damals
Deutsch-Ostafrika, so zahlreich, daß die Verwaltung eine
Schußprämie von einem Viertel bis zu drei Rupien (eine Rupie
= 1,33 RM) je Kopf zahlte. 1910 machte sich ein Viehhändler
nach dem Rukwa-See auf und verdiente sich dort in zwei Mona-

ten 5000 Rupien Schußprämien. Noch 1950 wurden in Tansania 12 509 Krokodilhäute erbeutet, meistens im Rukwa- und Viktoria-See und im Ruvu-Fluß. Das Krokodil ist aber ein wichtiges Glied des Wildlebens in den Gewässern Afrikas; wir wissen noch nicht recht, wie sich sein Verschwinden auf die Dauer auf ihren Fischreichtum auswirken wird. Darum hat Hugh B. Cott von der Universität Cambridge, England, allein fünf Jahre seines Lebens, von 1956 bis 1961, angewandt, um die Krokodile in Sambia und Uganda zu erforschen. Der indoafrikanische Biologe M. L. Modha hat 1965 acht Monate lang bei einer Nachtwärme von 26° und tags 36 bis 42 °C auf Central Island im Rudolf-See, Nordkenia, verbracht (s. Seite 204). 1968 wurde er dort bei weiteren Studien von einem kleineren Krokodil beim Baden gepackt und übel zugerichtet. Zum Glück konnte ihn sein afrikanischer Gefährte befreien. Die Insel ist 5,6 × 4 km groß, und in einem der drei Kraterseen darauf leben dort etwa fünfhundert große Krokodile. Die Männchen sind über 3,5 bis 4 m lang und daher leicht von den weiblichen Tieren zu unterscheiden. Sie hatten das 1200 m lange, unter Beobachtung stehende Seeufer in zwölf Eigenbezirke unterteilt und verfolgten Eindringlinge bis fünfzig Meter weit in das Wasser hinein. Die Weibchen bevorzugten nicht die größten Männchen, sondern die Bezirke mit den besten Sonn- und Nistplätzen.

*Krokodilforschung unter Lebensgefahr*

Die Revierbesitzer schwimmen auch zur heißesten Tageszeit nach kurzer Rast ihr Uferstück ab, in der alle anderen Krokodile sich an Land sonnen und ruhen. Dabei halten die Revierinhaber fünf bis zehn Minuten stets an derselben Stelle an der Grenze ihres Revieres im Wasser an und kehren dann wieder um. Wenn weitere männliche Krokodile zuwandern oder wenn es Kämpfe gegeben hat, verschieben sich auch die Grenzen der Eigenbezirke. Die männlichen Landbesitzer treiben keinesfalls ähnlich wie Hirsche die Weibchen zusammen, wohl aber verjagen sie andere männliche Tiere. Diese flüchten dann ans Ufer, wobei ihre Schnauze aus dem Wasser ragt, sie werden von dem Besitzer des Bezirkes verfolgt, der dabei aber nur halb aus dem Wasser kommt, brüllt und in der Richtung des Fliehenden schnappt. Schon nach wenigen Minuten geht er rückwärts wie-

*Revierbesitzer verjagt alle Krokodilmänner*

der ins Wasser und schwimmt weiter an seinem Uferstück hin und her. Grundsätzlich verbringen die großen Echsen die Nacht im Wasser, den größten Teil des Tages in der Sonne an Land. Nur über Mittag gehen sie gern in den Schatten oder kühlen sich auch für kurze Zeit im Wasser ab, auf dem heißen Central Island sogar für volle drei Stunden. Bei Einbruch der Dunkelheit sind aber die Ufer leer von ihnen. Obwohl sie nach den Lehrbüchern Kaltblüter oder zumindestens wechselwarm sind, bringen sie es auf diese Weise fertig, eine ziemlich gleiche Körpertemperatur von 25,6°C zu halten. Sie schwankt äußerstenfalls um 3,4°C nach oben oder 2,6°C nach unten. In der Mittagshitze machen sie gern den Mund weit auf. Weil sie am Körper keine Schweißdrüsen haben, verdampfen sie auf diese Weise Wasser aus den Mundschleimhäuten und kühlen sich ähnlich ab wie wir und andere Säugetiere durch Schwitzen. Selten oder nie trifft man sie im offenen Wasser von Seen an. Auch als es noch viele Krokodile gab, brauchte man im Viktoria-See nur mit dem Boot ein paar Kilometer hinauszufahren, um ohne jede Sorge zu baden.

*Mund auf zur Abkühlung*

Das Mundöffnen der Krokodile hat schon den alten Herodot (490 bis 420 v. Chr.) zu erzählen bewogen, daß der Vogel Trochilos in den Krokodilmund hineinschlüpft und dort Egel abpickt. Diese Geschichte ist von den antiken Schriftstellern immer wiederholt worden: Plinius behauptete, er holte auch zwischen den Zähnen Fleischreste heraus, weil das Krokodil keine Zunge hätte, um selber die Zähne zu reinigen. Das letzte stimmt jedenfalls nicht; Nilkrokodile *haben* Zungen. Sie sind nur breiter angewachsen als bei uns, und das Tier kann sie also nicht aus dem Mund hinausstrecken. Der alte Aristoteles behauptete sogar, die Krokodile bewegten ihren Kopf, ehe sie den Mund zumachen, um die Vögel zu warnen und ihnen Gelegenheit zu geben, vorher hinauszufliegen. Aelianus fügte noch hinzu, der Vogel warnte die Krokodile vor Gefahren durch seinen Ruf.

*Krokodile haben doch Zungen*

Das stimmt ganz sicher. Der Sporenkiebitz (Hipoplopterus spinosus) braucht nur seinen schrillen Warnruf auszustoßen, sofort rutschen die Krokodile ins Wasser. Dieser Vogel darf auch unbekümmert auf den Krokodilen und zwischen ihren

Köpfen herumlaufen. Der Flußuferläufer (Actitis hypoleucos), der bei uns in Europa brütet und die Krokodile im Winter besucht, sammelt die Schmarotzer an ihrem Körper und läuft den Krokodilen, die aus dem Wasser kommen, geradezu entgegen. Daß die Vögel aber in den offenen Mund hineingehen und die Zähne säubern, will man im neueren zoologischen Schrifttum nicht recht wahrhaben. Ich selber habe es jedenfalls auch noch nie gesehen. Immerhin beschreibt J. J. Player, daß ein Flußuferläufer im Zulu-Land vor seinen Augen im Krokodilmund nach Nahrung gepickt hätte. Auf dem Unterkiefer stehend, hätte er Egel von der Mundschleimhaut abgelesen. Der Schweizer Biologe Guggisberg, der auch nicht dran glaubte, sah auf dem Viktoria-Nil sogar einen Marabu dreimal in den weitgeöffneten Mund eines Krokodils hineinhacken und zum Schluß einen kleinen Fisch herausholen. Dieser Vorgang wurde sogar gefilmt. Auf jeden Fall brütet der Water-Dikop (Burhinus vermiculatus), ein Triel, immer wenige Schritte neben der Stelle, wo Krokodile ihre Eier vergraben haben und ihr Nest hüten. Die Krokodile tun ihm nichts, und er zieht aus ihrer Bewachung nur Nutzen.

Säubern Vögel den Krokodilrachen?

Krokodile haben drei Gangarten. Sie können auf dem Bauch rutschen, mit seitwärts abgespreizten Beinen, um nur rasch ins Wasser zu kommen. Für gewöhnlich marschieren sie aber an Land, indem sie die Beine etwas unterstemmen und den Leib von der Erde abheben. Auch galoppieren können sie, wenigstens die jungen Krokodile, wenn sie es auch sehr selten tun. Das sieht dann wie das Davonhüpfen eines Eichhörnchens aus. Im Wasser dagegen schwimmen die Echsen wie Fische, sie legen die Gliedmaßen dicht an den Körper an und treiben sich durch Schwanzschläge und Schlängeln des Körpers vorwärts. Kleine Krokodile, die unter einem Meter lang sind, können bis zu 44 Minuten ohne zu atmen auf dem Grunde des Wassers liegen, erwachsene wohl über eine Stunde.

Krokodile können galoppieren

Man hat immer viel darüber gerätselt, warum man in totgeschossenen Krokodilen Steine findet. Daß sie wie bei manchen Vögeln dazu dienen, die Nahrung zu zerkleinern, leuchtet nicht recht ein. Schließlich haben Krokodile keinen Muskelmagen, mit dessen Wänden sie den Inhalt zerreiben könnten.

Was sollen die Steine im Krokodilbauch?

Außerdem findet man neben den Steinen unversehrte Rundwürmer, Schalen von Muscheln und ähnliche Dinge. In jungen Krokodilen im ersten Lebensjahr entdeckt man niemals Steine, bei ausgewachsenen fast immer, und zwar so viel, daß sie etwa 1 v. H. des gesamten Körpergewichtes ausmachen. Vielleicht dienen diese Steine zum Tauchen. Wenn so ein Riesen-Kriechtier ins Wasser geht, verringert der Auftrieb ja sein Gewicht um 92,5 v. H. Ein Tier von 200 kg Gewicht wiegt im Wasser also nur noch 15 kg. Der Krokodilforscher Cott nimmt demzufolge an, die Steine seien eine Beschwerung, ein Ballast!

*Herausgeschnittenes Herz schlug noch eine halbe Stunde*

Die Echsen sind recht zählebig. Der Großwildjäger Alexander Blake wickelte das herausgeschnittene Herz eines großen männlichen Krokodils in ein feuchtes Tuch und legte es in die Sonne. Nach einer halben Stunde schlug es immer noch. Er will übrigens auch nachts eine Wanderung von vier- bis fünfhundert Krokodilen an beiden Seiten seines Lagers vorbei beobachtet haben. Der deutsche Beamte Hans Besser, der vor dem ersten Weltkrieg vierzehn Jahre in Ostafrika verbracht hat, schoß eines Tages ein Krokodil, das aber trotzdem noch ins Wasser flüchtete. Sein mutiger afrikanischer Gehilfe lief ihm nach, packte das zwei Meter lange Tier am Schwanz und schleppte es an Land. Als das Tier sich wehrte, fiel er kopfüber ins Wasser und ebenso Besser selbst mit seinem Gewehr. An Land

*Unglaublich zählebig*

nagelte der Gehilfe Mtuma das Tier mit einem eisernen Büffelspeer an die Erde. Da es den Rachen aufriß, zog Mtuma den Speer wieder heraus und stach es durch den Rachen und den ganzen Körper. Das Krokodil klappte den Mund zu und hielt den eisernen Speer so fest zwischen den Zähnen, daß Mtuma ihn nur ruckweise nach und nach herausziehen konnte, wobei das Eisen widerlich an den Zähnen knirschte. Erst dann schnitt Mtuma mit einem Jagdmesser den Nacken bis zur Wirbelsäule und durchbohrte sie mit der Spitze des Speeres. »Da mein Freund nicht kam, schrieb ich einen Zettel, den ich dem Krokodil ins Maul klemmte und der meine Anwesenheit und Rückkehr kundtun sollte«, beschreibt Besser. »Dann schleifte ich das Krokodil über den Weg, so daß mein Freund es unbedingt sehen mußte, wenn er kam. Nachdem ich mir die Hände gewaschen

174

hatte, setzte ich mich unter den Schatten einer Tamarinde und frühstückte. Da sagt Mtuma zu mir: ›Da, Herr, sieh nur dein Krokodil.‹ Und wirklich, ich traute meinen Augen kaum, das Krokodil lief gemächlich zum Wasser und verschwand darin trotz der schweren Verletzungen, die wir ihm beigebracht hatten und wovon jede einzelne tödlich war.«

Ausgewachsene Krokodile leben überwiegend von Säugetieren. R. J. G. Attwell sah, daß sie am Luangwa-Fluß in Sambia (früher Nordrhodesien) schwimmenden Tierleichen kilometerweit im Fluß folgten. Immer mehr Krokodile schlossen sich diesen Leichen an. Selbst tote Elefanten wurden von ihnen im Wasser verzehrt. Allerdings lebten die Krokodile hier mehr von Kaffernbüffeln, die oft ertranken, manchmal bei Überschwemmungen in Herden bis zu hundert Köpfen. Ferner gab es öfter tote Flußpferde durch die Kämpfe der Bullen untereinander. Die Krokodile sind zunächst recht ängstlich, sie ziehen sich von dem Kadaver zurück, wenn man am Ufer in die Nähe geht oder gar eine Beobachtungshütte dort aufbaut. Sobald aber die großen Vundu-Fische (Heterobranchus longifilis) oder Geier sich an dem toten Tier zu schaffen machen, werden die Krokodile wohl futterneidisch und kommen bald wieder heran. An einem toten Flußpferd waren 120 Krokodile beschäftigt. Im ganzen Fluß war drei Kilometer abwärts kein einziges mehr von ihnen zu finden. Sobald ein Krokodil herankommt, schwimmt es erst um die Tierleiche herum, damit es den Kopf gegen den Strom richten kann. Ein Krokodil holte die Eingeweide eines Büffels, der von Löwen getötet worden war, zwanzig Meter vom Wasser entfernt weg.

*120 Krokodile an einem toten Flußpferd*

Krokodile haben an sich keine Zähne, die geeignet sind, eine große Beute zu zerreißen oder zu zerkauen. Bei einem frischgetöteten Flußpferd oder Büffel können die Echsen daher zunächst nur die Ohren und den Schwanz abbeißen, weil die Haut noch zu fest ist. Sie lehnen keineswegs frisches Fleisch ab, wenn es ihnen mundgerecht ist, sie schaffen es nur nicht, die Bissen herauszureißen. Deswegen schieben sie auch öfter tote Antilopen in Höhlen am Ufer unter dem Wasser oder unter überhängende Ufer, damit die Haut aufweicht und die Verwesung einsetzt.

Der Wildwart J. Stevenson-Hamilton des Krüger-Parks berichtet, daß ein toter schwarzer Junge mit nur wenig Verletzungen unter dem überhängenden Ufer gefunden wurde, nachdem die Dorfbewohner das Gewässer mit Stöcken abgesucht hatten.

*Krokodile drehen sich um ihre Längsachse*

Krokodile reißen Fleischstücke aus einem Körper heraus, indem sie sich festbeißen und sich dann ruckartig im Wasser herumdrehen. Dabei schlägt meistens der Schwanz aus dem Wasser hervor, und die helle Bauchseite ist zu sehen. Diese Drehung wird oft, bis zu neunzehnmal hintereinander, wiederholt. Mitunter dreht sich ein Krokodil auch mehrmals völlig um seine Längsachse. Hat es einen Bissen abgerissen, so kommt es mit dem halben Kopf über die Wasseroberfläche, wie wir in der Serengeti in der Dämmerung beobachten konnten, als ein Krokodil ein halberwachsenes Zebra verschlang. Es wirft sich dann den Bissen ruckweise tiefer in den Mund nach hinten. Dieses Tier blieb nach jedem Bissen schwer atmend einige Minuten an der Oberfläche und tauchte dann unter, um unter Wasser von neuem zuzubeißen (Myles Turner). An einem toten Büffel waren im Luangwa-Fluß dreißig bis vierzig Krokodile versammelt. Dabei kam es fast nie zum Beißen untereinander; die Tiere sind

*Bei den Turkanas, einem Volksstamm in dem weltentlegenen Gebiet am Rudolf-See, laufen die Männer vielfach völlig nackt herum, besonders natürlich beim Fischen. Ebenso ist es im südlichen Sudan, wo ich kurz hinterher notlanden mußte. Auch dort kamen mir die Männer in den Dörfern häufig splitternackt entgegen. Im Sudan wurde ich von der arabischen Regierung eingesperrt und zunächst in ein Strafverfahren verwickelt.*

*Ein Nilkrokodil, das mehr als 5,5 m lang ist, lebt schon länger als hundert Jahre. Die Tiere werden erst mit über achtzehn Jahren geschlechtsreif. Zu Lande flüchtet ein Nilkrokodil stets vor Menschen und großen Tieren, es sei denn, eine Krokodilmutter liegt auf ihren im Nest vergrabenen Eiern und verteidigt sie. Man kann die kleinen Krokodile schon im Ei unter der Erde »reden« hören.*

*Seite 178:*
*Zum Trinken müssen Giraffen die Vorderbeine grätschen und womöglich noch einknicken. Wie sie dabei mit dem wechselnden Blutdruck im Gehirn fertig werden, hat Wissenschaftler in den letzten Jahren immer wieder sehr beschäftigt.*

*Seite 179:*
*Die Erdmännchen oder Surikaten Südafrikas, auch Erdhündchen genannt, leben gruppenweise. Auch Väter, Onkel und Tanten kümmern sich um die Kinder. Die kleinen Kerle sehen sehr gut, auch in Farben, und richten sich dazu immer wieder neugierig auf. Da jedermann sie gern hat, leben sie selbst in Farmen und vertragen sich dort schließlich sogar mit den Hunden.*

sehr verträglich. Allerdings fällt auf, daß niemals kleine und halbwüchsige Krokodile zusammen zu sehen sind — sie haben mindestens 2,5 m Länge. Auch große Fische, die sonst zur Beute der Krokodile zählen, beteiligen sich zwischen ihnen an der Beute, oft geradezu in Reih und Glied mit den Krokodilen. Ein sehr großer Fisch wurde bei der Drehung einer Echse aus dem Wasser geworfen.

Die Tiere verdauen nicht sehr schnell und kräftig. Vielleicht ist das auch ein Grund dafür, daß sie gern angewese Tierkörper verzehren. Die »Times of Swaziland« berichtete am 8. November 1952, daß ein 4,20 m langes Krokodil einen achtjährigen Jungen am Ufer einer Insel im Usutu-Fluß nahe der Mission St. Phillips am Gesäß gepackt und ins Wasser gezogen hatte. Ein junger Mann von neunzehn Jahren durchquerte sofort den Fluß und stach das Krokodil mehrmals mit dem Speer. Leider wurde es bald dunkel, so daß er es erst am nächsten Morgen zusammen mit dem Großvater des Kindes verfolgen konnte. Er traf es wieder auf einer Sandbank liegend. Der junge Mann schleuderte seinen Speer aus einer Entfernung von sieben Metern gegen das Krokodil. Die Waffe blieb hinter der Schulter stecken. Die Echse floh durch das Wasser, wobei das Speerende herausragte. Es gelang den Verfolgern, das Tier am anderen Ufer zwischen Ästen und Stöcken einzuschließen. Der mutige junge Mann stieg ins Wasser und setzte dem Krokodil

*Ein Junge vom Krokodil gefressen*

*Schon die ersten europäischen Schiffbrüchigen beschrieben die Zulus als einen sehr stolzen, reinlichen Volksstamm, der die Nahrung sehr sorgsam zubereitet und eifersüchtig auf seine Frauen ist. Aber erst um 1820 baute Shaka, der Napoleon oder Attila Südafrikas, ein Riesenreich auf. Er bildete Regimenter von Kriegern, die unverheiratet bleiben mußten, zwang sie, barfuß zu gehen, keine Speere mehr zu gebrauchen, sondern mit Schild und kurzem Schwert den Feind unmittelbar anzugreifen. In wenigen Jahren schuf er sich ein Riesenreich. Eines Morgens war seine Behausung mit Blut besprengt. Durch die Zauberpriester, welche eine grausame Schreckensherrschaft über sein Volk ausgebildet hatten, ließ er nach althergebrachter Sitte Hunderte von Schuldigen, d. h. behexten Menschen aus einer Massenversammlung seines Volkes »herausschnüffeln«, welche die Untat begangen haben sollten. Nach alter Sitte mußten diese verhexten, zitternden Menschen mit ihren gesamten Familien qualvoll hingerichtet werden. Bevor das jedoch geschah, verkündete König Shaka mit dröhnender Stimme, daß er selbst in der Nacht sein Haus mit Blut begossen hätte. Er ließ alle Zauberpriester, die also Unschuldige herausgesucht hatten, sofort töten. Shaka wurde 1828 von seinen Halbbrüdern ermordet. Sein Reich blühte bis 1879, dann unterwarfen es die Briten in einem blutigen Krieg, der auch für sie sehr verlustvoll war.*

so lange zu, bis es tot war. Als man das Tier herausgezogen hatte und aufschnitt, fand sich die Vorderhälfte des getöteten Kindes völlig erkennbar, nicht im geringsten angedaut im Magen, obwohl sie zwölf bis fünfzehn Stunden darin gewesen war. Der Großvater begrub seinen Enkel und setzte den abgeschlagenen Kopf des Krokodils auf das Grab. Der Rachen war mit einem Stock offen gehalten.

Wie stark die Tiere sind, zeigte ein etwa vier Meter langes Krokodil, das an einer Sandbank in Natal lag, mit einer voll ausgewachsenen weiblichen Impala-Antilope. Als die Echse gestört wurde, schleuderte sie die Impala (etwa 50 kg schwer) mit einer Kopfbewegung über sich auf die andere Seite und schoß wie der Blitz damit ins Wasser.

Eine Farm in Südrhodesien verlor in zehn Monaten des Jahres 1927 allein durch Krokodile 179 Rinder.

Insbesondere die Fähigkeit der Krokodile, Menschen umzubringen, hat die Bevölkerung schon immer tief beeindruckt. Im alten Ägypten glaubte man, den Gott des Flusses versöhnen zu müssen, indem man ihm jährlich ein jungfräuliches schönes Mädchen opferte. Im Rahmen eines Volksfestes wurde die Unglückliche den Krokodilen vorgeworfen und zerrissen. Auf den Sesse-Inseln im Viktoria-See sahen die Menschen in dem Krokodil den hohen Priester eines Gottes. Man brachte ihm Opfer, indem man Menschen Arme und Beine brach und sie an den Strand legte, wo die Krokodile sie holen konnten. Der König Mutsa ließ in den Religionskämpfen gefangene Afrikaner mohammedanischen Glaubens auf kleine Inseln in der Murchison-Bucht bringen, wo sie verdursten und verhungern oder bei der Flucht von Krokodilen zerrissen werden mußten.

Mein Sohn und ich haben die Dan besucht, die in Westafrika teilweise in Liberia, teils im Staate Elfenbeinküste leben. Dr. Himmelheber freundete sich dort mit einem Häuptling an und konnte auf diese Weise teils in Afrika, teils durch Besuche dieses Dorfchefs bei ihm in Heidelberg sehr gründlich die Religion der Dan erforschen. Bei diesem Volk wird die Galle des Krokodils als giftig angesehen. Hat ein Jäger eins erlegt, so muß er sofort seinem Dorf Nachricht geben. Dann kommt der Medizinmann, holt die Gallenblase unverletzt heraus, schneidet sie vor aller Augen auf und läßt den Inhalt in den Fluß laufen. So kann niemand mit der vermeintlich giftigen Galle Unheil anrichten.

Im März 1959 beredete in Chikwawa in Malawi (früheres Nyassa-Land) ein Großvater einen gewissen Elard Chipandale, seine Enkelin zu töten. Elard Chipandale war als »Krokodilmann« bekannt; er sollte das achtjährige Kind umbringen, weil es seinem Vater nicht folgte. Nach der Tat erhielt er eine Anzahlung von 22 Mark. Weil der Großvater ihm den Rest schuldig blieb, verklagte ihn der Mörder vor Gericht. Den verblüfften Richtern erklärte er, er könnte sich in ein Krokodil verwandeln, indem er sich Zauberäste an die Hüften bände. Dann bekäme er eine lange Nase, einen langen Schwanz und scharfe Zähne. Mit dem Schwanz hätte er dem Kind die Knochen gebrochen. Als die Richter ihn aufforderten, das vorzumachen, meinte er, das ginge nicht, weil er die Zauberäste schon vernichtet hätte. Großvater und Täter wurden hingerichtet.

*Großvater ließ seinen ungezogenen Enkel von »Krokodilmann« umbringen*

Aber auch ohne jeden Aberglauben kann man durch Krokodile zu Tode kommen. Im Tsavo-Nationalpark Kenias badeten in einem der glasklaren Quellbecken an dem Mzima Springs zwei europäische Kinder. Das Mädchen sah, wie unter Wasser ein Krokodil herankam, und lief weg, der Junge wurde gepackt. Als die Eltern dann mit anderen Leuten die ganze Umgebung absuchten, fand man die Leiche mit nur wenig Bißwunden tief im Röhricht versteckt. — Der Tierhändler Hermann Ruhe verlor 1917 in Sumatra den sehr tüchtigen Tierfänger Kreth durch das recht ungewöhnliche Verhalten eines Krokodils. Kreth fuhr von einer Jagdpartie in aufgebrachter Stimmung mit Gästen abends nach Hause und ließ dabei einen nackten Fuß über den Bootsrand hängen. Er wurde so schnell von einem Krokodil gepackt und ins Wasser gerissen, daß niemand auch nur schießen konnte. Als der Fluß durch Militär abgesucht wurde, fand man am dritten Tag die völlig verstümmelte Leiche.

*Vom Krokodil aus dem Boot gerissen*

Zur Paarung geben die Krokodil-Bullen des öfteren ein dröhnendes, lang anhaltendes Gebrüll von sich, das wie das Rollen großer Trommeln klingt. Sie heben dazu den Kopf hoch und reißen den Mund weit auf. Das Paarungsspiel erfolgt im Was-

*Wenn sich Krokodile lieben*

ser, und zwar im Rudolf-See vorwiegend zwischen 9 und 11 Uhr früh nach dem ersten Sonnenbad am Ufer. Trifft ein Männchen, das am Ufer seines Eigenbezirkes auf und ab schwimmt, auf ein Weibchen, so hebt es den Schwanz gebogen aus dem Wasser, die Spitze bleibt dabei eingetaucht. Außerdem hebt der Krokodilmann den Kopf, so daß der Unterkiefer auf dem Wasser aufliegt, bläst offenbar den Nacken auf und läßt an beiden Wangen Blasen aufsteigen. Durch Klappen der Kiefer und heftiges Schlagen des Schwanzes peitscht der Krokodilmann das Wasser auf. Dann folgt er dem Weibchen, schwimmt schließlich neben ihr, überholt sie schließlich und drängt sie in eine Kreisbahn. Während das Männchen stumm bleibt, hebt das Weibchen den Mund aus dem Wasser und gibt kehlige Laute von sich. Manchmal flüchtet es jetzt, oder es duldet, daß ihm der Bewerber eine Hand auf die Schulter legt und aufsteigt. Beide Schwänze können sich etwas umwinden und gegeneinanderschlagen. Da das männliche Tier das Weibchen mit den Pfoten festhält, können sie vereinigt weiterschwimmen. In tieferem Wasser taucht das Weibchen dabei unter, in flachem liegt das Männchen auf der Seite. Die eigentliche Paarung dauert eine halbe bis fast zwei Minuten. Zwischen 13 und 14 Uhr ruht das Paarungsspiel.

*Kämpfende Krokodilmänner*

Wenn sich Reviernachbarn oder aufbegehrende fremde Männchen in Kämpfe verwickeln, dann liegen sich die Gegner untergetaucht gegenüber, nur ihre Kopfoberseite kommt aus dem Wasser heraus. Neben der Nase lassen sie kleine Wasserfontänen aufsteigen. Plötzlich springt einer, manchmal laut brummend, mit weit offenem Mund bis zu den Schultern aus dem Wasser, auf den anderen. Etwa dreiviertel Stunden lang beißen die Kämpen sich gegenseitig und fassen sich manchmal auch an den Kiefern. Von solchen Gefechten werden andere Krokodile angelockt. Die Brutzeit liegt für die einzelne Gegend fest, ist aber in verschiedenen Teilen Afrikas in anderen Monaten. Am Viktoria-Nil legen die Krokodile zwischen Dezember und Januar ihre Eier, also während der Trockenzeit, wenn das Wasser sinkt.

*Nester der Krokodile*

Auf der Central-Insel im Rudolf-See werden die Eier Ende Dezember nach der ersten Regenzeit gelegt, die Jungen schlüpfen nach Beginn der zweiten im März. Die Nistplätze liegen fünf bis zehn Meter vom Wasser entfernt, etwa zwei Meter über dessen Oberfläche, an nichtsteilem Ufer, sie sollen steinfreien Sand und Schatten haben. Die Weibchen graben mit den Händen, schieben den Sand mit den Hinterbeinen weg und reißen Gras mit Zähnen und Händen aus. Die Eiergrube liegt zwanzig bis fünfzig Zentimeter tief im feuchten Sand, an schattigen Orten ist sie flacher als an schattenlosen. Sie hat vorn einen runden Eingang und ist vor der großen Eikammer verengt. Die Besitzerin legt zur Nachtzeit in mehreren Schüben im Durchschnitt 33 Eier ab und deckt die Nestfläche wieder mit Sand oder mit einer Schicht Gras zu, die bis zu einem viertel Meter dick ist. Der Sand ist unter diesem Gras bis zu zehn Grad kühler als in der Sonne daneben. In der Eikammer hat Modha 30 bis 35°C gemessen. Die Nistplätze sind manchmal auch bis 30 m vom Wasser entfernt. Die Brut dauert elf bis dreizehn Wochen. Die ganze Zeit wacht die Mutter über ihr Gelege. In feuchtem, lehmigem Boden liegen die Eier nur 10 cm, in Sand 50 bis 60 cm tief unter der Erde. Meistens liegt die Mutter darauf, nur bei großer Hitze geht sie zeitweise ins Wasser, um sich abzukühlen. Wenn sie zurückkommt, macht sie mit ihrem Körper den Boden über den Eiern naß. Früher haben die Krokodile wohl ähnlich wie manche Vogel-Arten in Brutkolonien ihre Nester angelegt. Am südlichen Albert-See fand Cott auf einer Fläche von 62 qm immerhin noch 24 Nester. Meistens geht die Mutter während der heißesten Stunden nicht ins Wasser, sondern nur in den naheliegenden Schatten eines Baumes und behält ihr Gelege von da aus im Auge. Die Tiere werden während der Brutzeit äußerst träge, was wohl auf den Wasserverlust des Körpers durch das Verdampfen zurückzuführen ist. Zehn Nester im Murchison-Falls-Park, deren Temperatur gemessen wurde, hatten im Durchschnitt 30° C Wärme im Inneren; in 24 Stunden schwankte die Temperatur höchstens um 3° C. Der Nilwaran, eine 1,50 bis 1,80 m lange Echse, ist bekannt dafür, die Krokodileier auszugraben. Er schlägt sie erst gegen einen Stein oder gegen einen Baum, bevor er sie verzehrt.

Vor dem Schlüpfen hört man auch durch eine dreißig Zentimeter dicke Erdschicht bereits das Zirpen der Jungen, ja sogar

*Mütter bewachen die Eier*

Junge zirpen
schon im Ei
unter der Erde

4 m weit. Sie »grunzen« besonders, wenn man auf den Boden
klopft, am Nest vorbeigeht oder ihnen ihre eigenen Rufe vom
Band vorspielt. Ihr Ruf lockt auch erwachsene Krokodile an.
Auf Madagaskar bemerkte Voeltzkow, daß die Jungen, die er
in einer Kiste hatte, in den Eiern quakten, sobald er schwer auf-
trat oder gegen die Kiste stieß. Wahrscheinlich antworten die
Tierchen auf die Schritte der Mutter. Diese muß dann mit dem
Bauch die Erde wegschieben, denn sie können sich niemals
allein emporarbeiten. Während des Schlüpfens greifen die Kro-
kodil-Mütter übrigens auch zu Lande Menschen an, während
das die Riesenechsen sonst so gut wie niemals tun.

Im Mkuzi-Wildreservat Südafrikas züchtet man Krokodile,
um die Gewässer wieder mit ihnen zu bevölkern. Dabei zeigen
sich die aufgesammelten Eier recht widerstandsfähig. Wenn
man sie strohgebettet in Kisten im Boot und Auto bis 250 km
auf schlechter Straße befördert, nehmen sie keinen Schaden.
Man muß nur die obere Seite der Eier kennzeichnen, damit sie
wieder richtig zur weiteren Brut eingelegt werden — nicht in
Sand, sondern in Körbe zwischen Grasschichten, die bespritzt
und notfalls in den Schatten gestellt werden. Auf diese Weise
bringt man mehr Junge auf als in Freiheit, wo doch sehr viele
von ihnen vernichtet werden. Als richtige Bruttemperatur hat
man dort 27 bis 35° C herausgefunden. Für kurze Zeit kann die
Temperatur bis auf 19° C absinken oder bis auf 38° C anstei-
gen, ohne daß die Tiere zugrunde gehen.

Hans Besser wurde in Tanganyika von einem Krokodil an
Land angegriffen. Er tötete es und untersuchte dann die Stelle,
wo das Tier vorher im Sand gescharrt hatte. Es schien ihm, als
ob Töne aus der Erde empor kämen. So legte er sich auf den
Boden, um besser hören zu können, und vernahm sehr deutlich
ein sehr lebhaftes Geräusch »etwa von der Art, als wenn sau-
gende junge Hunde bei eintretender Sättigung vor Wohlbe-
hagen stöhnen«. Mit der Hand grub er die Erde auf und för-
derte bald einige junge Krokodile zutage, die sofort zubissen.
Sie waren etwa 25 cm lang, einige trugen noch die Dotterblase
am Nabel, und strebten sofort dem Fluß zu. Dabei konnten sie
die Wasserfläche nicht sehen. Obwohl er ihnen den Weg ver-

legte, bemühten sie sich immer weiter, nach dem Wasser zu kommen. Zunächst nahm er dreißig Stück und sperrte sie in eine Kürbisflasche, um sie lebend mit nach Hause zu nehmen. Die übrigen, die sich durch den Sand hocharbeiteten, schlug er mit der Kante des Ruders tot. Insgesamt steckten in der Gelegegrube 205 Stück. Teilweise waren die Eier noch geschlossen; die sonst von Kalk gehärtete Schale war jedoch weich, so daß er nur die zähe Haut leicht einzureißen brauchte; dann sprengte das Tier die Eihülle selbst und setzte sich mit schleifendem Dotter sofort nach dem Wasser in Bewegung. Es war kein taubes Ei darunter. Ob die vorgefundene Zahl dem Gelege *eines* Tieres entspricht oder von mehreren herrührte, konnte er nicht feststellen. An den jungen Krokodilen, die er mitnahm, konnte er trotz reichlichster Futtergabe von geschabtem Fleisch und Fischbrut während dreier Jahre nicht das geringste Wachstum wahrnehmen. Die kleine Gesellschaft stürzte sich stets wild auf das Futter und aß nie an Land, sondern stets unter Wasser.

Die Jungen sind in den ersten Lebensstunden äußerst gefährdet durch Fischadler, Marabus, Geier. Der Nilwaran folgt ihnen bis ins Wasser, und dort stellen ihnen Schildkröten nach, aber *Kleine* auch die erwachsenen Nilkrokodile. Die Krokodil-Mutter ge- *Krokodile* leitet ihre Kinder wie eine Enten-Mutter, die Kleinen klettern *reiten auf* sogar auf ihren Rücken. Sie sind bei der Geburt 28 bis 34 cm *Mutters* lang und haben einen Dottersack von der Größe eines Hühner- *Rücken* eis, der als Nahrungsvorrat für mehrere Monate genügt. In der ersten Zeit halten sich die kleinen Krokodile alle zusammen, sie sind sehr unruhig, quäken, grunzen und schnappen nacheinander, kriechen in Höhlungen und Verstecke. Sie begrüßen die Mutter mit Grunzen, klettern ihr auf den Kopf und auf die Schnauze und schwimmen ihr sofort wieder nach, wenn sie wegtaucht. Die Weibchen vertreiben Warane, andere Krokodile und Reiher aus der Nähe der Kinderstube, trotzdem sind die Verluste sehr groß. Im Rudolf-See erbeuten auch die Welse viele *Fische* kleine Krokodile. Modha ermittelte durch Markieren, daß Nest- *verzehren* geschwister zwei bis drei Wochen am selben Ort bleiben und *Krokodile* daß sich später dann die Jungen verschiedener Nester zusammenschließen. Die Weibchen bewachen auch fremde Junge.

Die jungen Krokodile leben versteckt hinter Gebüsch, in unkrautüberwucherten Buchten, also an ganz anderen Stellen als die Erwachsenen. Zuerst erbeuten sie Schnecken, Libellenlarven, Grillen, Käfer und andere Insekten, später Krabben, Kröten, Frösche, kleine Vögel und Nagetiere. Die Halbwüchsigen leben von Fischen und Schnecken. Nachher erbeuten sie mehr und mehr andere Reptilien und Säugetiere. Joy Adamson, die bekannte Ziehmutter der »Löwin Elsa«, fand in der Regenzeit in einem kleinen Tümpel unweit ihres Zeltes sieben Krokodil-Babys, die man wegen ihrer Schutzfärbung und den schwarzen großen Flecken darauf kaum von der Umgebung unterscheiden konnte.

Sie hatten ungewöhnlich große Köpfe im Verhältnis zu ihren Körpern, setzten sich im Wasser gern auf schwimmende Schilfstengel und schwammen selbst durch nachdrückliches Strampeln und Wassertreten. Ihre Augen hatten die Größe großer Erbsen und waren bleich ockerfarben, aber geschützt durch große Brauenwülste. Auch wenn man in 6 oder 7 m Entfernung nur die geringste Bewegung machte, tauchten sie sofort unter. Das Sprechen oder das Klicken der Kamera störte sie jedoch nicht im geringsten. Fleischstückchen an einem Stock beachteten sie nicht, auch keine Würmer, Libellen und Fliegen, die zwischen sie geworfen wurden oder die herumfliegend in ihren Gesichtskreis kamen. Als jedoch George, der Mann von Joy Adamson, das Krokodilgeräusch »imn, imn« machte, schlossen sie sich sofort zusammen und wendeten ihre Köpfe in die Richtung des Tones. Sie kamen jedoch nicht näher und blieben im sicheren Schutz des Schilfes. Zumindestens bewiesen sie auf diese Weise, daß sie nicht taub waren. Sie mußten also auch das Sprechen und Kameraklicken gehört haben, nur bedeutete es nichts für sie.

In den ersten sieben Jahren wachsen sie durchschnittlich 26,5 cm jährlich. Im Alter von 22 Jahren wächst ein Krokodil aber im Jahr nur noch 3,6 cm. Bei der künstlichen Aufzucht im Mkuzi-Reservat in Zululand, Südafrika, sieht man Wärme und Schatten als besonders wichtig an. Das Geflecht der Gehege muß 1,3 cm Maschenweite haben, sonst klettern die kleinen

*Fotografieren störte Krokodilbabys nicht*

Echsen durch. Ebenso muß man das Geflecht einen halben Meter tief eingraben und an die Innenseite Schiefern legen, damit sie sich nicht darunter durchgraben. 90 cm Höhe über der Erde genügen, wenn das Drahtgeflecht nach innen eingebogen ist. Um den Zaun herum kommt im Abstand noch ein zweiter, dichterer Zaun aus Holzknüppeln und Schilf, der gegen Wind schützt und die Raubtiere abhält. Die Tiere verdoppeln im ersten Jahr ihre Größe. Der künstliche Teich, den man ihnen zur Verfügung stellt, ist durch einen kleinen Querdamm in zwei Hälften geteilt. Die eine Hälfte enthält kaltes Wasser, in die andere leitet man in der kalten Jahreszeit geheiztes Wasser ein, damit die Tiere auch dann weiter Nahrung aufnehmen. Eine elektrische Lampe, die über dem Wasserspiegel aufgehängt wird, dient als Insektenfalle. Wenn die Tiere mit Fleisch gefüttert werden, muß man ihnen Kalzium dazugeben. Am Ende des ersten Jahres sind sie gegen 75 cm lang. Zu Ausgang des zweiten werden sie in den Flüssen ausgesetzt.

*Warmes Wasser, damit sie nicht fasten*

Auch in Freiheit suchen die halbwüchsigen Krokodile das Weite. Pitnam schreibt verwundert: »Es scheint überhaupt keine Krokodile zwischen 0,60 bis 1,50 m Länge zu geben.«

Mitunter trifft man Tiere dieser Größe weitab vom nächsten Wasser. Jedenfalls meiden sie die Nachbarschaft größerer Krokodile, offensichtlich aus Furcht vor Kannibalismus. Übrigens mühten sich 1967 zwei Angler im Fluß Itshen bei Southampton sehr ab, einen Fang herauszuziehen. Beinahe wäre ihnen die Angelrute gebrochen. Der vermeintliche Fisch stellte sich als ein junges Nilkrokodil heraus, das offensichtlich jemand dort ausgesetzt hatte.

Die männlichen Tiere werden erst bei einer Länge von 2,9 bis 3,3 m geschlechtsreif, Weibchen bei 2,4 bis 2,8 m. Sie müssen also älter als achtzehn Jahre sein. Es dauert selbst bei strengstem Schutz recht lange, bis sich eine Gegend wieder mit Krokodilen bevölkert. Nach dem Bericht der Jagdverwaltung von Uganda wurde am Semliki-Nil ein Krokodil von 5,95 m Länge und 1,73 m Bauchumfang erlegt. Hans Besser berichtet sogar, im März 1903 im Mbaka-Fluß Tanganyikas ein 7,6 m langes Krokodil erjagt zu haben, dem obendrein noch ein Viertel des

*Ein sechs Meter langes Krokodil*

189

Schwanzes fehlte. Der Bauchumfang soll 4,26 m gemessen haben, der Knochenschädel 1,4 m lang und 0,95 m breit gewesen sein.

Diese Ungetüme haben schon immer die Neugier der Europäer gereizt. 58 v. Chr. wurden das erstemal durch M. Aemilius Scaurus in Rom fünf Krokodile gezeigt, in einem eigens für sie gegrabenen Wasserbehälter. Als der Kaiser Augustus im Jahre 2 v. Chr. den Tempel des Mars Ultor einweihte, ließ er Wasser in den Flaminischen Zirkus leiten und dort in öffentlicher Vorstellung 36 Krokodile erlegen. Solche Schauspiele sind später mehrfach wiederholt worden. Der Kaiser Heliogabal hielt in seinem Palast ein zahmes Lieblingskrokodil. In den letzten Jahrzehnten werden auch gern in Zirkussen Krokodile gezeigt. Man bindet ihnen dort mitunter durch kaum sichtbare, dünne Fäden den Mund zu, so daß sie den Rachen nicht aufreißen und zubeißen können. Dasselbe tut man gern in zoologischen Gärten, wenn man Krokodile fangen und befördern will, aber auch, wenn große Tiere zusammengesetzt und aneinander gewöhnt werden und sich nicht sofort beißen sollen. Sie können ja recht lange Zeit hungern. Krokodile werden aber auch recht zahm, so daß sie bei Zirkus-Vorstellungen ihren zahnbewehrten Mund aufreißen und sich herumtragen lassen. Allerdings handelt es sich meistens um amerikanische Alligatoren, die sich in Freiheit niemals an Menschen vergreifen.

*36 Krokodile im Zirkus erlegt*

# WIE VERHALTEN SICH TIERE ZU FEUER?

*Wer eine Fliege aus dem Essen fischt, ist nicht hungrig.*

*Afrikanisches Sprichwort*

Ein toter Mann lag früh um sechs Uhr des 8. April 1896 im Bärengraben des Berner Zoos. Die Kleider waren bis auf Schuhe und Strümpfe weggerissen, der sechzehnjährige Braunbär »Mani« hatte die Tatzen über ihn gebreitet und ließ das Weibchen nicht an den Leichnam heran. Man warf brennende Strohbündel in den Graben, um den Bären von dem Toten zu vertreiben. Aber das Tier löschte das Feuer dreimal nacheinander mit der Tatze aus und hielt sie nachher zum Kühlen ins Wasser. Der getötete junge Mann, der stark nach Alkohol roch, hatte die Tiere offensichtlich spät in der Nacht necken wollen, sich dabei in der Trunkenheit jedoch zu weit übergebeugt und war hinuntergestürzt.

Jedenfalls stimmt es nicht, daß wilde Tiere vor Feuer schreckliche Angst hätten. Als bei Frau Joy Adamson, der Pflegemutter der berühmten Löwin Elsa, eines Abends im Lager die Lampe explodierte, blieben die Löwenkinder ohne Aufregung ringsherum liegen und sahen erstaunt die große Feuersäule an. Ihre Mutter, die zahme ausgewachsene Löwin »Elsa«, ging so nahe heran, daß man sie ermahnen mußte, sich nicht die Schnurrhaare zu verbrennen. Wenn Steppenbrände über die Serengeti-Ebenen ziehen, wärmen die Löwen sich manchmal an den Flammen oder wälzen sich in der frischen, noch heißen Asche. Auch Zebras, Antilopen, Elefanten und Kaffernbüffel rasen durchaus nicht in Panik davon, wie man das sooft in Afrika-

Büchern beschrieben findet, sondern halten sich oft in der nächsten Nähe der Flammen auf. Auf alle Vögel, die von Insekten, Eidechsen, Fröschen, Schlangen und Kleintieren leben, übt der Brand sogar eine ungeheure Anziehungskraft aus. Störche, Marabus, Trappen, Adler, Bussarde, all die Rakenvögel strömen von weither zusammen, um auf das Kleinzeug Jagd zu machen, das vor den Flammen flüchten muß.

*Tiere flüchten nicht vor Blitz und Donner*

Brände, die durch Blitzschlag entstehen, sind in Afrika recht selten. Denn Gewitter sind meistens von Regenfällen begleitet, die das entstandene Feuer rasch wieder auslöschen. Wilde Tiere flüchten vor Blitz und Donner nicht, selbst wenn es noch so sehr kracht. Davon erschlagen werden können sie wie wir. Am 22. März 1964 wurden bei Ramerberg am Inn vom Blitz sieben Rehe auf einmal getötet. Kopflos davonrennen wäre auch ein Handeln, welches im Kampf ums Dasein nur Nachteile brächte. Vor einem Blitz wegzulaufen, gelingt ohnedies nicht, dagegen könnten die Flüchtlinge in ihrer Kopflosigkeit nur zu leicht von Raubtieren gepackt werden. Wir haben das Geld für den Wiederaufbau des völlig zerstörten Frankfurter zoologischen Gartens zuerst, als wir noch kaum Tiere hatten, durch allerlei Massenveranstaltungen kurz nach dem Kriege verdient. Damals haben wir auch gelegentlich große Feuerwerke gemacht und uns dabei von vornherein sorgsam davon überzeugt, daß sich unsere Pfleglinge um die Flammen, Explosionen, das Blitzen und Krachen gar nicht kümmerten.

Nicht nur wir Menschen sind neugierig. In Europa sind ja Feuer in der freien Natur ziemlich selten, im Gegensatz etwa zu Afrika. Die ungewohnten gelben Flammen können daher wildlebende Tiere entweder erschrecken und flüchten lassen oder aber erst recht anlocken. Als der Freiherr von Tiesenhausen am *Elch neugierig auf Streichholz* frühen Morgen einen Auerhahn anpirschte und lang auf der Erde lag, kam ein Elch neugierig heran, schnaufte wegen der ungewöhnlichen Erscheinung und stampfte mit den Beinen. Der Jäger zündete ein Streichholz an, um ihn zu verscheuchen, ohne viel Geräusch zu machen. Entsetzt lief der Elch davon, kam aber bald von brennender Neugier getrieben zurück, bis dicht an den Weidmann und schreckte ihn an. Dieser Ton, so nahe ins Gesicht geschleudert, geht durch Mark und Bein. Tiesenhausen zündete nun fast die ganze Streichholzschachtel auf einmal an und warf dem Tier die brennenden Hölzer ins Gesicht. Erst damit gelang es ihm, den großen Elch zu vertreiben. — Auf den Inseln im Lulua-Fluß im Kongo haben mehrfach Flußpferde sogar Fischer und Expeditions-Träger angegriffen, die am Lagerfeuer saßen oder schliefen.

Der Hund von Elisabeth Warmbrunn in Hamburg erlebte sein erstes Weihnachten so: »Da kam Nero herein, sah die Kerzen an dem Weihnachtsbaum, der auf der Erde stand, und schnüffelte eine davon an. Aber das Ding ›biß‹ ja, also mußte es auch wieder gebissen werden! Erneuter Schmerz an der Nase, und nun erst einmal gebellt! ›Wuh!‹ — und aus war das Licht! Schnell zur nächsten gerutscht, wieder ›wuh!‹. Bei der dritten Kerze klappte die Sache nicht, das Licht blieb leben. Nun wurde ganz vorsichtig die Pfote zur Hilfe genommen und das böse ›Tier‹ ausgedrückt. Und weiter so, bis alle erreichbaren Kerzen ausgebellt oder ausgedrückt waren. Von nun an löschte der Hund auf solche Weise jedes brennende Streichholz aus, das man ihm hinhielt. Auch in der Gastwirtschaft erfreute Nero die Gäste, indem er Streichhölzer ausbellte. Einer der Gäste warf dann dem Hund einen brennenden Zigarrenstummel hin, um zu sehen, was wohl geschehen würde. Nero schnappte nach dem Stummel, verbrannte sich und ließ ihn fallen. Nun warf er sich auf den Boden und wälzte sich so lange auf dem Stummel herum, bis auch dieses unbekannte ›Tier‹ tot war. Dann verschluckte er es! Wie viele Zigarren und Zigaretten-Stummel er auf diese Weise ›geraucht‹ hat, war nicht festzustellen. Jedenfalls wurde Nero schlecht, und zwar so sehr, daß er sicherheitshalber von nun an nie mehr ins Gasthaus mitgenommen wurde.«

Rotkehlchen und Stare haben schon wiederholt Nester und Nistkästen mit brennenden Zigarettenstummeln oder Zigarren angezündet, die sie als Baustoff eintrugen. Ein zahmes Rotkehlchen, das in der Stube durch einen (am Fenster vorbeifliegenden) Raubvogel erschreckt wurde, flüchtete in das offenstehende Feuerloch des Küchenherdes, kam jedoch sofort unverletzt wie-

*Hund blies Weihnachtskerzen aus*

*Stare zünden eigene Nester an*

der aus der Glut heraus. Warum aber zeigen manche Krähen und Dohlen eine fast krankhaft anmutende Leidenschaft für Flammen und Rauch? Zahme Tiere lernten es ohne Anweisung, Streichhölzer anzuzünden, sie hielten sie brennend unter die Flügel und badeten geradezu in Rauch und Flammen. Wozu das gut sein soll, weiß man bisher nicht. Die Federn werden dabei kaum beschädigt oder versengt. Manche Tiere nehmen auch einzelne brennende Strohhalme oder Zweige aus einem Feuer und fliegen damit ein Stück weiter. In früheren Zeiten ist wiederholt behauptet worden, daß Feuer auf Strohdächern durch Vögel gelegt worden seien. So soll z. B. im Jahre 1201 ein großer Brand in London auf diese Weise entstanden sein. Ganz von der Hand zu weisen sind solche Berichte auf Grund der neuesten Beobachtungen nicht.

*Krähen badeten in Rauch und Flammen*

Natürlich kann man die berühmte kopflose Flucht der großen Tierherden vor den Steppenbränden auch sehr überzeugend filmen. Dazu jagt man Zebras, Gnus und Antilopen mit Autos über die Ebene, filmt sie in vollem Galopp, nimmt dann brennende Feuerfronten im Gras auf und mischt diese Szenen im fertigen Film durcheinander. Jeder glaubt dann, die Tiere rasten vor dem Feuer davon. Die schrecklichen Waldbrände, welche wirklich Großtiere und auch Menschen umbringen, kommen bei uns in Europa, Asien und Nordamerika vor, also in kühleren Gegenden. Der Urwald in Afrika und in den Tropen ist zu feucht; er brennt nicht. 1955 gab es allein in Kalifornien in achtzehn Tagen, von August bis September, 436 verschiedene Waldbrände, und an einzelnen Tagen versuchten 14 000 Menschen sie zu bekämpfen. Im gleichen Jahr brannte in den ganzen Vereinigten Staaten der Wald 154 160mal — und das war noch die niedrigste Zahl seit zehn Jahren. In Kanada verbrannten in einem Jahr an verschiedenen Stellen dreizehn Forstbeamte, die mit Fallschirmen abgesprungen waren, um neue Brände im Keim zu ersticken, und die von der Luft aus versorgt wurden.

*Gefälschte Filme über Zebraflucht vor Steppenbränden*

*Forstbeamte verbrannt*

In weiten Teilen Deutschlands, Englands, Frankreichs, der Schweiz und Norwegens sah man in den Tagen vom 26. bis 28. September 1950 die Sonne und den Mond regelrecht blau. Gegen Abend ging die Sonne nicht rot, sondern rein weiß unter.

In den Vereinigten Staaten war sie tagsüber so verdunkelt, daß man ohne weiteres hineinsehen konnte, ohne geblendet zu werden. Die Ursache für diese Sonnenverfärbung auch in Europa waren über hundert Waldbrände, die zur gleichen Zeit im westlichen Kanada wüteten. Ihr Rauch war um den halben Erdball gezogen. Am 27. September wurden sie dann endlich durch Regen und Schnee gelöscht.

In Afrika hat das Feuer offensichtlich auch mit der Verbreitung der Schlafkrankheit zu tun. Diese wird ja durch die Tsetse-Fliege übertragen, ebenso wie die verwandte Rinderkrankheit Nagana. Nach neueren Untersuchungen lebt die Tsetse-Fliege besonders von dem Blut des Warzenschweines und saugt in viel geringerem Umfang bei anderen Wildarten. Eine früher weit verbreitete Art, die Nagana-Seuche der Rinder zu bekämpfen, besteht darin, alle Wildtiere in riesigen Bezirken planmäßig abzuschießen, um damit der Tsetse-Fliege das Leben unmöglich zu machen. Gerade Warzenschweine, die sich bei der geringsten Gefahr in ihre weitverzweigten unterirdischen Baue zurückziehen, sind aber in solchen Vernichtungsfeldzügen so gut wie niemals auszurotten, im Gegensatz zu Zebras, Büffeln, Giraffen, Elefanten und vielen Antilopen-Arten. Der Wildbiologe B. L. Mitschell in Sambia, dem früheren Nord-Rhodesien, weist nun darauf hin, daß die Warzenschweine sich fast ganz von Gras, den Wurzeln von Gräsern und einigen Ried- und Schilfgräsern ernähren. Im Hochland leben sie fast allein von der Grasart Loudetia superba und den Wurzeln verschiedener Hypanhenia-Arten. Diese Gräser sind auf den Hochebenen vorherrschend.

Die Forstverwaltung von Nord-Rhodesien hat 25 Jahre lang Brennversuche durchgeführt. Dabei zeigte sich, daß starkes jährliches Brennen die holzigen Pflanzen verschwinden läßt und daß sich dafür die harten, dem Feuer angepaßten Gräser Loudetia superba und Hypanhenia verbreiten. Das immer stärkere Brennen in diesem Jahrhundert hat also vermutlich Bedingungen geschaffen, die zu einer Zunahme der Warzenschweine und damit auch der Tsetse-Fliege geführt haben. Das könnte zu der Ausbreitung der Tsetse während der letzten sechzig Jahre beigetragen haben.

Fast überall zündet man in Afrika das Gras an, um das Jagen zu erleichtern. Wo man die Wildtiere zur Tsetse-Bekämpfung abschießt, wird jedes Jahr gebrannt. Diese Art der Tsetse-Fliegen-Bekämpfung scheint also zu mehr Warzenschweinen und mehr Tsetse-Fliegen zu führen. Hoffentlich wird man endlich einmal aufhören, bei diesen Massenabschüssen auch die Kuhantilopen (Hartebeest) mit zu vernichten, denn ihr Blut scheint von Tsetse-Fliegen niemals angenommen zu werden.

*Hohe Brände in nassen Jahren*

Ich möchte aber beileibe nicht behaupten, daß in Afrika überhaupt keine Großtiere durch Feuer umkommen können. In manchen Jahren bringt die Regenzeit ungewöhnlich viel Niederschläge. Zum Beispiel gab es 1962/63 in Ostafrika soviel Regen wie wohl in keinem der vierzig Jahre vorher. Brücken wurden weggerissen, Straßen zerstört. Vor allem wuchs aber durch die viele Feuchtigkeit das Gras in weiten Bezirken übermannshoch und sehr dicht. Wir konnten uns wohl ausmalen, was geschehen würde, wenn es in der anschließenden Trockenzeit gelb und verdorrt sein und dann die Feuer mit fünf, sechs Meter hohen Flammenwänden hindurchwüten würden. Denn Feuer sind in Afrika nicht zu vermeiden, seit über tausend Jahren werden sie jedes Jahr von den Menschen angelegt. Daß die Sahara jedes Jahr weiter nach Süden und die Kalahari von unten weiter nach Norden vorschreitet, daß der Erdteil sich also ständig mehr in Wüste verwandelt, ist wohl auf diese unaufhörlichen, von Menschen angelegten Grasfeuer zurückzuführen.

*Schneisen gegen Steppenbrände*

Wir haben jedenfalls um den Tsavo-Nationalpark in Kenia an den gefährlichsten Stellen schnell mit großen Straßenmaschinen 180 km lange Schneisen gezogen. Das Gras zwischen diesen parallel laufenden zwei Kahl-Linien wurde abgebrannt, solange es noch halb feucht war. So kamen in der Höhe der Trockenzeit die großen Brände an eine wirksame kahle Sperre und konnten nicht in das Schutzgebiet hinein. Auf diese Weise sind uns 1963 trotz alledem dort keine Tiere qualvoll verbrannt. Das Geld für diese schnellen Maßnahmen hatten mir übrigens die Fernsehhörer in Deutschland gespendet.

Leider haben Menschen, die auf Gewinn aus sind, noch nie

Rücksicht auf die Natur und die Zukunft ihrer eigenen Kinder genommen. Alle Mittelmeerländer, von Palästina, der Türkei, Griechenland, Italien bis Spanien und Nordafrika, die vor der Antike lieblich bewaldet waren, wurden für die hölzernen Flotten der Griechen, Römer, Türken und Spanier und als Heizmaterial für die vielen Bäder der Antike abgeschlagen. Heute sind Spanien, Jugoslawien und Griechenland trostlose kahle Landschaften, der fruchtbare Boden ihrer Gebirge ist weggewaschen, und immer wieder lesen wir von furchtbaren Überschwemmungen. Nur die Israelis haben von allen Mittelmeer-Anwohnern ihre Gebirge weitgehend mit viel Mühe künstlich wieder bewaldet. Auch in Australien, das doch gewiß ein trockener und immer mehr vertrocknender Erdteil ist, hat man die wenigen Waldgegenden vernichtet, weil die Schafwolle auf dem Weltmarkt soviel Geld bringt. Man ringelt die Rinde der großen Bäume, bis sie absterben und vertrocknen, und zündet dann alles an, um später auf dem Land dazwischen riesige Schafherden weiden zu können. Ein guter Bekannter von mir, Dr. H. O. Wagner, der im Januar 1937 von Brisbane nach Sydney im Auto fuhr, traf nicht *ein* Stück Wald oder Busch an, das nicht brannte, und doppelt so viele verkohlte Bäume wie lebende. Das Jahr darauf zählte er auf dem Flug von Melbourne nach Sydney aus der Luft siebzehn Waldbrände. Dabei wurden übrigens auch Millionen der niedlichen Koala-Bären vernichtet, so daß sie heute nur noch in Schutzgebieten sorgsam gehegt werden. Als ich drei Jahrzehnte später selbst mit dem Wagen in Australien reiste, war es nicht besser geworden.

*Einzige neue Wälder am Mittelmeer — von Israelis geschaffen*

Im Jahre 1965 wütete ein starkes Buschfeuer in der Gegend von Longwoo, etwa 130 km nördlich von Melbourne. Tausende Tiere gingen in dem Flammenmeer zugrunde, das auch acht Menschenleben forderte und 260 qkm im Inneren Viktorias verwüstete. Das Feuer brach aus, während Viktoria die heißesten Tage seit vielen Jahren erlebte. Die Luftwärme erreichte 43,3° C. Polizei und Soldaten mit Maschinengewehren schossen mindestens sechstausend Schafe und Rinder ab, die von einem starken Buschfeuer eingeschlossen waren. Man wollte ihnen den qualvollen Flammentod ersparen.

*Schafe mit Maschinengewehren erschossen*

Auch in Afrika können mitunter selbst Elefanten durch Brände umkommen. Im Jahre 1956 töteten in Uganda die Einheimischen 64 Elefanten aus einer einzigen Herde durch ein planmäßig angelegtes Ringfeuer. Sind solche Fälle vielleicht die Erklärung für das hartnäckige Märchen von den Elefanten-Friedhöfen? Wenn man so große Mengen von Elefantenknochen zusammen im Busch findet, kann man leicht auf solche abenteuerlichen Erklärungen kommen. 1958 sind im Tsavo-Nationalpark fünfzehn junge Elefanten, einige davon nur zwei Jahre alt, bei einem Buschfeuer verbrannt. Man hat damals die Leichen sorgsam untersucht, um auszuschließen, daß sie vielleicht schon vorher an einer Seuche gestorben sind oder durch sie geschwächt waren. Fünf andere, vom Feuer getötete Elefanten entdeckte man an anderer Stelle, und in solch riesigen Landstrichen können es natürlich auch noch viel mehr gewesen sein.

*Verbrannte Elefanten*

Der bekannte südafrikanische Schlangensachverständige F. W. Fitzsimmons berichtete, daß ein ganzes Dorf von einer Feuersbrunst bedroht wurde, welche die Eingeborenen selbst angelegt hatten. Die Leute flüchteten auf eine kahle Felskuppe, waren aber nicht wenig erschrocken, als auch eine Menge wilder Tiere dort zusammendrängten, zum Schluß Riesenschlangen, Pythons und viele Giftschlangen, Mambas, Puffottern und Kobras. In der ungewöhnlichen Lage waren die Tiere so verstört und so wenig angriffslustig, daß niemandem dabei ein Leid geschah. Ähnlich war es, als 1958 das Vogelhaus des zoologischen Gartens von Manchester in England in Flammen aufging. Das Flammenmeer war siebzehn bis zwanzig Meter hoch. Der Direktor selbst und alle Tierwärter stürzten beim Ausbruch des Feuers in das Haus, um die Vögel zu retten. Sie griffen, was sie nur in den Käfigen fassen konnten, und warfen die Tiere wahllos in die wenigen Volieren und Ersatzkäfige, die in anderen Häusern standen. Die Lachenden Gänse gaben vor Aufregung ständig ihr unheimliches Gelächter von sich, die Papageien kreischten und wiederholten die Wörter, die sie gelernt hatten; Raubvögel und alle Arten waren durcheinandergeworfen, aber keiner wurde verbissen.

*Vor dem Feuer waren Puffottern friedlich*

Schlimmer geht es oft bei Zirkusbränden zu, weil dort die

Großtiere meist angekettet und angebunden sind. Außerdem stehen die Zelte sehr rasch in Flammen und fallen über den feststehenden Tieren zusammen. 1931 trat der deutsche Zirkus Sarrasani zum erstenmal nach dem ersten Weltkrieg in der belgischen Stadt Lüttich auf. Am Nachmittag zog ein Demonstrationszug durch die Straßen, und in der Nacht stand plötzlich der ganze Zirkus in Flammen. Es entstand über eine Million Mark Sachschaden, und acht von den 22 Elefanten verbrannten. Einer stürzte sich noch in seinen Qualen in einen Festungsgraben, brach durch das Eis und verletzte sich dabei die Wirbelsäule, so daß man ihn nicht mehr herausbekommen konnte.

Am 4. August 1942 brannte innerhalb von drei Minuten das *65 Zirkustiere* Menageriezelt des Zirkus Barnum und Bailey in Cleveland, *umgekommen* Ohio, ab. 65 Tiere kamen dabei um oder mußten wegen fürchterlicher Brandwunden schnell erschossen werden, darunter vier Elefanten, dreizehn Kamele, zwölf Zebras, zwei Giraffen, vier Löwen, drei Tiger, sechzehn Affen und ein Zebu. Die Elefanten waren versengt, das Fleisch schälte sich vielfach in meterlangen breiten Stücken von ihren Körpern. Die Ohren waren im Feuer in zahlreichen Fällen fast völlig weggebrannt. Die Zebras gebärdeten sich so wild, daß man mit ihnen überhaupt nichts anfangen konnte. Die Elefanten aber setzten sich erst in Bewegung, als ihr Tierlehrer erschien. Auf seinen Befehl faßte jeder Elefant mit dem Rüssel seinen Pflock, zog ihn aus dem Boden, *Elefanten* packte dann das Tier vor ihm am Schwanz, und dann mar- *befreiten sich* schierten sie in bester Ordnung hinaus. Die Kamele rührten sich *auf Befehl* überhaupt nicht. Sie blieben liegen, starrten ins Leere und ver- *selbst* endeten. Der Zirkus-Tierarzt J. Henderson schrieb nachher: »Damals erkannte ich, daß in den Tieren eine Eigenschaft stecken muß, die mit der inneren Größe eines Menschen verglichen werden kann. Nicht ihre Körpergröße allein ist ausschlaggebend, nicht ihre Flinkheit, Wildheit oder Kraft, nein, sie verfügen vielmehr über eine Art Seelenadel, eine innere Beziehung zu dem, was bleibend ist in der Natur. In jenem Augenblick gewann ich eine bis dahin ungekannte Achtung vor ihnen.«

Als ein mit Sprengstoff beladener Lastwagen bei einer Schlangenfarm im Marshalls Creek (Pennsylvanien) Feuer fing und in die Luft flog, wurden sechs Menschen getötet, zehn verletzt und ein über drei Meter tiefer und zehn Meter breiter Krater aufgerissen. Einige Zeit nach der Explosion entdeckte man mit Schrecken, daß Hunderte von Giftschlangen ins Freie gelangt waren. Ein großes Aufgebot von Polizisten und Feuerwehr-Leuten ging mit Stöcken und Gewehren den gefährlichen Schlangen zuleibe. Dabei wurden wenigstens vierzig getötet. darunter eine Anzahl Kobras.

Der Naturforscher William Beebe konnte während eines Vulkanausbruches in den Galapagos-Inseln beobachten, wie die glühende Lava ins Meer floß. Auch hier wurden Seevögel, vor allem Sturmschwalben und Sturmtaucher, von den getöteten Fischen angezogen. Einige der Vögel mußten ihre Gier mit dem Leben bezahlen. »Am traurigsten war das Schicksal eines ausgewachsenen Seelöwen, der plötzlich in unmittelbarer Nähe der Küste in die Höhe schnellte. Fünfmal übersprang er im Bogen zweieinhalb bis drei Meter des siedenden Wassers und steuerte schließlich, blind vor rasendem Schmerz, unmittelbar auf das rote Lavadelta zu. Wir sahen keinen Schlußkampf — mit dem letzten Satz war er in den Rachen des Todes gesprungen.«

*Seelöwe sprang in glühende Lava*

Viehzüchter haben vielfach die Ansicht, man könne Haustiere durch Feuer von Seuchen reinigen oder gegen Seuchen schützen. Dieses Feuer muß allerdings besonders entfacht werden, und zwar, indem man Holz gegen Holz reibt. Für Mitteleuropa läßt sich dieses »Notfeuer« schon im achten Jahrhundert belegen. Aber noch um 1840 versuchte man in Schottland und England Rinder durch solche jungfräulichen Feuer zu heilen. Im Frühjahr 1855 trieb man in einem braunschweigischen Dorf die erkrankten Schweine durch ein Feuer, das der Ortsvorsteher nach alter Weise entfacht hatte, und ebenso mußten die Schweine in Gandersheim noch zu Beginn des neunzehnten Jahrhunderts dreimal durch einen großen brennenden Scheiterhaufen laufen. Vorher wurden in den Häusern alle Herdfeuer gelöscht; später wurden sie dann mit brennenden Scheiten aus dem großen Heilfeuer neu angezündet. Die Bauern glaubten auch, durch dieses Feuer ihr Vieh gegen Hexen zu sichern.

*Kranke Schweine durch Feuer getrieben*

Wir Menschen selbst können ohne das Feuer in der freien

Natur nur schlecht bestehen. Auf eine der Galapagos-Inseln im Pazifik, die Insel Indefatigable, retteten sich 1906 zehn schiffbrüchige Matrosen, darunter der Hamburger Hermann Schlesinger. Sie mußten sich zweieinhalb Monate von dem rohen Fleisch und dem Blut der Riesenschildkröten ernähren, bis sie zu ihrem Ärger kurz vor ihrer Rettung entdeckten, daß einer von ihnen die ganze Zeit eine Schachtel Streichhölzer in der Handtasche getragen hatte, ohne es zu wissen.

Wir unterschätzen meistens, was Menschen an Hitze aushalten können. Im vorigen Jahrhundert trat in verschiedenen Ländern Europas ein Artist Iwan Iwanitz Chabert auf, der behauptete, ein »unverbrennbares Phänomen« zu sein. Er ließ auf der Bühne einen riesigen eisernen Ofen erhitzen, ging dann hinein und blieb so lange drin, bis eine Hammelkeule, die gleichfalls darin hing, gründlich gekocht war, und ebenso Lendenstücke, die er auf einem Teller in der Hand hielt. Nach zeitgenössischen Veröffentlichungen aus dem Jahre 1867 hielt er eine Hitze bis 195 Grad darin aus und sang sogar in dem Ofen.

*Mensch hält 195 Grad Hitze aus*

Derartige Artistenleistungen werden gern als übernatürlich oder als besonders schlaue Tricks bestaunt. Dabei ist das Ganze ein durchaus natürlicher Vorgang, den jeder Mensch nachmachen kann. Das hatten bereits die Wissenschafter der königlichen Gesellschaft in London im Februar 1774 herausgefunden, ohne daß dies damals in der Öffentlichkeit großes Aufsehen machte. Damals führte Dr. Charles Blagden — ein angesehener Wissenschafter, der wegen seiner Verdienste in der Medizin und Ozeanografie später geadelt wurde — den Mitgliedern der Gesellschaft ähnliche Versuche vor. Zusammen mit drei Kollegen hielten sie sich in einem Raum auf, der durch einen eisernen Ofen in der Mitte auf die Backofen-Temperatur von 120° C erhitzt worden war. Sie gingen zunächst gemeinsam hinein, stellten aber dann fest, daß ihre eigenen Körper die Temperatur sehr rasch absinken ließen. Daher hielt sich nachher immer nur eine Person in dem Raum auf. Als Dr. Daniel Charles Solander, ein Freund und Schüler des großen Botanikers Linnaeus und Teilnehmer an antarktischen und Island-Expeditionen, den Raum betrat, ging die Temperatur innerhalb drei Minuten von

*Wissenschafter im Glutofen*

hundert Grad auf 92 Grad herunter. Dr. Blagden versicherte: »Die Fähigkeit unseres Körpers, die natürliche Temperatur zu bewahren, ergab verblüffende Erscheinungen — immer wenn wir gegen ein Thermometer atmeten, sank das Quecksilber um mehrere Grade. Jede Ausatmung — gab ein angenehm kühles Gefühl an den Nasenflügeln, die kurz zuvor an der heißen Luft beim Einatmen versengt worden waren. In der gleichen Weise kühlte unser jetzt kalter Atem angenehm unsere Finger... Wenn ich meine Seite berührte, fühlte sie sich kalt an wie eine Leiche; trotzdem betrug die tatsächliche Körpertemperatur, unter der Zunge gemessen, 37 Grad, etwa einen Grad höher als gewöhnlich... Der gleiche Mensch, der bei Luft von 100° C (Kochtemperatur) kein Unbehagen empfand, konnte Quecksilber von 51 Grad nicht anfassen und Weingeist von 55 Grad noch gerade ertragen. Alles Metall, selbst unsere Uhrenketten, waren so heiß, daß wir sie kaum auch nur für einen Augenblick berühren konnten, während die Luft, von der das Metall alle seine Hitze bezog, nur unangenehm war...«

*Der Atem fühlte sich kühl an*

Die Backofenhitze hat den Wissenschaftern offensichtlich nichts ausgemacht. Denn Sir Joseph Banks war von 1778 bis 1820 Präsident der königlichen Gesellschaft und wurde 77 Jahre alt. Dr. Blagden gab zu, daß sie sich teilweise etwas unbehaglich fühlten: »Unsere Hände zitterten sehr, und wir fühlten ein erhebliches Ausmaß von Mattigkeit und Schwäche; ich fühlte auch Rauschen und Schwindel im Kopf...« Ihre Kleidung, so meinte er, beschützte sie ebenso vor der Hitze, wie sie es gegenüber Kälte getan hätte. »Unter den Kleidern waren wir von Luft umgeben, die auf 37 Grad durch die Berührung mit unseren Körpern heruntergekühlt war und von der anderen Seite nur sehr langsam erwärmt wurde, weil Wolle so ein schlechter Wärmeleiter ist.« Die Wissenschafter gingen ohne irgendwelche Vorsichtsmaßnahmen unmittelbar heraus in die frische Luft und fühlten keine schlechten Nachwirkungen. Mattigkeit und Händezittern verschwanden sehr bald.

In einem späteren Versuch setzten sich die Wissenschafter 130 Grad Innentemperatur aus. Ihr Puls stieg auf 144 in der Minute, verdoppelte sich also. Blagden ging auch mit nacktem

Oberkörper hinein. »Der erste Eindruck der Heißluft auf meinen nackten Körper war viel unangenehmer, als ich ihn jemals durch meine Kleider gespürt hatte; aber in fünf oder sechs Minuten brach ein starker Schweiß aus, der mir sofort Erleichterung verschaffte.« Nur die Fähigkeit des Schwitzens hält den lebenden Körper kühl. Denn die Wissenschafter hielten sich mit nacktem Oberkörper in der Gluthitze auf, während einige Eier und Fleischstücke in derselben Lufttemperatur in dreizehn bis 47 Minuten gekocht wurden. — In der Sauna wird die Luft dagegen nur auf 50 bis 56 Grad erhitzt. Wahrscheinlich können wir Menschen besonders gut Hitze vertragen, denn wir sind wohl die Säugetiere mit den meisten Schweißdrüsen, und dadurch können wir am besten Körperwärme loswerden.

Eine einzige brennende Zigarette hat mir im ersten Jahr nach Kriegsende im Frankfurter zoologischen Garten schlagend bewiesen, wie blitzschnell ruhende Raubtiere zum Handeln übergehen. Das ist wohl überhaupt ihr Haupttrick, Beute zu machen. Ein junger amerikanischer Soldat war damals über die Absperrung vor den Löwen gestiegen, die noch in einem Käfig, nicht wie jetzt in einer Freianlage hausten. Ein Löwe lag so dicht am Gitter, daß sein Schwanz durch die Stäbe heraushing. Der Soldat drückte ihm seine Zigarette auf die Schwanzwurzel. Im selben Augenblick schoß der Löwe herum, riß dem Soldaten die Kopfhaut vom Schädel und zog sie ihm über das ganze Gesicht. So ein Skalp hat eine gute Heilfähigkeit, er wurde im Lazarett zurückgezogen und wieder vernäht. Soviel ich erfuhr, verheilte die Angelegenheit ohne großen Schaden.

*Blitzschnelle Löwen*

# KLEINES ABENTEUER IM SUDAN

*Wer die Welt im Galopp des Zebras erstürmen will,*
*wird im Schritt des Chamäleons enden.*

Afrikanisches Sprichwort

Die Sache fing eigentlich ganz harmlos an.

Nachdem ich in Uganda den Amphicar, das Schwimmauto, erprobt hatte, wollte ich die letzten paar Tage dieser Reise nutzen und den Rudolf-See besuchen. Er ist im Norden Kenias als einer der letzten von den großen afrikanischen Seen entdeckt worden, genau gesagt am 6. März 1888 von dem reichen ungarischen Grafen Samuel Teleki von Szek zusammen mit dem Leutnant von Höhnel, nach vierzehn Monaten Fußmarsch und vielen Abenteuern und Kämpfen.

Ich machte es mir, siebenundsiebzig Jahre später, etwas bequemer. Dazu mietete ich in Kampala, der Hauptstadt Ugandas am Nordende des Viktoria-Sees, ein Kleinflugzeug mit einem britischen Piloten. Mit solchen Lufttaxen, meist viersitzigen einmotorigen Kleinflugzeugen, kommt man in Ostafrika nicht nur sehr viel schneller an sein Ziel, sondern auch billiger. Sie fliegen ja schnurgerade über Wasser und Land, so daß viel weniger Kilometer zu zahlen sind als mit dem Auto auf den wenigen Straßen. Mit mir stieg noch mein Freund Alan Root in den leichten, etwas gebrechlich wirkenden Apparat. Von Entebbe, dem Flughafen Kampalas, bis an die Westküste des Rudolf-Sees sind etwa 500 km zu fliegen, also eine Entfernung wie von Frankfurt/Main nach Frankfurt/Oder oder nach Schleswig. Die letzten anderthalb Stunden ging es über Halbwüsten, Gebirge, unbewohnte, weite, gelbbraun glitzernde Flächen mit

wenig Grün dazwischen. Das ist das Land der Turkana, umher-
ziehender Rinder- und Schafzüchter, bei denen die Männer
auch heute noch meistens nackt herumlaufen.

Zweimal, dreimal schwebte unser Maschinchen am Ufer des
Sees im Kreis umher, bis der Pilot sich entschloß, ein paar
Stöcke und weiße Steine in einer Sandfläche als markierte Lan-
debahn anzusehen. Das Flugzeug wirbelte eine Riesenstaub-
wolke auf, als es ausrollte. Ringsum ein paar Palmen, ein einsam wandelndes mageres Dromedar und Sand, Sand, Sand.

Splitterfasernackte junge Männer packen unser Gepäck und *Nackter junger*
tragen es zu einer großen Strohhütte am Wasser. Hier wohnt *Mann als*
einsam ein Europäer, ein Brite, der den Turkana-Nomaden das *Gepäckträger*
Fischen im See beibringen soll. Ein recht einsames Leben. Am
Abend gehen wir noch schwimmen, an einer Stelle, wo es bestimmt keine Krokodile geben soll. Die Sonne gleitet das letzte
Stück am wolkenlosen reinblauen Himmel hinunter, spiegelt
sich im ebenso blauen riesigen See und verschwindet apfelsinen-
rot hinter graurötlichen kahlen Gebirgen. Das Wasser ist warm,
aber schwach salzig.

Als Graf Teleki den Riesensee nach dem österreichischen
Thronfolger taufte, hatte er nach einer so langen Reise keine
Flasche Wein oder Kognak mehr. Deswegen braute er sich aus
dem Salzwasser mit Weinsteinsäure, Kohlensäure und Honig *Künstlichen*
ein Festgetränk, das die Reisenden mit »Hipp, hipp, hurra!« und *Wein auf das*
viel Begeisterung auf das Wohl des Namensgebers leerten. Der *Wohl des*
endete allerdings schon ein gutes Jahr später mit seiner Gelieb- *Thronfolgers*
ten auf Schloß Mayerling durch Selbstmord.

Wie ich barfuß durch den gelben Sand nach der Hütte unseres Gastgebers zurückgehen will, sticht es mich immer wieder
scharf in die Füße. Das sind die Gräten von unzähligen Fischen,
deren vertrocknete Riesenköpfe überall im Gras verstreut liegen. Auch die Grasbüschel stechen nicht weniger. Wie nur Rinder und Ziegen überhaupt dieses spitzige harte Zeug abrupfen,
zerkauen und auch noch verdauen können! Verhungert genug
sehen sie aus.

Hunger ist überhaupt die Hauptsorge hier. Es hat niemals
viel Turkanas gegeben, und die zogen mit ihren Herden in dem

Riesenland umher. Vor ein paar Jahren herrschte eine Trockenheit, so wie das in Ostafrika wohl alle dreißig, vierzig Jahre einmal vorkommt. Früher verhungerten dann viele Menschen besonders in diesen Halbwüsten, in der Kolonialzeit aber versuchte man zu helfen. Auch dieses Mal schickte die UNO Geld, und man teilte in einem Lager am Südwestende des Sees Lebensmittel aus. Das tut man noch heute, drei Jahre später. Allmählich haben sich Menschen dort hingezogen, die da bleiben, Kinder bekommen, recht ärmlich leben, aber nicht mehr fortziehen. Von ihren Verwandten, den Nomaden im Binnenland, entfremden sie sich immer mehr. Etwa viertausend werden hier gefüttert. Was wird aus ihnen einmal werden, wenn die UNO kein Geld mehr für Nahrung schickt?

*Die UNO hilft*

In den nächsten — immer sonnigen, immer windigen — Tagen fahren wir mit dem Motorboot des Fischerlehrers auf dem See umher. Wer das einmal getan hat, kann leicht immer wieder Sehnsucht bekommen, nach dem Rudolf-See zurückzukehren. Dabei ist diese Riesenwasserfläche so weltverloren, liegt in einer so trockenen Landschaft. Aber alles ist so klar, so unendlich einsam. Der See ist von Norden nach Süden dreihundert Kilometer lang, er würde von Frankfurt bis München reichen, und er ist fünfzehnmal so groß wie der Bodensee oder halb so groß wie das Land Schleswig-Holstein. In den letzten Jahren ist er gestiegen, viel größer geworden, wie die meisten Seen Ostafrikas. Wir fahren an abgestorbenen Palmenbäumen vorbei, auf denen Kormorane und Pelikane hocken. Diese Bäume standen einst auf dem Land, und zwischen ihnen war das erste Haus unseres Fischerfreundes.

*Herrlich einsamer Rudolfsee*

Wir fliegen auch das Ufer des Sees entlang, halb über dem Land, halb über dem Wasser. An den Landzungen laufen Dutzende Krokodile rasch ins Wasser. Auch ein paar Flußpferde gibt es, Scharen von Oryx-Antilopen, Herden von Dromedaren, ohne daß Menschen dabei zu entdecken wären, Zebras, Elen-Antilopen. Zählt man sie in den Tagebüchern des Grafen Teleki zusammen, so hat er damals 81 Nashörner, zwei Löwen, 75 Kaffernbüffel, 31 Elefanten, 162 Antilopen, Zebras usw. geschossen, gar nicht gezählt die Vögel, die Affen und die vielen nur

*Graf Teleki knallte viele Tiere ab*

verwundeten Tiere. Allerdings mußte er seine Träger damit füttern. So viele Tiere gibt es heute längst nicht mehr hier.

Das Nordende des Rudolf-Sees geht bis nach Äthiopien hinein, die menschenleeren fünfhundert Kilometer zwischen seinem nordwestlichen Teil und der Grenze von Somali-Land gelten beinahe als unbefriedetes Niemandsland. Man bekommt nicht so leicht die Erlaubnis, dorthin zu gehen, es sei denn, man fährt in mehreren Geländewagen und sehr gut bewaffnet. Denn nur zu leicht kann man von umherstreunenden Somali-Banden überfallen und umgebracht werden.

Hier finden wir einen Freund Alans, einen jungen Biologen, der mit zwei Afrikanern ganz allein am Seeufer biwakiert, am Fuße eines rotgrauen kahlen Berges, an einem kleinen grünbewachsenen Fleck. Man kann in dieser klaren Landschaft so leicht niemanden von der Luft aus übersehen. Der junge Wissenschafter sitzt nicht freiwillig hier, und es beunruhigt ihn, daß nachts immer Löwen dicht an sein kleines Lager kommen. Eigentlich war er mit einem eisernen Boot und Außenbordmotor hier unterwegs, um Krokodile zu zählen und zu beobachten. Das Game Department, die Wild- und Jagdverwaltung von Kenia, möchte nämlich erfahren, ob man hier mit gutem Gewissen Krokodile schießen lassen kann, oder ob sie auch hier schon größtenteils von Wilddieben umgebracht worden sind.

*Schiffbrüchiger Forscher von Löwen umgeben*

Dabei ist der Krokodil-Forscher bei heftigem Wind und Wellen auf eine Klippe geraten, und sein Boot sank. Zwar war es nicht weit vom Ufer, und das Wasser war hier gerade seicht. Er konnte das Gefährt mit seinen Leuten an Land ziehen, aber der eingeweichte Motor lief nicht mehr.

Also zurückgeflogen zu dem Fischer. Er kann erst in fünf oder sechs Tagen mit einem großen Motorboot über den See fahren, um dem Schiffbrüchigen zu helfen. So fliegen wir weiter an das Südende des Sees. Dort gibt es eine Touristenunterkunft mit schönen Fremden-Pavillons und einem blauen Schwimmbassin, ständig gefüllt von einer heißen vulkanischen Quelle. (Die Inhaber, ein rundliches italienisches Ehepaar, wurden vierzehn Tage später samt ihren Bedienten von Shiftas, somalischen Wegelagerern, ermordet. Seitdem ist das schöne kleine Hotel

*Von Shiftas ermordet*

aufgegeben. Als ich dort schlief, wußte ich nicht, daß die Gegend so gefährlich war). Hier kaufen wir einen Stoß alter Kriminalromane und packen einen ganzen Karton voll Konservenbüchsen. Das wird dann gut eingewickelt, verschnürt, und jeweils an das Ende einer langen Schnur kommt eine leere Konservenbüchse, deren zwei Löcher wieder gut zugestopft und versiegelt werden. Wieder geht es am Seeufer entlang weit nach Norden, wir machen einen »Tiefangriff« auf das kleine Lager der drei einsamen Menschen und werfen unsere Ölpapier-Pakete dicht am Ufer in das seichte Wasser ab. Die Sache klappt. Die drei sind für ein paar Tage versorgt.

*Kriminal-romane vom Flugzeug aus abgeworfen*

Diese Hilfsaktion ist der Grund für alles, was uns in den nächsten Tagen geschieht.

Aber noch sind wir ahnungslos. Wir fliegen quer über den See ziemlich genau nach Westen in den äußersten Nordzipfel von Uganda, der vom Sudan und Kenia eingefaßt ist. Es ist schon spät am Nachmittag. Das Land ist fast unbewohnt. Auf der Flugkarte, die der Pilot auf den Knien liegen hat, sind nur ein paar Striche und Schatten so von ungefähr als Flüsse oder Bergzüge eingezeichnet. Je grüner das Land unter uns wird, um so wolkiger wird der Himmel. Wir fliegen fast nur nach dem Kompaß. Mal endlich wieder eine Gegend, wo nicht wie bei uns zu Hause alle paar Kilometer ein Dorf, eine Stadt, Landstraßen liegen! Wo die Dörfer immer mehr zusammenwachsen, und wo es kein Tal mehr gibt, in dem nicht schon ein paar Häuser stehen. Hier sind wir allein zwischen Himmel und Erde.

*Mit dem Flugzeug verirrt*

Der Himmel wird immer düsterer, wir fliegen unter blitzenden Gewitterwolken durch strömenden Regen. Es ist sechs, es wird halb sieben. Um sieben Uhr geht die Sonne hier unter, dann ist es Nacht. Im Finstern mit einem Kleinflugzeug in der Luft zu sein, bedeutet sicheren Tod. Denn hier gibt es keine beleuchteten Landebahnen, keinen Flughafen, keine Blindlandung mit Radio. Man kracht gegen einen Hügel, in Bäume oder gegen die Erde.

Aber wo ist der Kidepo-Nationalpark, der dritte, neue Nationalpark Ugandas? Man hat ihn erst neu aufgemacht, es kommen noch kaum Besucher hin, es gibt keine richtige Straße dahin, und auch die Unterkünfte der Wildwarte sehen wohl von oben nicht viel anders aus als die hier und da in Bergen verstreuten Hütten. Obendrein stellt sich heraus, daß unser Pilot erst zwei Monate in Ostafrika und noch nie in dieser Gegend geflogen ist.

Wir gehen immer tiefer hinunter, wir folgen der einzigen ausgefahrenen Autospur, die schon mehr eine Straße ist. Aber sie führt immer weiter in die grüne Landschaft, an Eingeborenen-Hütten entlang, und vor uns regnet es. Eine tiefschwarze drohende Wolkenwand steigt zwischen den Bergen auf. So drehen wir wieder um, fliegen den Fahrweg zurück und entdecken ein paar Häuser, die Blechdächer haben. Das kann vielleicht das Hauptquartier des Parkes sein. Auf jeden Fall müssen wir schnellstens mit den Rädern auf die Erde! Nicht weit von den Häusern ist ein flaches gerades Stück Land. Hier können wir sicher ausrollen: Wir schnallen uns fest und schweben hinab. Es dämmert schon.

*Wir müssen vor der Nacht auf die Erde!*

Wir klettern heraus. Ein gutes Gefühl, wieder auf festem Boden zu stehen. Die Häuser liegen viel weiter ab, als es von der Luft aus schien. Aber schon fahren zwei Lastwagen heraus und holpern im weiten Bogen auf uns zu. Zwei andere kommen von der anderen Seite. Wir müssen also einen recht zivilisierten Platz getroffen haben.

Aber die Lastwagen halten hundert Meter von uns entfernt an, vierzig, fünfzig schwarze Soldaten mit Stahlhelmen klettern heraus, sie stellen Maschinengewehre auf, die sich drohend auf unser Flugzeug richten. Ein dunkler Araber, wohl der Offizier, geht auf uns zu, mit der Pistole in der Hand. Die Soldaten rücken von allen Seiten gegen uns vor, die Gewehre in der Hand und entsichert. Der Offizier kann nicht englisch, aber zwei von den dunklen Soldaten sprechen es. Wir sind versehentlich über die Grenze von Uganda hinaus und ein Stück in den Sudan hineingeflogen. Unsere Sachen werden ausgeladen. Als dabei drei, vier, fünf Kameras, Objektive, eine Filmkamera zum Vorschein kommen, werden die zwei Offiziere immer aufgeregter. Man hält uns offensichtlich für Spione. Unser Pilot bringt auch noch eine Pistole zum Vorschein, von der ich gar nichts wußte.

*Soldaten mit Maschinengewehren umzingeln uns*

Wir sind in ein Polizei- und Armeelager geraten. Während wir bei Kerzenlicht in einem Wachlokal vernommen werden, versichert einer der englisch sprechenden Soldaten meinem Kameramann Alan Root, daß wir erschossen würden. Uns kommt die ganze Sache recht albern und lächerlich vor.

*Afrikaner und Engländer erschossen*

Wir werden in dem Raum dreier Unteroffiziere untergebracht, die gastfrei ihre Kleider herausräumen und uns ihre Betten zur Verfügung stellen. Einer gibt uns sogar ein kleines Radio herein. Ich stelle es an und höre, daß in der Äquatorial-Provinz des Sudans, in die wir hineingeraten sind, gerade ein großer Aufstand tobt. Fünfzehnhundert Afrikaner sind erschossen, auch zwei Engländer, die spioniert haben sollen.

Mir wird etwas ungemütlich. Niemand weiß überhaupt, daß wir hier im Sudan sind. Wenn wir nicht mehr auftauchen, wird man annehmen, wir seien irgendwo in der Wildnis abgestürzt. Sind wir nach drei Tagen nicht zurück in Entebbe, startet man vielleicht eine Suchaktion mit mehreren Flugzeugen, die wir nachher bezahlen müssen. Das kann gehörig ins Geld gehen. Ich setze Telegramme auf. Der Polizeikommandant verspricht, sie gleich durch Funk weiterzugeben. Wir können lange nicht einschlafen. Alle unsere Filme, die wir am Rudolf-See und sonstwo aufgenommen haben, sind beschlagnahmt. Natürlich glaubt man uns nicht, daß wir so spät am Abend in der Dämmerung hier im Sudan gar keine Aufnahmen haben machen können.

Was aus uns wird, kann uns niemand sagen. Der Kommandant hat über unsere Gefangennahme nach der Distrikt-Hauptstadt Torit berichtet. Er wartet Weisungen ab, was er mit uns tun soll.

*Spaziergang mit Bajonettbewachung*

Geht einer von uns am nächsten Tag zum »little House«, wird er immer von zwei Soldaten mit Gewehren begleitet. Ich probiere aus, ob ich auch woanders hingehen kann, und die Soldaten hindern mich nicht daran. So mache ich einen Spaziergang unter Militärbewachung und spaziere in das nahe gelegene afrikanische Dorf. Die Missionskirche ist geschlossen und leer. Die scharzen Einwohner sind freundlich zu mir, sie schließen mir das Hospital aus englischer Zeit auf und zeigen mir die bescheidenen Behandlungsräume. Medikamente sind kaum noch da, aber der afrikanische Medizingehilfe scheint weiter tätig zu sein. An der großen offenen Gerichtshalle mitten im Dorf steht noch ein Schild aus britischer Zeit, mit arabischer und englischer Inschrift »Es ist verboten, in der Gerichtshalle zu urinieren«. Der schwarze Dorfchef kommt, er spricht gut englisch, er stellt mir seine Frau und seine Kinder vor. Ich verteile meine Visitenkarten an die Afrikaner: es soll auf jeden Fall wenigstens bekanntwerden, daß wir hier gewesen sind. Die Schule, die man mir gern aufschließt, ist leer. *Alle* Schulen seien vorübergehend geschlossen, sagt man mir. Seit wann? Schon seit zwei Jahren.

*Nicht urinieren in der Gerichtshalle*

Zwischen den Dorfleuten, die sich um uns versammeln, stehen immer wieder junge Männer, die von Kopf bis Fuß splitternackt sind. Niemand scheint etwas dabei zu finden. Der Ort, in dem wir gefangengehalten werden, heißt Ikitos. Ich entsinne mich, daß mein Freund John Owen, der Direktor der Nationalparks von Tansania in Arusha, in britischer Zeit Distriktkommissar im Süden des Sudans gewesen ist. Tatsächlich, sie kennen seinen Namen, der Dorfchef fragt mich, ob John Owen inzwischen sehr alt geworden sei, was seine Töchter machen; eine davon ist hier geboren und nach einem Ort in der Nachbarschaft genannt. Die Leute sind offenbar glücklich, in diesem verlorenen, abgeschnittenen Winkel etwas von der Außenwelt zu hören. Aber sie sind ängstlich und ungemein vorsichtig, niedergedrückt. John Owen war tatsächlich der letzte britische Distriktkommissar in diesem Bezirk, er hat in Torit residiert und oft hier Gericht abgehalten.

Ich setze wieder Telegramme auf. Werden sie jemals ihre Empfänger erreichen? Wir lesen, lang auf unseren Betten liegend, was wir nur an Heften und Büchern mithaben. Jetzt endlich bekommst du deine Zwangsferien, die dir alle Bekannten immer verordnen wollen, sage ich mir.

*Zwangsferien*

Zu uns sind die arabischen Offiziere und Unteroffiziere sehr freundlich. Sie bringen uns billige Fleischkonserven, eine Karaffe mit Trinkwasser, Tee, Zucker, ein Päckchen mit uralten, weich gewordenen Waffeln. Der Kommandeur, der nicht englisch spricht, macht uns sogar einen Besuch, diesmal in einem langen arabischen Gewand. Sogar eine Ziege scheinen sie uns zuliebe geschlachtet zu haben, denn wir bekommen am Abend eine ganze Schüssel voll gebratener Fleischstücke. Aber von den »natives«, den Eingeborenen, sprechen sie recht herablassend, mit einer gewissen Verachtung. Die Soldaten mit den Gewehren und Pistolen seien nur zu unserem Schutz da, beileibe nicht etwa, um uns als Gefangene zu bewachen, denn die Eingeborenen sind sehr gefährlich. So rechte arabische Liebenswürdigkeit.

Jeder von uns hat ein Buch zum Lesen mit. Wie lange wird das reichen, wenn wir es austauschen? Wenn man von früh bis abends auf dem Bett liegt, liest es sich schnell weg. Wir kommen uns recht schmutzig vor, denn unser Hauptgepäck liegt im Flughafen von Entebbe. Wir hecken Pläne aus, uns in das Flugzeug zu schleichen, Gas zu geben und über die Grenze zu hüpfen, oder wenigens Radioverbindung mit großen Verkehrsmaschinen aufzunehmen, die sicher hier irgendwo hoch im Himmel vorbeifliegen. Aber rings um die Maschine kampieren schwerbewaffnete Soldaten auch in der Nacht. Am dritten Tag schmieden wir schon Pläne, auszubrechen, wegzulaufen — natürlich Unsinn, bei diesen Wochenmärschen durch unbewohnte Wildnis. Da kommt der Kommandant mit der Nachricht, daß wir nach dem Bezirksort Torit, und von da weiter nach der Provinz-Hauptstadt Juba am Nil transportiert werden sollen.

Fünf Lastwagen werden mit fünfzig, sechzig bestahlhelmten schwerbewaffneten Soldaten und Maschinengewehren beladen. Jeden von uns setzt man in einen anderen Wagen, mich neben den Kommandanten, der mir aber immer nur die Namen von den Dörfern nennen kann, an denen wir entlangfahren. Spärlich genug liegen sie zwischen den malerisch wilden Felsbergen, runde bedachte Rundhäuser, die kleinen, auf Stelzen stehenden Vorrathäuschen dazwischen, jede Siedlung von hohen zackigen Staketenzäunen eingefaßt. Wir kommen uns sehr wichtig vor, weil man so viel Aufwand um uns macht. Die Straßen sind unglaublich schlecht und zerfahren, kein Auto, kein Fußgänger zu sehen, alles leer. Scheu blicken die Schwarzen aus den Dörfern.

Der Kommandant, der übrigens ein hübscher junger Mann

ist, schwarz, aber mit edel geformten arabischen Zügen, macht mir mit Handbewegungen klar, daß er Schmerzen im Kreuz hat. Die vielen Stunden Autoholperei müssen ihm sicher zur Hölle werden. Er blickt auf die Uhr, hält an, mit ihm der ganze Geleitzug. Stillschweigend nimmt er einen kleinen Teppich aus dem Auto, breitet ihn mitten auf der Straße aus, hebt die Hände in die Richtung nach Mekka, kniet nieder und drückt sein Gesicht auf die Erde. Er ist der einzige, der betet, die anderen stehen und warten.

*Gebet nach Mekka*

Die Landschaft erinnert mich an Guinea im Westen Afrikas. Wie schön könnte es hier sein, wenn Frieden wäre, wie recht hatte John Owen, als er von den Jahrzehnten schwärmte, die er hier verbracht hat. Wie vor fünfzehn Jahren im Inneren Westafrikas gehen hier die tiefschwarzen Mädchen unbekümmert mit nacktem Oberkörper graziös aufrecht und zeigen ihre runden Brüste.

Ein Riedbock läuft über die Straße und bleibt hundert Meter daneben im Gebüsch stehen. Schon springt der Kommandant mit dem Gewehr aus der Wagentür, geht nach und schießt. Ich freue mich, daß er nicht trifft. Dieser Bock bleibt das einzige Wildtier, das ich hier sehe. Wo soviel Waffen getragen werden, bleiben wenig Antilopen oder Elefanten am Leben.

Endlich kommen uns Autos entgegen. Es ist ein Geleitzug — ein gepanzerter Wagen vorn, Lastautos voller schwerbewaffneter Soldaten, wuchtige Laster, dicht bepackt mit Menschen und hochgetürmten Kisten, und zum Schluß noch einmal Soldaten. Das sind übrigens die einzigen Gefährte, die wir auf den 220 km treffen. Die Gegend ist offensichtlich sehr unsicher, die Afrikaner im hellen Aufruhr. Man kann hier leicht putschen — wenn es aus den Felsen und den Buschhainen ringsum schießt, werden die arabischen Soldaten wohl höchstens hinter den Autos in Deckung gehen, sich aber bestimmt nicht in dieses gefährliche, wirre Gelände wagen. Es war nicht nur Höflichkeit: man will uns wirklich beschützen, weniger bewachen.

*Ausgestorbene Straßen*

In Torit sollen wir übernachten, damit uns am nächsten Morgen eine andere Begleitmannschaft bis nach der Provinz-Hauptstadt Juba bringt. Ich sitze im alten Dienstzimmer meines Freundes Owen; offensichtlich hat sich in all den Jahren hier nichts verändert. Ich bestehe darauf, den General zu sprechen, und er gibt wirklich Befehl, daß uns dieselben Soldaten gleich weiter bis nach Juba bringen. Vorher essen wir im Offiziers-Kasino — nach arabischer Sitte langen wir alle mit den Fingern in die Schüsseln voll Braten, Reis, Gemüse und tupfen unsere Brocken nach Belieben in Salz oder Pfeffer. Zu trinken gibt es nur Wasser.

*Mit den*
*Fingern essen*

Spät in der Nacht setzen wir dann auf einer der alten großen und wackeligen Motorfähren über den Nil. Ein Scheinwerfer leuchtet den Autos, die über das zerrissene ziemlich steile Erdufer herunter und auf Bohlen bis auf den Dampfer fahren. Wie selbstverständlich lasse ich den Kommandanten fragen, ob er für uns im Juba-Hotel Zimmer reserviert hat, denn ich möchte nicht wieder im Polizeigewahrsam übernachten. Er sieht mich erstaunt an, läßt uns dann aber wirklich aus dem Polizeihof heraus wieder in die Autos steigen und fährt nach dem Hotel.

Hier war ich das letztemal Weihnachten 1957. Damals flog ich mit meinem Sohn Michael im eigenen Flugzeug vom Mittelmeer aus den Nil herauf und weiter bis an den Viktoria-See und die Serengeti. Der Hotelmanager will pflichtgemäß unsere Pässe einsehen, aber wir haben ja keine mehr. Alles ist hier noch wie damals: die großen Propeller an der Decke, die altmodischen abgenutzten Wachstuch-Sessel, der Weg aus dem Restaurant über die sandbestreuten Gartenwege zu dem Trakt mit den Gästezimmern.

Nur weiße Gesichter gibt es nicht mehr in diesem Hotel, außer zwei englischen Piloten, die in einer Ecke ein Bier trinken. Es stimmt nicht, daß hier zwei Briten erschossen worden sind, sagen sie, man hat sie nur verhaftet, weil sie im Aufstand brennende Häuser und Leichen fotografiert haben. Es waren Angestellte der Tobacco Company.

Nach dem Essen besucht mich der Polizei-Kommandeur der Äquatorial-Provinz, ein dunkelhäutiger gebildeter Araber, der zur Ausbildung in Deutschland war. Mit ihm kommt seine Frau — eine Wiesbadenerin, ihr erstes Kind auf dem Arm. Sie fühlt sich wohl hier in dieser südlichsten Provinz des Sudans, die so streng für jeden Verkehr abgesperrt ist. In ein paar Monaten hofft sie, zum erstenmal nach Deutschland zu Besuch zu fahren. Der nette Polizeichef will uns morgen mit der Verkehrsmaschine nach der Hauptstadt Khartoum schicken, was mit mancherlei Zwischenlandungen und Umwegen fünf oder sechs Stunden dauert. Mein Pilot hat sich aber inzwischen mit den beiden anderen englischen Piloten angefreundet, die in der sudanesischen Armee angestellt sind und frühmorgens eine Militärmaschine geradewegs in die Hauptstadt fliegen sollen. So bereden wir den Polizeichef, den Kommandanten aus Ikitos und uns drei mit diesem nagelneuen Flugzeug in die Hauptstadt zu schicken. Das dauert dann nur drei Stunden.

Am Flughafen drängen bärtige Schwarze mit weißen Tennisschuhen auf die Maschine ein. Es sind Rebellen aus dem Kongo, die vor Tschombe hier herüber geflüchtet sind. Die englischen Piloten weigern sich, sie ohne Ausweis mitzunehmen. Schade, ich hätte diese französisch sprechenden Kongolesen gern während des Fluges ausgefragt. In unseren Zeitungen in Europa las man, daß der Sudan chinesische Waffen für die Kongo-Rebellen habe durchschleusen lassen. Ich weiß nicht, ob das wahr ist, aber jedenfalls gehen diese Kongo-Waffen jetzt wieder zurück über die Grenze nach dem Sudan und werden gegen die arabischen Herrscher angewendet. Es ist leicht, in Afrika Waffen zu verteilen, aber schwer, sie wieder einzuziehen. Jahrhundertelang sind die Millionen von Afrikanern im südlichen Sudan von den Arabern aus Ägypten und Khartoum grausam ausgebeutet worden; sie wurden als Sklaven in alle Welt verkauft. Unter englischer Herrschaft konnten sie sich erholen, aber jetzt fühlen sie sich wieder in der Hand ihrer alten Sklavenhändler. Denn inzwischen sind die Afrikaner zum Teil Christen geworden, sie haben Schulen besucht und eine geordnete menschliche Verwaltung kennengelernt. Daher die Aufstände. Die Briten hätten ihnen vor ihrem Abzug wenigstens eine gewisse Selbstverwaltung in dem neuen unabhängigen Staat Sudan sichern sollen.

Hoch über den Wolken fliegen wir, die Piloten unterhalten sich durch Radio mit der Flugsicherung in Nairobi, der Hauptstadt von Kenia. Wir erfahren, daß wir seit Tagen gesucht werden. Man befürchtet, es sei uns etwas passiert, weil eine Nacht, bevor wir vom Rudolf-See abgeflogen waren, die Batterie unserer Maschine leer gewesen war. Nun endlich hört man in Ostafrika, wo wir stecken. Jetzt bin ich viel beruhigter.

In Khartoum lernen wir alle Polizeiinstanzen kennen. Polizeioffiziere des Innenministeriums vernehmen uns nacheinander, jeweils immer eine Gradstufe höher. Man bietet uns Kaffee und Zigaretten dabei an. Der Generalstaatsanwalt, der General Attorney, wird, wenn die Polizeiakten abgeschlossen sind, entscheiden, ob ein Gerichtsverfahren gegen uns eingeleitet wird. Wegen unerlaubter Grenzüberschreitung und des Verdachtes der Spionage im Kampfgebiet. Ich protestiere, daß wir verhaftet worden sind, denn nach internationalem Recht hat man notlandenden Flugzeugen zu helfen.

»Sie sind aber in einer Closed area gelandet, in einem Sperrgebiet mit Kampfhandlungen!« — »Die Sudanregierung hat diese Sperrung im ostafrikanischen Flugverkehr nicht bekanntgegeben«, wende ich ein, vermutlich, weil sie den Aufstand verheimlichen wollte. Ich frage, ob meine Telegramme abgeschickt worden sind, und finde sie fein säuberlich abgeheftet in den Akten. Erst jetzt gibt sie ein Beamter telefonisch in meiner Gegenwart dem Telegrafenamt durch.

*Telegramme nicht abgesandt*

Abends, im nagelneuen, hochmodernen, aber recht leeren Sudan-Hotel, lese ich in einer Khartoumer Zeitung, daß »zwei deutsche Professoren« wegen Verdachts der Spionage in der Äquatorial-Provinz verhaftet worden sind: »Prof. B. Hard und Prof. Griizinik.« So hat man aus Bernhard Grzimek gleich zwei Personen gemacht. Mir ist inzwischen längst klargeworden, daß im Sudan gar keine deutsche Botschaft mehr besteht, er ist ja ein arabisches Land. Aber der deutsche Generalkonsul Dr. Theodor Mez, der jetzt zur französischen Botschaft gehört, bemüht sich fieberhaft und rührend. Er hat die Bürgschaft dafür unterzeichnet, uns drei, auch meine beiden britischen Begleiter, auf freien Fuß zu setzen und im Hotel unterzubringen. Dr. Mez spricht fließend arabisch.

*Tüchtiger Dr. Mez*

Wenn es zu einem Gerichtsverfahren kommt, kann ich lange hier auf der Hotelterrasse sitzen und die braunbesegelten Nilkähne vorbeiziehen sehen. Ich zerbreche mir den Kopf, wie ich den Sudanesen wohl klarmachen kann, daß ich nur an wilden Tieren und nicht an Politik interessiert bin. Da erzählt mir ein Hotelgast, daß die englischen Ausgaben meiner Bücher in einer arabischen Buchhandlung ausgestellt sind. Wir fahren hin: In dem Geschäft blättern gerade zwei Damen in einem meiner Werke und unterhalten sich darüber, daß der Mann, der es ge- schrieben hat, jetzt hier im Gefängnis säße. Der arabische Buch- händler leiht mir die Bücher bereitwillig, damit ich sie im In- nenministerium vorzeigen kann. Er verlangt nicht einmal Pfand dafür.

*»Autor sitzt im Gefängnis«*

Dicht neben dem Hotel ist der Zoo von Khartoum, in dem ein in Frankfurt geborenes Flußpferd lebt und aus dem unsere Frankfurter Schuhschnäbel stammen. Ich kenne den Direktor seit vielen Jahren und ebenso den Leiter der Nationalpark-Ver- waltung des Sudans, der sein Büro im Zoo hat. Er war schon mein Gast in Frankfurt, und sein schwarzer Sohn spricht flie- ßend Deutsch. Wohl lädt er uns zum alkoholfreien Abendessen in seinen blütenprangenden Hausgarten ein, aber in die Polizei- und Gerichtsverfahren kann auch er kaum eingreifen. So tele- fonieren, antichambrieren, telegrafieren wir weiter. Khartoum ist eine schöne Stadt, aber ich möchte nicht wochenlang zwangsweise hier leben, selbst nicht auf Staatskosten.

An einem der nächsten heißen Abende kommt mir ein schlimmer Gedanke. Ich entsinne mich, daß ich in meinem Serengeti-Buch beschrieben habe, wir hätten damals dicht bei Juba ein Konzentrationslager mit Wachtürmen und Maschinen- gewehren getroffen. Ein europäischer Doktor, der im Dienst der sudanesischen Verwaltung stand, hatte uns erzählt, daß die Araber hier hin und wieder zwanzig bis dreißig Schwarze er- schießen. Ich hatte mich in meinem Buch nicht gerade freund- lich darüber geäußert.

*An Tieren, nicht an Politik interessiert*

»Steht das auch in der englischen Ausgabe?« frage ich Alan. »Selbstverständlich«, nickt er. Das ist unbehaglich; erinnert sich einer von den Sudanesen daran, dann nimmt mir kein General- staatsanwalt mehr ab, daß ich mich ganz unpolitisch in die ge- sperrte Äquatorial-Provinz verirrt habe. Deswegen nehme ich

»Serengeti darf nicht sterben« lieber nicht mit zum General Attorney.

Mit Behörden muß man sich auskennen. Der junge britische Konsulatsbeamte weist sich umständlich beim Pförtner aus und versucht beim Generalstaatsanwalt vorgelassen zu werden. Wir aber behaupten einfach, eine Verabredung mit ihm zu haben, und gehen recht energisch und zielbewußt schnell an ihm vorbei. Wieder Kaffeetrinken, wieder Freundlichkeit, aber die Akten sind noch nicht von der Polizei zu ihm gekommen, er kennt sie nicht, kann nichts entscheiden.

*Beim General-Staatsanwalt*

»Was für eine Strafe steht denn auf illegalen Grenzübertritt?« frage ich. Ich kann doch nicht wochenlang in Khartoum sitzen, bis der Fall entschieden ist! Darf ich nicht eine Haftsumme hinterlegen?

Man hat hier Zeit. Immerhin, der hohe Beamte telefoniert nach der Polizei und fordert die Akten an. Als wir wieder die Treppe herunterkommen, verhandelt der Konsulatsbeamte immer noch verzweifelt mit dem Pförtner.

Am Nachmittag ruft mich Dr. Mez freudig erregt an. Vor ein paar Stunden ist ein Telegramm des afrikanischen Staatspräsidenten von Tansania, Dr. Julius Nyerere, beim sudanesischen Premierminister eingetroffen; ich bin ja Ehrenbeamter in der Verwaltung von Tansania. Auch der Bundestagspräsident Dr. Gerstenmaier hat telegrafiert und die UNO. Das sudanesische Kabinett ist unseretwegen zusammengetreten und hat beschlossen, uns sofort freizulassen.

*Präsident Nyerere telegrafiert*

Ich fühle mich hochwichtig; wenn man meinen Fall vor die Afro-Asiatische Konferenz gebracht hätte, so wäre ich auch nicht verwundert gewesen. Der Innenminister läßt mir sein Bedauern ausdrücken. Man besteht nicht mehr darauf, unsere schönen Filme in Khartoum zu entwickeln, mit einem umständlichen Protokoll werden uns unsere beschlagnahmten Apparate ausgehändigt. Voll Entsetzen entdecke ich, daß sie ungepolstert in einem Pappkarton aufeinandergehäuft und so die 220 km schlechte Straße mit dem Lastwagen befördert worden sind. Aber nichts scheint daran entzwei zu sein. Wegen der verlorenen Woche kann ich nicht mehr nach Kampala zurück-

fliegen, ich steige mit meinem Fotokram und meinem Wasch-
zeug schmutzig und abgerissen in ein Düsenflugzeug nach Rom,
springe dort schnell in eine japanische Maschine und treffe un-
rasiert in Frankfurt ein. Wohnungsschlüssel, Autoschlüssel und
mein Scheckbuch liegen in Entebbe am Viktoria-See.

# HUNDERT JAHRE LANG VERLEUMDETER GORILLA

*Die Philosophie gleicht einer aufgeräumten Wohnung,
in die man das Tier nicht hereinläßt.*

*Albert Schweitzer*

Hundert Jahre lang, seit seiner Entdeckung um 1860 bis heute, gilt der Gorilla als riesiger teuflischer Waldschrecken, der tobsüchtig die Menschen anfällt und umbringt. Der Zoologe R. Owen beschrieb diese schwarzbraunen bis blauschwarzen Menschenaffen als einer der ersten; er behauptete: »Wenn sich Neger verstohlen durch das Düster des tropischen Urwaldes schleichen, merken sie manchmal die Anwesenheit eines dieser schrecklichen Riesenaffen am plötzlichen Verschwinden eines ihrer Gefährten. Er wird hoch in den Baum emporgezogen und kann höchstens noch einen kurzen Schreckensschrei ausstoßen. Wenige Minuten später fällt er erwürgt und als Leiche wieder zur Erde.« Noch vor ein paar Jahren behauptete ein deutscher Jagd-Journalist, er habe einen Gorillamann in Westafrika »exekutieren« müssen, weil er sich »an jedem Gorillaweib vergriffen« habe, in Eingeborenenhütten einbrach, eine Gorillamutter getötet und ihr Kind weggenommen habe. Ich konnte nachher nachweisen, daß dieser »mordende« Gorilla ein Weibchen war. Im ganzen genommen wußte man aber bis in die jüngste Zeit sehr wenig davon, wie diese, uns so nahe verwandten, gewaltigen Geschöpfe ihre Leben in Afrika verbringen und wie ihr Wesen ist.

Professor George B. Schaller vom Serengeti-Forschungsinstitut hat zwanzig Monate lang mitten zwischen Berggorillas gelebt und sie täglich beobachtet. Er hat einen 430 Seiten starken wissenschaftlichen Bericht darüber vorgelegt (G. B. Schaller, »The Mountain Gorilla«, Chikago 1963), der zugleich wohl die gründlichste Arbeit über ein afrikanisches Tier darstellt, welche bisher überhaupt geschrieben worden ist. Mit seinem Einverständnis habe ich von September bis Dezember 1963 meinen Mitarbeiter Alan Root und seine junge Frau Joan in die Kongo-Republik nach dem gleichen Gebiet geschickt, wo Schaller eine Art Freundschaft mit den Gorillas geschlossen hat, um sie gründlich zu filmen und zu fotografieren.

Gorillas, besonders Berggorillas, sind nämlich sonst ungemein schwer zu filmen. Sie sind scheu, vielfach von Gestrüpp und Pflanzen verdeckt, außerdem schwarz. Man hat also meistens nicht genug Fotografierlicht, selbst für hochempfindliche Filme. Die wenigen Szenen von freilebenden Gorillas, die bisher in zwei oder drei Filmen in den Kinos gezeigt worden sind, stammten in Wirklichkeit von solchen Tieren, die man vorher mit Aufwand von Hunderten von Treibern eingekesselt oder gefangen und an abgegrenzten Plätzen für die Aufnahmen wieder freigelassen hatte. Uns bot sich jetzt eine gute Gelegenheit, in den Virunga-Vulkanen Berggorillas bei ihrem natürlichen ungehinderten Leben in Freiheit zu filmen, weil sie durch das ständige Zusammenleben mit den Schallers menschenvertraut geworden waren. Da in dieser Gegend jetzt leider außerordentlich stark gewildert wird, war mir klar, daß diese wenigen hundert Berggorillas schon in einigen Monaten wieder ängstlich und scheu gegenüber Menschen sein könnten.

*Gorillas sehr schwer zu filmen*

Es handelt sich um die Bergkette der sechs Virunga-Vulkane, die nicht mehr tätig sind. Sie ragen aus einem fruchtbaren Land empor, welches zu den dichtest bevölkerten Gebieten Afrikas gehört. Vor allem um die Berggorillas auf diesen schlafenden Vulkanen zu schützen, haben die Belgier 1925 den Albert-Nationalpark gegründet, der 3150 qkm umfaßt, also etwa so klein ist wie Braunschweig. Er umschließt auch weite Steppen und Seegebiete, in denen keine Gorillas leben. Die sechs Vulkane sitzen gerade auf der Grenze zwischen der Kongo-Republik und dem neuen Staat Ruanda, die beide bis vor kurzem unter belgischer Herrschaft standen. Obwohl die neue schwarze Kongo-

*Belgier schufen Schutzgebiet für Berg-Gorillas*

Verwaltung trotz des Bürgerkrieges die Berggorillas zunächst nachdrücklich geschützt hatte, sind sie doch ständig bedroht von den Ackerbauern, die mehr Wald niederschlagen und unter den Pflug nehmen wollen, von Jägern, die sie des Fleisches wegen schießen, und von den Watussi-Hirten, die ihre riesigen, wirtschaftlich gar nicht genutzten Rinderherden in das Gorilla-gebiet hineinzutreiben versuchen.

*Kein Tropen-paradies*

Es ist keineswegs ein Tropenparadies nach landläufigen Begriffen, das die ernsten Menschentiere dort bewohnen und in das ihnen die Forscher und Beobachter nachklimmen müssen. Es liegt zwischen 2650 und 4300 m Höhe, es regnet viel, Wolken und Nebel dringen häufig in die Berg-Urwälder ein, die Temperatur geht tief herab, sogar bis unter null Grad. Hagel-körner bis zu der Größe von Spielmurmeln sind nicht selten.

Im Herzen Afrikas — und nur dort kommen sie vor — dürften augenblicklich im ganzen wohl nicht weniger als fünftausend, aber auch sicher nicht mehr als fünfzehntausend Berggorillas leben. Sie halten sich gar nicht so ungern an Plätzen auf, wo sich Menschen zu schaffen gemacht haben, also in der Nähe von Dörfern und Pflanzungen, von Straßen, von Bergwerken. Dort nämlich sind die Urwaldriesen niedergeschlagen worden, und Pflanzen, Büsche, dann junge Bäume wachsen nach, die den Gorillas viel mehr Nahrung bieten, von den Feldfrüchten der Menschen ganz zu schweigen. Es dauert etwa achtzig Jahre,

*Warum ihre Zahl immer überschätzt wurde*

bis sich die richtigen Waldbaum-Arten wieder von allein angesiedelt und durchgesetzt haben und so hoch gewachsen sind, daß man sie nicht mehr vom ursprünglichen nichtabgeholzten Urwald unterscheiden kann. Auf diese Weise ist die Zahl der Gorillas aber immer sehr überschätzt worden. Man nahm an, daß sie in dem endlosen Urwald ebenso zahlreich leben wie in der Nähe der Straßen und Siedlungen.

Die Ehepaare Schaller und Root lebten in einer Blockhütte und in Zelten vor allem im Kabara-Gebiet der Virunga-Vulkane. Von den insgesamt vier- bis fünfhundert Berggorillas dieser Vulkane hausen hier rund zweihundert, und zwar in zehn verschiedenen Familien oder Gruppen. George Schaller hat diese Tiere 466 Stunden lang unmittelbar beobachtet und sie

314mal angetroffen. Sechs der Gorilla-Gruppen hatten sich zum Schluß völlig an ihn gewöhnt.

Es ist gar nicht einfach, diesen Menschenaffen bei ihrem täglichen Treiben zuzusehen; das Gestrüpp und Gebüsch ist gar zu dicht. Die Kabara-Landschaft war für die Forscher so vorteilhaft, weil dort die Gorillas noch gar keine oder nur sehr wenig Bekanntschaft mit Menschen gemacht hatten. Geht der Beobachter einzeln an sie heran, so fliehen sie selten. Der Rudelführer, ein gewaltiger schwerer Gorillamann, wendet dem Ankömmling sein Gesicht voll entgegen, stößt ein paar Schreie aus, und bald sammeln sich die Weiber und Jungen in seiner Nähe, um das fremde Wesen ebenfalls genau zu beobachten, oft von erhöhten Ästen oder Baumstümpfen aus. Meist beginnen sie nach einiger Zeit wieder zu essen oder sich auszuruhen. Wenn der Beobachter mit irgendeinem Gegenstand hantiert, den sie noch nicht kennen, also etwa einer Filmkamera, so strecken sie ihre Hälse aus oder klettern irgendwo empor, um das Ding genauer betrachten zu können. *Gorillas laufen nicht weg, sie sind friedlich interessiert*

So eine Gruppe ist zwei bis dreißig Köpfe stark, in Kabara waren es im Durchschnitt siebzehn. Man darf nicht geradewegs auf die Gorillas zugehen, keine raschen Bewegungen machen, nicht plötzlich laut sprechen und sie auch nicht anstarren, sonst ziehen sie sich zurück. Ernstliche Angriffe sind nicht vorgekommen.

Manchmal überwog bei den Gorillas auch die Neugier, und zwar ohne daß der Grund zu ersehen war. Eine Gruppe, die Schaller schon 76mal angetroffen und beobachtet hatte, kam eines Tages allmählich immer näher, bis auf zehn Meter Abstand, und musterte ihn mit größter Neugier. Ein Weibchen mit einem drei Monate alten Kind an der Brust ging noch näher, langte herauf und gab dem Zweig, auf dem Schaller saß, einen scharfen Stoß. Dann blickte sie empor, wie um zu sehen, was er wohl daraufhin tun würde. Ein Halbwüchsiger machte bald darauf dasselbe, und ein einzelnes Weibchen stieg sogar für ein paar Sekunden auf den Ast herauf. Noch öfter machten die Männer, vor allem die Herdenführer, Scheinangriffe, wohl um zu sehen, wie er sich verhalten würde, oder um ihn zu vertrei- *Scheinangriffe* ben. Einmal rannte ein großer Gorillamann auf diese Weise 7 m auf ihn zu, hielt jedoch in einem Abstand von 25 m endgültig an.

Selten ist wohl ein Geschöpf auf Erden so schmählich verkannt worden wie der Gorilla. Zu diesem Schluß kommt man, wenn man liest, was Schaller während der vielen Beobachtungsstunden in seine dicken Tagebücher eintrug.

Die meisten Tiere, und auch wir Menschen, nehmen ja bestimmte Landgebiete in Besitz und verteidigen sie wütend. Menschen bringen sich deswegen sogar gern um. Auch eine Gorillagruppe hat eine Heimat, ein eigenes Revier von 25 bis 40 qkm. Die Gorillas, die ja fast ausschließlich auf dem Boden *Gorillas ver-* leben, wandern ständig darin umher und suchen dabei nach *tragen sich gut* Nahrung, manchmal nur hundert Meter weit an einem Tag, mitunter bis zu 5 km. Aber im gleichen Gebiet leben andere Gorillagruppen, mitunter bis zu sechs. Begegnet man sich, so gibt es keine Kämpfe, sondern die beiden Gruppenhäuptlinge starren und drohen sich kurz an, meistens aber nicht einmal das. Die Mitglieder der zwei Gruppen können sich sogar treffen und dann wieder auseinandergehen. Schaller konnte überhaupt niemals Streitigkeiten oder gar Kämpfe zwischen Gorillas beobachten.

Es gibt auch kaum Prügeleien um die Weibchen, wie überhaupt die Geschlechtätigkeit bei den Gorillas, im Gegensatz zu den meisten anderen Affen, eine recht untergeordnete Rolle *Kein* spielt. Der Herdenführer duldet es, daß ein zweiter Gorillamann *Geschlechtsneid* nur drei Meter von ihm entfernt mit einem der Weiber in seiner Gruppe schöntut und daß es zur Vereinigung zwischen den beiden kommt. Die Schwangerschaft sieht man den Gorillafrauen kaum an, da sie auch sonst recht starke Bäuche haben. Nach den Geburten, die bisher in zoologischen Gärten vorgekommen sind, dauert sie knapp achteinhalb Monate gegenüber beinahe acht Monaten bei Schimpansen und acht Monaten bei Orang Utans. Während der Schwangerschaft haben manche Gorillaweibchen zeitweise geschwollene Knöchel. Die Geburt geht im Liegen und innerhalb weniger Minuten vor sich, das Weibchen durchtrennt anschließend die Nabelschnur und trägt das Junge, welches sich im Gegensatz zu vielen niederen Affenkindern nicht allein festhalten kann, an die Brust gedrückt. Bis Anfang 1969 sind erst 21 Gorillas in Menschenobhut in Zoos geboren worden (dazu außerdem sechs Fehlgeburten; davon leben noch achtzehn). Je vier dieser Geburten erfolgten in den Tiergärten von Basel und Frankfurt. So gut wie alle Babys wurden von den Müttern nicht angenommen, sondern mußten künstlich von Menschen aufgezogen werden. Wahrscheinlich liegt das daran, daß auch die Mütter ganz jung in Menschenhand geraten sind, wie z. B. unsere »Makula« in Frankfurt, und daher nie als Kinder und junge Mädchen in der Horde den Umgang mit Kleinkindern gesehen haben. In meinem Privathaushalt sind nacheinander fünf Gorillakinder vom Babyalter an groß geworden. Ich habe das in meinem Buch »Zwanzig Tiere und ein Mensch« beschrieben. Genauso verhalten sich unsere Gorillas im Frankfurter Zoo. Das ganze Jahr hindurch werden Junge geboren, keine bestimmte Jahreszeit ist also besonders bevorzugt.

*Jetzt 21 Gorilla-Geburten in Zoos*

Als unsere Gorillafrau »Makula« zu uns kam, die jetzt erwachsen im Frankfurter Zoo lebt, war sie selbst ein so kleines Baby, daß sie nicht einmal allein den Kopf emporheben konnte. Wir mußten sie wie ein Menschenbaby im Schlafzimmer neben dem Bett stehen haben und pflegen. Gorillakinder entwickeln sich etwa zweimal so schnell wie Menschenkinder.

Unser erster in Frankfurt geborener Gorilla, »Max«, der am 22. Juni 1965 zur Welt kam, wog bei der Geburt 2100 g, nach einem Jahr 16,6 kg. Seine ersten Milchschneidezähne bekam er in der sechsten Lebenswoche, in der siebzehnten die ersten Bakkenzähne. Schon in der zweiten Woche folgte er mit den Augen bewegten Gegenständen, lachte, wenn man ihn kitzelte, und hob in der Bauchlage den Kopf. Als er zehn Wochen alt war, unterschied er die Pflegeeltern von anderen Menschen und drehte sich selbst vom Bauch zum Rücken. Mit neunzehn Wochen lief er auf allen vieren, mit 26 Wochen richtete er sich aus dem Laufen auf zwei Beine auf, trommelte an die Wände, mit 34 Wochen konnte er einige Schritte aufrecht gehen. Am 3. Mai 1967 bekam dieselbe Gorilla-Frau weibliche Zwillinge, die je-

*Unser Gorillakind »Max«*

doch nicht eineiig sind und sich im Wesen und im Gewicht sehr unterscheiden.

In der Kabara-Gegend beginnen die kleinen Gorillas mit zweieinhalb Monaten schon Pflanzen mitzuessen, und mit sechs oder sieben Monaten leben sie offensichtlich in der Hauptsache davon. Manche saugen allerdings noch mit anderthalb Jahren nebenbei an der Mutter. Mit sechs bis sieben Monaten klettern sie.

Kinderliebe<br>Gorillariesen

Wenn Gorillamütter eigene Kinder haben, sind sie deswegen nicht unfreundlich zu anderen. Es kann passieren, daß ein fremdes Kind zu ihnen kommt, sich zu dem eigenen mit auf den Schoß setzt und an die Brust drückt, ohne daß es weggestoßen wird. Auch die mächtigen Gorillamänner dulden es, daß Kinder um sie herumspielen oder auf sie heraufklettern. Eine Gorillafrau im Gebiet der Virunga-Vulkane hatte ein acht Monate altes Kind mit einer großen Wunde am Rumpf. Das ritt, anders als andere Kinder, niemals auf ihrem Rücken, weil es offensichtlich zu schwach war, um sich festzuhalten. Die Mutter trug es immer sorgsam in ihrem Arm, daß kein Teil der Wunde ihren Körper berührte: Es wurde ständig mit dem Bauch nach abwärts gehalten. Zeitweise besah sich die Mutter die Wunde eingehend und pickte kurz mit der Hand daran. Einmal kam eine andere Gorillafrau hinzu, die zwei Monate zuvor ihr eigenes Kind verloren hatte, beugte sich darüber und berührte mit ihren Lippen das Gesicht des verletzten Kindes.

Kein Daumen-<br>lutschen

Kleinkinder werden beim Sitzen häufig in beide Arme genommen. Eine Gorillamutter trug ihr totes Kind noch vier Tage mit sich umher. Niemals konnte Daumenlutschen beobachtet werden. Bis drei Jahre bleiben die Jungen bei der Mutter und schlafen auch in ihrem Nest. Erst mit vier oder fünf Jahren hört die Bindung auf, aber auch das geht nicht so vor sich, daß die Mutter etwa ihren Nachwuchs barsch wegjagt. Während ein älteres Kind häufig noch bei der Mutter schläft, wenn diese bereits ein neues Baby hat, löst sie später manchmal nur ruhig die Hand des Halbwüchsigen, wenn dieser sich beim Marschieren noch an den Haaren ihres Rumpfes festhält. Die Gorillakinder sind im Jugendalter manchmal mehr bräunlich, besonders auf dem Kopf. Manche behalten zeitlebens den bräunlichen Schimmer auf dem Scheitel. Im Nko-Wald von Angola fand man am Rio Mussi 1966 einen männlichen, etwa zweijährigen Gorilla-Albino, völlig weiß mit blauen Augen. Er lebt seitdem im Zoo von Barcelona. *Weißer Gorilla*

Die Gorilla-Männer werden mit neun bis zehn Jahren geschlechtsreif, die Mädchen mit sechs bis sieben Jahren. Über ihr Lebensalter in Freiheit kann man kaum etwas sagen; im Zoo sind sie bis zu 38 Jahre alt geworden. Ein ausgewachsener Gorillamann ist eine eindrucksvolle Persönlichkeit. Er wiegt 135 bis 200 kg, also vier Zentner, die Weiber 70 bis 110 kg. Der große Gorillamann »Phil« im Zoo von San Louis, USA, wog bei seinem Tod 350 kg, dürfte aber wohl zu fett gewesen sein. *Im Zoo 38 Jahre alt*
Im Alter von zehn Jahren wird der Mittelteil des Rückens der Männer silbergrau. Nur diese »Silberrücken-Männer« können Anführer einer Familiengruppe, also Häuptlinge sein. Auch *»Silberrücken-Männer«* ohne ihren Silbersattel könnte man sie wegen ihrer gewaltigen Größe und ihrer Würde kaum verkennen. Ihre Herrschaft üben sie — im Gegensatz etwa zu Pavianen oder zu ursprünglich lebenden Menschen — ohne Zank, Schläge oder Bisse aus. Es gibt keinen Streit um die Nahrung. Am ehesten merkt man noch, daß die Gorillas eine gewisse Rangordnung untereinander haben, wenn sie sich auf einem engen Pfad begegnen oder überholen. Das tieferstehende Tier muß dann ausweichen. Tut es das nicht freiwillig, so genügt meistens ein leichtes Antippen mit dem Fingerrücken oder der Hand. Selten drückt der höherstehende den anderen mit beiden Händen beiseite oder mit der Brust, indem er einfach ruhig auf ihn zugeht. Der Häuptling bemüht sich keineswegs, tieferstehende, ausgewachsene Männer aus der Gruppe zu verjagen oder an ihrem Außenrand zu halten. Ebensowenig hindert er fremde Männer, die einzeln oder zu zweien im Wald leben, daran, in die Gruppe hineinzukommen. Man kann die erwachsenen Männer in 1,5 bis 2 m Abstand nebeneinander sitzen sehen. Die Kinder fühlen sich von *Kinder dürfen mit Gorilla-Häuptling spielen* dem großen Häuptling angezogen. Sobald die Gruppe rastet, verläßt das eine oder andere Kind seine Mutter, setzt sich bei ihm nieder oder spielt auf ihm herum. Einmal waren vier um

ihn versammelt. Als eines der Kleinkinder ihn in das Gesicht schlug, wandte der mächtige Mann nur sein Haupt nach der anderen Seite. Er duldete es sogar, daß sie in seine Haare faßten und während des Gehens eine Strecke lang auf ihm ritten oder beim Sitzen in seinen Schoß kletterten ... Wurden sie gar zu lästig, so genügte es, daß er sie scharf ansah.

Gorillas »lausen« nicht

Bekanntlich ist es bei Affen weit verbreitet, sich gegenseitig zu »lausen«, wie Zoobesucher oft sagen. In Wirklichkeit hat das mit dem Fangen etwa von Läusen nichts zu tun; Affen sind im allgemeinen läuse- und flöhefrei. Es ist vielmehr eine gegenseitige Haarpflege, die aber eher Zusammenhalt und Zuneigung ausdrücken soll und offensichtlich wohltut. Sie entspricht etwa dem gegenseitigen Streicheln bei uns Menschen. Gorillas tun es recht selten, am ehesten noch Mütter mit ihren Kindern, manchmal auch die starken Silberrücken-Männer, niemals jedoch die jüngeren schwarzen Männer. Während Paviankinder und kleine Schimpansen oft gar nicht genug von ihren Müttern »gelaust« sein können und sie gerade dazu auffordern, scheint es den kleinen Gorillas nicht selten lästig zu sein. Sie wehren sich dagegen so wie unsere Menschenkinder gegen das Gewaschenwerden.

---

*Ernst und nachdenklich sehen die riesigen Menschentiere zu den Forschern herüber. Sie flüchten erst, wenn man sie gar zu starr anblickt oder sich ihnen unmittelbar nähert. Vermeidet man das, so ist es manchmal möglich, stundenlang in einem Abstand von zwanzig bis dreißig Metern bei einer Gorillahorde zu bleiben.*

*Seite 230 oben:*
*Prinz Bernhard der Niederlande war der erste, der telegrafisch zur Geburt der beiden Gorilla-Zwillinge »Alice« und »Ellen« am 3. Mai 1967 ein Glückwunschtelegramm schickte. Obwohl sie Zwillinge sind, unterscheiden sie sich im Aussehen, noch mehr aber in ihrem Wesen.*

*Seite 230 unten:*
*Ein Gorilla-Baby, das seine Mutter nicht annimmt, macht ebenso viel Arbeit wie ein Menschenbaby, ja noch viel mehr. Allerdings hängt es mit der gleichen glühenden Liebe an seiner Menschenmutter und bleibt meistens zeitlebens später Menschen mehr zugetan als anderen Gorillas. Das ist Max, der erste in Deutschland geborene Gorilla.*

*Seite 231:*
*Die Gorillafrau »Toto« ist in menschlicher Obhut mindestens 36 Jahre alt geworden. Das ist das höchste Alter, welches bisher von Gorillas bekanntgeworden ist. Sie liebte Katzen sehr und hatte sich mit zweien eng angefreundet, so daß sie sie ständig mit sich herumtrug und die Katzen auch immer wieder freiwillig zu ihr in ihre Behausung zurückkehrten. »Toto«, die vom Babyalter an unter Menschen gelebt hatte, konnte sich später niemals mit einem Gorillamann anfreunden.*

228

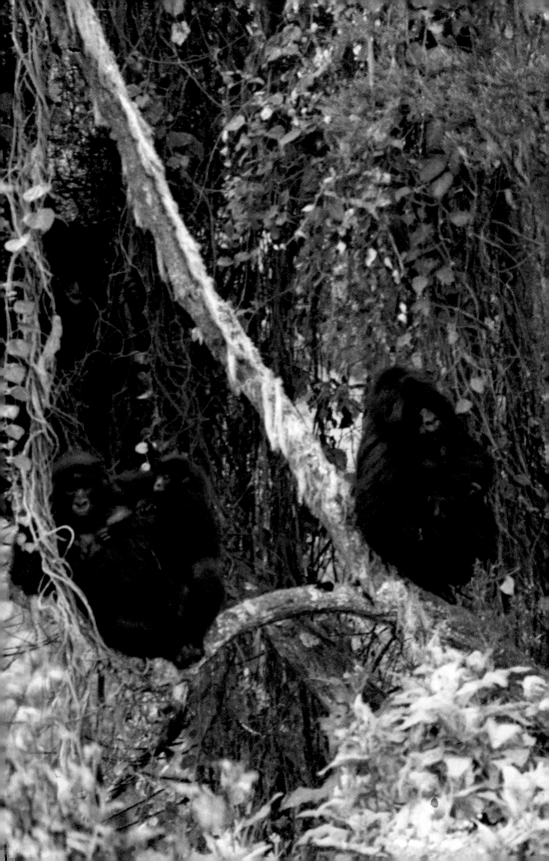

Schimpansen und viele andere Affen sind ein verspieltes Volk. Die Gorillakinder gehen manchmal von ihren Müttern weg, wenn die Gruppe sich zur Rast niedergelegt hat, und spielen in der Nähe. Die Alten jedoch machen nicht mit. Die Freude am Herumspielen hört bei frei lebenden Gorillas etwa mit sechs Jahren, also mit der Geschlechtsreife auf. Beliebte Spiele unter den Kindern sind Haschen oder das Verteidigen eines Baumstumpfes oder eines Hügels gegen den Angriff der anderen, also die gleichen Spiele, die unter verschiedenen Namen auch von allen Menschenkindern geübt werden. Allein beschäftigt sich ein kleiner Gorilla mit Klettern, Hin- und Herschwingen an einem Ast, Springen, Gleiten, indem er auf die Pflanzen einschlägt, Purzelbäume schlägt oder mit übertriebenem Gehabe umherrennt.

*Kleine Gorillas haben gleiche Spiele wie Menschenkinder*

Nach dem silberrückigen Häuptling richtet sich die ganze Gruppe, obwohl er keinerlei Befehle zu geben scheint. Setzt er sich nach einer Rast in Bewegung, so tun das auch alle übrigen, ohne dabei irgendeine Reihenfolge innezuhalten. Er ist am aufmerksamsten und erregbarsten von allen, er schreit und droht noch, wenn die anderen sich längst beruhigt haben. Ebenso aber ist er auch am scheuesten und verbirgt sich gern hinter Ästen. Manchmal gibt es zwei Silberrücken-Männer in einer Gruppe, von denen der eine sich etwas mehr ab vom Häuptling hält, außerdem ein bis zwei schwarze erwachsene Männer, sechs bis sieben Weiber, zwei bis drei Halberwachsene und vier bis fünf Kinder. Gorillas gähnen, schnaufen, husten, stoßen auf, haben Schluckauf und kratzen sich ähnlich wie wir Menschen. Sie haben 22 verschiedene Laute, um sich untereinander zu ver-

*Gorillas haben Schluckauf*

*Die Heimat der Berggorillas liegt an den Hängen der Virunga-Vulkane. Sie wachsen aus einer der dichtest von Menschen bevölkerten Gegenden Afrikas empor. Dicht dabei trifft man im Kongo andere, noch heute tätige Vulkane, wie z.B. den Niragongo, in dessen lavagefüllten Krater wir hier hineinsehen. Er ist 3470 m hoch.*

*Den größten Teil des Tages halten sich Gorillas auf der Erde, nicht etwa in Bäumen auf. Außer Menschen haben sie kaum natürliche Feinde, weswegen sie gar nicht so sehr bemüht sind, sich lautlos zu bewegen. Sie leben fast nur von Blättern, dem Mark und den Rinden der Gehölze von etwa hundert verschiedenen Pflanzenarten, zum geringen Teil auch von Früchten. Niemals nehmen sie tierische Nahrung zu sich.*

ständigen, aber natürlich keine Sprache, die ja allein beim Menschen entwickelt ist. Auch ausgesprochene Freundschaften zwischen Mitgliedern einer Gruppe, wie sie bei Schimpansen ausgeprägt sind, scheint es bei Gorillas nicht zu geben, sosehr verträglich man auch untereinander ist.

*Wuttanz*

So ein Silberrücken-Mann hält seine Gruppe, aber auch fremde Angreifer und Menschen, durch sein merkwürdiges, einschüchterndes Imponiergehabe, eine Art Wuttanz, in Schach. Dabei beginnt er mit einer Reihe von Schreien, die dadurch unterbrochen werden können, daß er ein Blatt zwischen die Lippen nimmt. Danach folgen die Schreie noch schneller aufeinander, das Tier stellt sich auf die Hinterbeine, wirft Blätter und Zweige in die Luft. Als Höhepunkt schlägt der Riese mit den Händen mehrmals auf die Brust. Dann rennt er auf allen vieren seitwärts und reißt dabei die Pflanzen nieder. Schließlich schlägt er mit der flachen Hand auf die Erde.

Sogar Kinder im Alter von vier Monaten klopfen schon auf die Brust und reißen Pflanzen ab, aber nur große Männer schreien bei dieser Einschüchterungs-Vorstellung. Dem gleichen Zweck dienen ja auch die Männertänze der Indianer, Afrikaner und anderer ursprünglicher Eingeborener, nicht minder jedoch bei uns Aufmärsche, Truppenparaden, Protestmärsche, Manöver: Man will Eindruck machen, einschüchtern, ohne gleich wirklich prügeln und töten zu müssen.

*Eindruck machen ohne anzugreifen*

Wenn Gorillas wirklich angreifen wollen, benehmen sie sich anders, und auch wieder nicht so unähnlich uns Menschen. Blickt ein Gorilla einem Menschen oder einem anderen Gorilla, der sich ihm nähert, längere Zeit scharf in die Augen, so bedeutet das eine Drohung. Es wird auch umgekehrt von ihm so verstanden. Deswegen müssen der Beobachter und der Filmmann sich hüten, Gorillas zu scharf anzusehen. Mitunter runzelt der drohende Gorillamann die Stirn und zieht die Augenbrauen zusammen, auch die Lippen können zusammengepreßt werden. Dabei gibt er kurze abgehackte Grunzlaute von sich. Schließlich wirft er den Kopf in der Richtung des Gegners auf, oft auch den Körper, als ob er loslaufen wollte. Und endlich rennt er wirklich auf ihn zu, stoppt aber fast immer ein paar

*So droht ein Gorilla*

Meter davor oder läuft seitwärts vorbei. Hat ein Jäger ein Gewehr bei sich, so schießt er das Tier dann immer »in Notwehr« nieder. Alle Berichte aus den vergangenen Jahrzehnten sind voll von solchen Tötungen.

Es kann allerdings gefährlich werden, wenn man beim Herankommen des Riesenmannes den Mut verliert und wegrennt. Dann läuft er meistens weiter auf allen vieren hinter dem Flüchtling her, beißt ihm in die Beine, ins Gesäß, die Arme oder den Rücken und rennt weiter, so gut wie immer ohne sich länger bei ihm aufzuhalten oder ihn noch weiter zu verletzen oder gar zu töten.

*Bloß nicht weglaufen!*

Das scharfe gegenseitige Ansehen wird ja auch bei Menschen als Herausforderung empfunden. Nur wenige Jahrzehnte zurück fühlten sich Angehörige von Studentenverbindungen beleidigt, wenn sie in einem Restaurant von jemandem »fixiert« wurden. Sie baten ihn dann heraus in einen Gang oder zur Toilette, man backpfeifte sich, wechselte Visitenkarten aus, schickte sich die Sekundanten und duellierte sich später. Es steckt also in uns Menschen sehr viel ererbtes Verhalten, das wir mit den großen Menschenaffen gemeinsam haben. Wenn auch der Anteil der Todesfälle bei solchen akademischen Schlägereien und Duellen sicher nicht sehr hoch war, dürfte er bei den schweren Gorillas wahrscheinlich noch weit darunter liegen.

*Der Mensch hat dieselben Drohgesten*

Es ist vorgesorgt, daß Gorillas sich nicht gegenseitig verkrüppeln oder umbringen. Das Weibchen oder der rangtiefere Mann wendet den Blick, meistens den ganzen Kopf ab, wenn der »Vorgesetzte« ihn scharf anblickt, um nur ja zu zeigen, daß er nicht mit ihm anbinden möchte. Umgekehrt blickte im Columbus-Zoo der Gorillamann, als er das Liebesspiel mit dem Weibchen beginnen wollte, stets von ihr weg, um sie nicht einzuschüchtern. Als man im Zoo von New York ein paar ausgewachsene Gorillas zusammenließ, die sich vorher schon lange Zeit durch ein Trenngitter kennengelernt hatten, wendeten sie gleichfalls meistens Blick und Kopf ab, wenn sie aufeinander zugingen. Eines Tages schlug das Weibchen auf das Männchen ein und zog sich dabei einen langen Riß in der Haut des Unter-

*Gorillas wenden den Blick ab*

armes zu, weil sie genau auf seinen Eckzahn getroffen hatte. Sie beschäftigte sich einen ganzen Tag lang mit dieser Wunde. Der Gorillamann aber war sichtlich beeindruckt von der Verletzung, mied das Weibchen in der nächsten Zeit völlig und verließ immer nach kurzer Zeit jeden Raum, in den sie hineinkam.

*Das war dem Gorillamann peinlich*

Wird man als Gorilla selber angestarrt, oder kommt ein anderer Gorilla oder ein Mensch auf einen zu, so kann man auf dreierlei Weise zeigen, daß man friedliche Absichten hat. Erstens sieht man selbst weg und dreht den Kopf zur Seite. Oder man schüttelt ihn vor und zurück, und schließlich kann man sich ganz flach auf die Erde mit dem Gesicht nach unten legen. »Ich führte mehrmals einfache Versuche aus, um festzustellen, bei welchen Gelegenheiten der Kopf genickt wird. Ein Silberrücken-Mann z. B. saß in 10 m Abstand und beobachtete mich«, sagt Schaller; »ich richtete meinen Blick auf sein Gesicht, und er wurde deutlich unsicher, schließlich wendete er sein Gesicht nach der Seite. Als ich fortfuhr, ihn anzustarren, begann er seinen Kopf von einer Seite nach der anderen Seite zu bewegen. Schließlich stand er auf, schlug auf seine Brust und ging weg. In ähnlicher Weise blickte ein schwarzrückiger Mann mich aus einem Abstand von 10 m an. Als ich mit dem Kopf nickte, wendete er seinen Blick ab. Daraufhin sah ich ihn meinerseits wieder scharf an, und er begann mit dem Kopf zu nikken. Wir setzten das etwa zehn Minuten fort. Schwarzrücken-Männer nickten manchmal mit ihrem Kopf, wenn sie sehr nahe an mich herankamen. Ich wendete es auch an, wenn ich unerwartet die Tiere in kurzem Abstand traf. Es schien sie zu beruhigen. Die Geste scheint zu bedeuten: ›Ich habe nichts Böses im Sinn.‹«

*»Ich habe nichts Böses im Sinn«*

*Gleiche Unterwerfungsgesten bei Mensch und Gorilla*

Wenn ein Gorilla vermeiden will, daß er von einem Mann im Wuttanz geschlagen wird, oder wenn er sehr deutlich seine Unterwerfung zeigen will, sobald ein ranghohes Tier in der Nähe ist, so duckt er sich nieder. Die Tiere legen sich auf den Bauch, drücken den Kopf herab und ziehen Arme und Beine unter sich, so daß nur der breite Rücken dargeboten ist. Jugendliche halten manchmal eine Hand dabei über den Hinterkopf.

236

Auf diese Weise werden die verletzbaren Teile des Körpers verdeckt, und vor allem stoppt es jede Angriffslust von seiten des höherstehenden Tieres ab. Wir Menschen haben ja ein verblüffend ähnliches Benehmen. Die tiefe Verbeugung, der Hofknicks bei Damen besagt schließlich nichts anderes als Ergebenheit und Unterwerfung. Als der Eingeborene »Freitag« zum erstenmal Robinson Crusoe begegnete, warf er sich der Länge nach auf die Erde und setzte selbst den Fuß Robinsons auf seinen Nakken. Auch bei vielen Eingeborenen kriecht man auf allen vieren zum Herrscher oder legt sich auf den Bauch, wie bei uns in weiter zurückliegenden Zeiten. Bei den Nyakiusa im südwestlichen Tanganyika muß eine Frau, die einen Mann grüßt, sich bücken und von ihm wegsehen. Wahrscheinlich kommt auch das Kopfnicken als Begrüßung davon, daß man seine friedlichen Absichten ebenso zeigen will wie ein Gorilla. Es ist wohl eine dem Menschen vererbte, angeborene Verhaltensweise.

Mein Mitarbeiter Dr. Schmitt hat im Frankfurter Zoo in den letzten Jahren elektrophoretische und andere sehr eingehende vergleichende Blutuntersuchungen bei Menschenaffen, Menschen und anderen Affen gemacht. Auch danach steht uns der Gorilla verwandtschaftlich am zweitnächsten, nach dem Schimpansen, aber vor dem asiatischen Orang Utan. Das scheint sich auch im Wesen und in der Lebensweise der Gorillas auszudrücken. Trotzdem wirken sie meistens viel anziehender auf uns als das Verhalten der Schimpansen, die eben in zu unangenehmer Weise auch unsere schlechten menschlichen Eigenschaften widerspiegeln.

Schimpansen sind viel zänkischer. Nach den Untersuchungen von Jane Goodall in dem kleinen Gombe-Nationalpark in Tansania fangen Schimpansen in Halbsteppengebieten sogar kleine Affen, töten sie und verzehren sie. Bei frei lebenden Gorillas dagegen hat noch nie jemand tierische Nahrung feststellen können. Schaller besah sich mehrere tausend Kothaufen von frei lebenden Gorillas, ohne auch nur in einem einzigen Fall Haare, Chitinpanzer von Insekten, Knochen, Hautteile oder andere Zeichen tierischer Nahrung zu finden. In Gefangenschaft essen Gorillas allerdings ziemlich bereitwillig Fleisch. Das dürfte

*Gorillas sind reine Pflanzenköstler*

aber auf die völlige Umstellung ihrer Nahrung und den Mangel an Eiweißstoffen zurückzuführen sein.

In Freiheit beachteten sie frisch getötete Tiere nicht, an denen sie vorbei gingen. Einmal rastete eine Gorillagruppe in 3 m Abstand von einer brütenden Taube, die nicht zu übersehen war. Sie störten jedoch die Brüterin nicht. Hauptsächlich leben sie von Blättern, Schößlingen, auch dem Mark von Pflanzen und Trieben. Mitunter reißen sie Rinde ab und verzehren sie. Dabei benutzen sie zum Essen fast durchweg die Hände, selten beißen sie die Pflanzen unmittelbar mit dem Mund ab. Auch hierin unterscheiden sie sich von den Schimpansen, die vor allem Früchte verzehren und weniger Blätter und Triebe. Schaller stellte etwa hundert verschiedene Pflanzenarten fest, die von den Gorillas aufgenommen werden. Ich selbst habe im Kisoro-Gebiet, den Spuren einer Gorillagruppe nachfolgend, alle Pflanzen gekostet, die sie gegessen hatten. Sie schmeckten überwiegend bitterlich. Wahrscheinlich decken diese Pflanzen auch den Wasserbedarf der Gorillas. Sie wurden in Freiheit niemals beim Trinken beobachtet, obwohl sie durch 30 bis 60 cm tiefe Wasserläufe hindurchgehen. Tiefere und breitere Flüsse überqueren sie nicht, es sei denn, ein Baum sei wie eine Brücke darüber gefallen. Gorillas können ebenso wie der Mensch und die beiden anderen Menschenaffenarten von Haus aus nicht schwimmen, im Gegensatz zu fast allen übrigen tieferstehenden Affen und fast sämtlichen anderen Tierarten. Mehrfach sind Gorillas in Wasser-Absperrgräben von zoologischen Gärten ertrunken.

Die bedächtigen Gorillas essen im Umhergehen eigentlich während des ganzen Tages, soweit sie sich nicht niederlegen. Dabei sind sie niemals hastig oder gar futterneidisch. Da die Blätter und Pflanzen nicht sehr nahrhaft sind, müssen sie große Mengen davon aufnehmen. Allein die Trockenmasse in der Kotmenge eines Tages wiegt 1 bis 1,5 kg, es sind also schon große Mengen, die ein Gorilla täglich von sich gibt.

Frei lebende Gorillas sind im Gegensatz zu Schimpansen bisher noch niemals dabei beobachtet worden, daß sie Stöcke oder andere Dinge als Werkzeuge gebrauchten. Sie zeigen auch kaum Neugier gegenüber fremden Gegenständen. Bei einer Gelegen-

*Sie essen mit den Händen*

*Gorillas ertrunken*

*Kein Werkzeuggebrauch, im Gegensatz zu Schimpansen*

heit lag der Rucksack von Schaller voll im Blick eines Schwarz-
rücken-Mannes und nicht weiter als fünf Meter von ihm ab.
Das Tier sah einmal darauf und kümmerte sich dann nicht
weiter darum. Ein Stück Papier, das sich leuchtend weiß vom
Grün des Waldes abhob und das benutzt worden war, um
einen Pfad zu markieren, wurde von einer vorbeigehenden
Gruppe Gorillas nicht beachtet. Ähnlich ging es bei anderen
Gelegenheiten. Das Wesen eines Gorillas ist in sich gekehrt, *Gorillas sind*
oder, wie die Psychologen sagen würden, »introvertiert«, und *nicht neugierig*
zwar sowohl in Freiheit als auch im Zoo. Wahrscheinlich wür-
den wir Menschen sehr viel freundlicher und friedlicher miteinander leben, wenn wir mehr verwandt mit den Gorillas als mit
den Schimpansen wären.

Wie steht es mit den Sinnen der Gorillas? Sie sehen, hören
und riechen etwa ebenso gut wie wir Menschen. Zwischen 6
und 8 Uhr morgens stehen sie von ihrem selbstgemachten Lager
auf, essen dann etwa zwei Stunden lang und legen sich zwischen
10 und 14 Uhr zur Ruhe nieder, die sie allerdings mitunter kurz
unterbrechen, um wieder etwas zu sich zu nehmen. Kurz vor
Dunkelheit, um 18 Uhr, bauen sie sich ihre gepolsterten Nester.
Auch bei diesen Schlafstätten gibt es örtliche Sitten, genau wie
beim Essen. Pflanzen, die in einem Gebirgszug zur Hauptnah-
rung der dort lebenden Berggorillas gehören, werden von den
in einer anderen Gegend lebenden überhaupt nicht angerührt,
obwohl sie dort auch wachsen. Gefangene, schon größere oder
ausgewachsene Gorillas nehmen zunächst lange Zeit Brot, Bananen oder Pflanzen nicht an, an die sie nicht gewöhnt sind.
Am bereitwilligsten tun das noch Gorillakinder.

Was die Nester anbelangt, sind z. B. in der Gegend von Ka- *Wie sich*
bara neun von zehn auf der Erde gebaut, im Gebiet von Utu *Gorillas Betten*
jedoch nur zwei. Die Gorillas biegen sich auf der Erde die *bauen*
Schößlinge und Büsche alle nach der Mitte auf einen Platz zusammen, so daß ein federndes Polster entsteht. Ähnlich tun sie
es im Wipfel von Bäumen oder in Astgabeln. Natürlich kann so
ein Nest auch ohne weiteres einen Menschen tragen. Schimpan-
sennester sehen ähnlich aus, finden sich aber immer viel höher
in den Bäumen und niemals auf der Erde. Ein Gorilla baut für

jede Nacht ein neues Nest, fast immer werden auch neue Plätze dazu ausgesucht. Die Nester liegen im Abstand von nur wenigen Metern; es gibt keine festen Regeln dafür, an welcher Stelle innerhalb des gesamten Schlafplatzes die Weibchen, die Kinder oder der Häuptling schlafen. In den Gebieten von Utu und Kisoro hatten die Gorillas manchmal nur 30 oder 70 m entfernt von Menschensiedlungen ihre Schlafplätze. Übrigens schnarchen Gorillas nicht.

*Sie schnarchen nicht*

Die Silberrücken-Männer haben ganz selten Nester in den Bäumen, sie schlafen auf der Erde. Gorillas sind ja überhaupt Bodentiere. Die ausgewachsenen Tiere klettern, und zwar recht vorsichtig, auf die Bäume nur, um dort Nahrung zu sammeln, bestenfalls um irgend etwas von oben her genauer beobachten zu können. Die Weibchen sind zweimal so häufig in den Bäumen wie die Männer, die Jugendlichen sogar viermal so oft.

*Auf zwei Gorillafrauen kommen drei Männer*

Gorillafrauen bekommen alle $3^1/_2$ bis $4^1/_2$ Jahre ein Kind, die knappe Hälfte davon stirbt jedoch schon im Kindes- oder Jugendalter. In den Gruppen kommen zwei Weiber auf einen Mann. Rechnet man die einzeln oder zu zweien lebenden Gorillamänner zu der Gesamtbevölkerung dazu, dann entfallen wohl 1,5 Männer auf jedes Weibchen. Wahrscheinlich ist bei den Gorillamännern die Sterblichkeit größer. In den kleinen Teilen der zentralafrikanischen Gebirge, die überhaupt von Gorillas bewohnt werden, kommt im Durchschnitt einer dieser Riesen-Menschenaffen auf 1 bis 4 qkm. Der Gorilla ist keineswegs ein Geschöpf, das sich nur im Waldesdunkel wohl fühlt. Obwohl sie im Wald leben und, wenigstens die Berggorillas, noch dazu in nebligen und regnerischen Gegenden, meiden sie durchaus nicht die Sonne. Im Gegenteil, sie freuen sich offensichtlich, wenn sie herauskommt. Manche Tiere lagen mehr als zwei Stunden auf dem Rücken in prallem Sonnenschein, wobei sich Schweißperlen auf der Oberlippe bildeten und der Schweiß in Strömen die Brust herunterlief. In keinem Fall gingen sie der Sonne aus dem Wege, sondern sie standen sogar von ihren Rastplätzen auf und gingen zu Flecken, die von der Sonne beschienen waren.

*Gorillas nehmen Sonnenbäder*

Vom Regen sind sie keinesfalls begeistert. Durchaus häufig

stehen die Gorillas bei Beginn von Regenschauern auf, gehen unter Baumwipfel und setzen sich dicht an Baumstämme, wo sie trocken bleiben. Ebensooft bleiben sie aber einfach im Regen sitzen. Schwacher Regen kümmert sie überhaupt nicht sehr. Meistens hören sie nur auf, Futter zu suchen. Wenn sie bereits rasten, legen sie sich vom Rücken auf den Bauch oder setzen sich auf. Beim Beginn schwerer Regenfälle steigen die Gorillas von den Bäumen herunter, soweit sie oben waren; die Kinder kehren zu ihren Müttern zurück. Bleiben die Tiere im Freien sitzen, so ducken sie den Kopf, so daß das Kinn die Brust berührt, kreuzen die Arme über der Brust oder legen die linke Hand auf die rechte Schulter. Mütter nehmen ihre Kinder oft in die Arme und lehnen sich so nach vorn, daß sie trocken bleiben. So bleiben die Gorillas bewegungslos und ohne einen Laut sitzen und lassen das Wasser von den Schultern und den Augenbrauen herunterlaufen. Dabei machen sie einen recht bemitleidenswerten Eindruck. Sie lassen sich dann auch durch kaum etwas stören. Schaller ging einmal ohne Ankündigung geradewegs durch eine so dasitzende Gruppe, und nur eines der Tiere hob den Kopf. Bei anderer Gelegenheit kam er in voller Sicht der Gorillas an und setzte sich in 3 bis 10 m Abstand von ihnen unter einen überhängenden Baumstamm. Obwohl sie ihn ansahen, gingen sie nicht weg. Es muß schon über zwei Stunden lang sehr heftig regnen, ehe sie sich entschließen, während des Regens Futter zu suchen. Sie verlassen auch niemals wegen Regens ihre Schlafnester. Bei schwerem Hagel benehmen sie sich nicht anders.

Um Donnergrollen, das im Gebirge häufig ist, kümmern sich die Gorillas nicht. Zweimal erschreckte ein sehr heftiger Donnerschlag jedoch die Tiere ebenso wie den Beobachter. Eines der Männchen warf den Kopf auf und sah den Menschen an.

Um andere Tiere scheren sich die selbstbewußten Riesen wenig. Moskitos oder andere Insekten, die stechen und beißen, gibt es zumindest in Kabara nicht. Wenn Raben oder andere Vögel aus der Luft überraschend zu ihnen herunterfliegen, erschrecken sie und schimpfen manchmal. Der Beobachter war in diesem Fall genauso erschrocken. Einmal kam ein Baumschliefer, ein kaninchengroßes Tier, aus einem umgestürzten Baumstamm, auf dem ein Gorilla saß. Obwohl mehrere Gorillas ringsum ihn sahen, kümmerte sich keiner darum. Auch Elefanten und Gorillas scheinen sich wenig umeinander zu kümmern, wenngleich die letzten die Berghänge meiden, die von Elefanten zertrampelt und abgeweidet sind. Schimpansengruppen halten sich mitunter in der gleichen Gegend auf, ohne daß es Streitereien gibt, mitunter schlafen Schimpansenhorden und Gorillahorden in kleinem Abstand voneinander. Auch um die roten großen Waldbüffel scheint man sich wenig zu scheren.

In Büchern ist oft beschrieben, daß Leoparden kleine Gorillas wegholen, besonders in der Nacht. In Kabara gibt es keine Anhaltspunkte dafür. Während der ganzen Beobachtungszeit verschwand nur einmal ein Gorillakind von einer Gruppe, die Ursache blieb unbekannt. Der Kot der Leoparden in dieser Gegend enthielt dagegen fast nur Haare und Überreste von Dukkern, also kleinen Waldantilopen, und Baumschliefern. Im Gebiet von Kisoro, Ruanda, das viel kleiner ist und wo der Wald immer mehr von Feldern und Siedlungen eingeengt und zurückgedrängt wird, ist die Zahl der Ducker wohl durch Jagd und Wilddieberei sehr stark verringert. Dort fand man eines Tages einen Gorillamann, der im Kampf mit einem Leoparden getötet worden war, das andere Mal ein getötetes Gorillaweib. Der Leopard hatte das schlafende Tier in seinem Bett überfallen, und beide waren zusammen den Abhang hinuntergerollt. Ein drittes Mal beobachtete ein Forscher dort, wie ein schwarzer Leopard einen einzelnen männlichen Gorilla anpirschte, der ahnungslos dasaß. Der Gorilla ging aber weg, ehe sich der Panther nahe genug an ihn heranbewegt hatte.

*Leopard tötete zwei Gorillas*

Auch zum Menschen ist das Benehmen nicht anders. Schaller stieß bei drei Gelegenheiten im Wald plötzlich auf einzelne Gorillas, wobei die Überraschung für beide Teile groß war. Obwohl der Abstand nur 1,5 bis 2,5 m war, machten die Gorillas — zweimal Weiber, einmal ein Mann — keine Miene anzugreifen. Einmal schrie ein Weibchen auf und lief etwa 3 m weg, aber die anderen zwei Tiere blickten nur auf und kümmerten sich nicht weiter um den Forscher, als er sich langsam zurückzog. Gorillagruppen blieben meistens stundenlang im Abstand von 20 bis 25 m vom Beschauer, wenn dieser nur ganz offen dastand.

Wenn Gorillagruppen mit Menschen zusammentreffen, so ziehen sie sich friedlich zurück und verschwinden. Das ist ihr gewöhnliches Verhalten. Verletzungen von Menschen kommen ausschließlich vor, wenn man etwas von ihnen will, wenn man also Tiere tötet, eine Gorillagruppe umzingelt, einzelne Tiere fängt, in seltenen Fällen auch beim Vertreiben von Gorillas aus menschlichen Äckern und Pflanzungen. Wenn die eingeborenen Jäger den Silberrücken-Mann getötet haben, schließen sie die Weibchen ein und erschlagen sie mit Knüppeln. Die Tiere versuchen oft nicht einmal wegzulaufen. Es ist jammervoll zu sehen, wie sie nur die Arme über den Kopf halten, um die Schläge möglichst abzuschirmen, und in dieser Unterwerfungshaltung verbleiben.

*Gorillas greifen Menschen nur in Notwehr an*

Im Missionshospital zu Kitsombiro bei Lubero wurden zwischen 1950 und 1959 neun Verletzungen behandelt, die von Gorillas stammten. Nur sechs davon machten längeren Krankenhausaufenthalt notwendig. Drei Afrikaner waren gebissen worden, als sie einen einzeln lebenden Silberrücken-Gorillamann eingeschlossen hatten und ihn töten wollten. Die Wunden waren im Schenkel, der Wade und der Hand. Bei einer anderen Gelegenheit wurde ein einzelner Schwarzrücken-Mann umzingelt. Einer der Jäger flüchtete und glitt dabei aus. Der Gorilla packte ihn am Knie und Ferse und biß ihn in die Wade, wobei er ein 18 cm langes Stück Muskel herausriß. In Kayonza wurde vor einigen Jahren ein Bantu in das Hinterteil gebissen. Die Batwa lachen noch heute, wenn sie davon erzählen, weil er lange Zeit nicht sitzen konnte. Meistens sind es die Gorillamänner, welche in der Verteidigung angreifen, mitunter aber auch Weiber. In Kamerun gilt es als Schande, durch einen Gorilla verwundet worden zu sein, weil alle Leute wissen, daß das Tier nicht angegriffen hätte, wenn der Mann nicht Angst bekommen hätte und weggerannt wäre.

*Ins Hinterteil gebissen*

Bei all seiner überlegenen Kraft und Mächtigkeit ist der Gorilla friedlich und verträglich. Er ist also wirklich kein tücki-

*Kein Waldteufel*

scher Waldteufel. Das Bild, welches Jäger von ihm verbreitet haben, ist eine Verleumdung. Vielleicht stammt es aus einem eigenen Schuldbewußtsein. Einen großen Menschenaffen zu töten, muß den Jäger innerlich ähnlich bewegen, wie wenn er einen Menschen erschossen hätte. Der Gesichtsausdruck, das Benehmen, der Blick eines Gorillas sind nun einmal so unerträglich menschenähnlich. Vor dem eigenen Gewissen und von anderen Menschen entschuldigt man aber eine Tötung noch immer am besten, indem man den Gegner als Verbrecher, Unmensch und Mörder hinstellt, zumindest als nicht herausgeforderten Angreifer, den man in Notwehr erschießen mußte. Denken wir doch nur an unsere eigenen Kriege. Haben wir wirklich ein Recht, können wir es verantworten, Wesen wie die Gorillas ganz und gar von der Erde verschwinden zu lassen?

# DER GORILLA, DER NUR MENSCHEN KENNT

*Alles, was kräht, war einmal ein Ei.*

*Afrikanisches Sprichwort*

Im Jahre 1953 habe ich eine Volkszählung von allen Gorillas
gemacht, die außerhalb Afrikas lebten. (Es waren 56 Gorillas;
1967 war ihre Zahl schon auf 302 Flachland- und 12 Berggorillas gestiegen.) Damals, vor sechzehn Jahren, hörte ich, daß
eine Dame einen ausgewachsenen Gorilla in ihrem Haus in
Havanna auf der Insel Kuba hielt. Für jeden, der weiß, was ein
ausgewachsener Gorilla bedeutet, ist das eine aufregende Sache.
Aber ich konnte nicht in Briefwechsel mit dieser sagenhaften
Dame auf Kuba eintreten; nur auf Umwegen erfuhr ich, daß
das Tier weiblich war und schon 1932 als winziges Baby in
ihre Hand gekommen war.

Inzwischen habe ich in den letzten Jahren des öfteren Briefe
mit Frau A. Maria Hoyt gewechselt. Als Herr E. Kenneth Hoyt
1926 seine junge österreichische Frau Maria heiratete, gab er
seine Geschäfte in Südamerika auf. Die beiden reisten nur noch
in der Welt herum — nach Ceylon, Algier, Marokko, Indochina,
Japan, Europa, Hongkong, ganz Ostafrika. Es gab kein Jahr,
in dem sie länger als sechs Wochen am selben Platz gelebt hätten. Bis sie dann nach Westafrika kamen.

Dort erreichte Frau Hoyt ihr Schicksal. So kann man schon
sagen. Die beiden reisten 1932 mit Lastwagen von der Elfenbeinküste aus durch das damalige Französisch-Westafrika,
durch den Sudan, Nigeria, den Tschad. Sie waren acht Monate
lang unterwegs und legten auf schlechten Straßen 13 000 km

zurück. Weil Kenneth schon als Junge begeistert Kampfhühner gezüchtet hatte, führte er die ganze Zeit zehn Legehühner aus der Elfenbeinküste mit. Abends, wenn sie am Rastplatz aus ihren Käfigen gelassen wurden, rannten sie meistens schon nach dem hingestellten Nestkorb, um ihre Eier zu legen. Wenn sie es gar zu eilig hatten, mußte auch der Behälter der Thermosflaschen oder sonstwas dafür herhalten. Archie, der Hahn, schlug jeden ortsansässigen Hahn aus den Dörfern in die Flucht. Afrikanische Hühner haben ein erstaunliches Gefühl für Gefahren. Giftige Spinnen und Skorpione, sogar kleine Schlangen hackten sie schnell und furchtlos tot. Kam ein größerer Feind, dann warnten und gackerten die Hühner. Da die Diener angewiesen waren, stets der Ursache einer solchen Hühner-Empörung nachzugehen, fanden sie auf diese Weise des öfteren gefährliche Schlangen, die von den Zweigen herabhingen oder unter einer Transportkiste hervorschauten.

In Französisch-Äquatorialafrika, der heutigen Kongo-Brazzaville-Republik, ging Kenneth auf Gorillajagd. Er hatte dem Amerikanischen Naturkundlichen Museum in New York versprochen, einen großen Gorilla zum Aufstellen mitzubringen. An dieser Jagd beteiligten sich nicht nur die eigenen vierzehn Diener und die beiden Fahrer (ein Weißer und ein Schwarzer), sondern auch wenigstens zweihundert Eingeborene aus den Dörfern der Umgebung. Die Gorillafamilie war bereits auf einer Insel mitten in einem der großen Flüsse von den Eingeborenen eingezingelt. Dann wurden die Tiere dicht an den Jägern vorbeigetrieben. »Dicht hinter einem Weibchen mit Kind brach ein gewaltiger Gorillamann durch den dichten Busch. Er hatte etwas Prächtiges und Edles an sich«, so schreibt Frau Hoyt, »das mich für ihn fürchten ließ. Mein Herz schlug wild und schmerzlich, als er mit einem Schwung seines mächtigen Armes die schweren Zweige beiseite schob und verschwand. Und dann hörte ich einen Schuß, und fast unmittelbar darauf kam Ali, der Gewehrträger meines Mannes, zu mir gerannt, schrie und winkte mit den Händen. ›Memsahib‹, schrie er, ›der große Gorilla ist tot — fertig!‹«

Leider kam es noch schlimmer. Ohne Wissen der Hoyts hat-

ten die Eingeborenen starke Netze im Wald aufgestellt und die
Gorillafamilie hineingetrieben. Statt *eines* Gorillas waren acht
darin von den Eingeborenen mit Speeren getötet worden. Der
einzig Überlebende war ein Gorillababy von vier Kilo, das
wütend gegen die nackte Brust des Häuptlings biß und kratzte,
der es gepackt hatte. Frau Hoyt streckte die Arme nach ihm
aus; das arme kleine Ding flüchtete sich hinein und wurde im
gleichen Augenblick ruhig. Maria Hoyt fühlte sich verpflichtet,
nach diesem Blutbad, aus diesem schrecklichen Haufen toter
Gorillas wenigstens dieses kleine Lebewesen zu retten, das noch
nicht einmal laufen konnte. Eine junge Eingeborenen-Mutter
mit strotzenden Brüsten bot sich als Amme für die ersten Wochen in Afrika an. Dann ließ der junge Afrikaner Abdullah
seine drei Ehefrauen im Stich und fuhr als Pfleger mit bis in ein
Hotel in der Rue de Rivoli in Paris.

*Statt eines Gorillas acht getötet*

Dort bekam die kleine »Toto« eine schwere Lungenentzün-
dung. Ein Kinderarzt spritzte ihr schnell Sauerstoff ins Bein, so
daß es aufgeblasen war wie ein Ballon, man holte einen trag-
baren Röntgenapparat ins Hotel, um die Luftwege aufzunehmen, baute ein Sauerstoffzelt auf, und täglich berieten sich mehrere Doktoren im Nebenzimmer. Es gelang, den kleinen Todes-
kandidaten durchzubringen, aber er wurde so verwöhnt, daß er
im Bett abwechselnd bei Frau oder Herrn Hoyt schlief.

*Kinderärzte kamen ins Pariser Hotel*

Als seine Pflegemutter mit dem Tier zur Erholung nach Aro-
achon an die Küste in der Nähe von Bordeaux fuhr — immer
noch mit einem Gefolge von fünf Personen —, konnte sie mit
der kleinen »Toto« kaum an den Strand gehen. Ständig war sie
von einem Haufen Neugieriger umringt, meistens Frauen. Es
war schwer festzustellen, wer sie mehr anlockte, das Gorilla-
baby oder der sehr gut aussehende Abdullah. Er bändelte mit
allen Zimmermädchen an, so daß Frau Hoyt ihn vor rach-
süchtigen Liebhabern und Ehemännern warnen mußte. Schließlich zog sie in eine Privatwohnung um, wo sie mit der kleinen
»Toto« auf dem Balkon in Sonne und Luft gehen konnte, ohne
von Zuschauern belästigt zu werden. »Toto« begann immer kri-
tischer auf die Kleider zu achten, die ihre Pflegemutter trug.
Nur manche Hüte billigte und liebte sie: vorsichtig tippte sie

mit den Fingern daran. Andere mißfielen ihr. Mit einem raschen Griff riß sie sie vom Kopf, und meistens hatte sie im Augenblick die neuste Pariser Modeschöpfung zerknüllt und zerfetzt.

Durch Erfahrung gewitzt, gab Frau Hoyt ihrem schwarzen Baby ein Schlafmittel ein, bevor sie mit ihm das Schiff nach Havanna bestieg. So glaubten die Zuschauer und die Schiffsbesatzung, ein menschliches Baby würde, sorgsam zugedeckt in seinem Tragkorb, an Deck gebracht. Maria Hoyt hatte ein ganzes Appartement und noch drei zusätzliche Räume gemietet.

So glückte es, »Toto« und die beiden Spitze während der Reise immer rechtzeitig von einem in den anderen Raum zu bringen, so daß die Stewards sie nie zu sehen bekamen. Die Reise ging nach Havanna, wo Herr Hoyt inzwischen ein Haus ausgesucht und gekauft hatte. Die beiden glaubten, das tropische Klima Havannas würde ihrem heiklen Ziehkind am besten bekommen. Diese Villa muß nicht gerade klein gewesen sein, denn heute, nach der Enteignung durch Fidel Castro, ist die Sowjetbotschaft dort eingezogen.

Dort ist »Toto« herangewachsen. Von dem, was sie als Kind anstellte, ist mir vieles sehr vertraut, weil wir selbst in vergangenen Jahren in unserer Wohnung Gorillababys hatten, allerdings niemals bis zu solch einem Alter und einer Größe wie »Toto«. Aber wer sonst auf Erden außer Frau Hoyt hat das schon einmal getan?

»Toto« liebte mit harten Gummibällen zu spielen. Dann saß sie wieder stundenlang vor den Steinfliesen und malte mit

Kreide seltsame Gebilde darauf. Manchmal sahen sie wie Nummern aus, dann standen die Gärtner und Hausbedienten herum und spielten diese Zahlen sofort in der Lotterie. Einmal gewannen sie sogar. Die Mutter von Frau Hoyt brachte »Toto« bei, mit den Fingern in der Luft zu malen, einen Kreis für das Gesicht, drei Punkte darin für Augen und Nase und einen Strich für den Mund. Oft begrüßte »Toto« sie, indem sie die gleiche Zeichnung in der Luft mit dem ausgestreckten Zeigefinger machte, als ob es für die beiden das Erkennungszeichen eines Geheimbundes wäre. Später übertrug »Toto« diese Malereien von Gesichtern mit Kreide auf die Steinfliesen. Obwohl sie nun wirklich nicht gerade sehr kunstvoll gelangen, konnte man sie doch deutlich als menschliche Gesichter erkennen.

Das Gorillakind liebte alles, was kalt war. Als es zwei Jahre alt war, beschäftigte es sich besonders gern mit einer altmodischen Eiskiste, die auf der Bedententerrasse vor der Küchentür stand. Es waren nicht die Speisen, die »Toto« darin suchte, sondern die Eisblöcke. Sie wartete, bis niemand dort war, dann schloß sie die Küchentür, stellte einen Stuhl dagegen, setzte sich darauf, so daß niemand herauskommen konnte, und langte von da aus in die Eiskiste. Oft schleppte sie Stücke von über zehn Pfund mit sich herum, versteckte sie im Garten oder zerkrachte sie auf den Fliesen. Obwohl Gorillas in Freiheit bekanntlich nie tierische Nahrung zu sich nehmen, liebte »Toto« Fleisch, auch wenn es blutig war. Diese Vorliebe behielt sie bei, nachdem sie längst erwachsen war. *Totos Leidenschaft: Eisblöcke*

Sie duldete niemand außer Frau Hoyt, deren Mutter, Abdullah, den Ehemann Kenneth und eines der Hausmädchen um sich. Alle anderen, die ihr näher kommen wollten, biß und kratzte sie. Als sie sich einmal sehr schlecht benahm, gab ihr die alte Frau Hoyt nur einen kleinen Klaps. Unverzüglich fing »Toto« ein schreckliches Geschrei an, marschierte geradewegs in die Zimmerecke, wandte ihr Gesicht gegen die Wand, stampfte mit den Füßen und brüllte, so laut sie konnte, bis das ganze Haus herbeigerannt kam, um zu sehen, was los war. Was sollte nur werden, wenn Abdullah wieder nach Afrika zurückfahren mußte? *Beleidigt*

Denn das ließ sich nicht vermeiden. Die Kolonialregierung verlangte, daß jeder Bediente, der ins Ausland mitgenommen wurde, nach spätestens zwei Jahren auf Kosten des Arbeitgebers wieder zurückgebracht werden mußte. Als Abdullah von Havanna abreiste, hatte er nur noch wenig Ähnlichkeit mit dem Gewehrträger in Khakihemd und -hose, der von Tanganyika aus mit den Hoyts losgezogen war. Jetzt fuhr er mit drei großen Koffern voll Hemden, Schlipsen, Kleidern, Unterwäsche, Schuhen und Hüten und vielen Geschenken für seine Frauen und Freunde ab. Als er reiste, sah er mehr wie ein wohlhaben- *Ein verwandelter Abdullah* der Harlem-Jazzdirigent aus als wie ein junger Afrikaner. Später kam dann aber Nachricht aus Tanganyika, daß Abdullah zu Hause sofort seine ganze europäische Ausrüstung teuer verkauft hatte. Schon während seiner Abwesenheit hatten seine drei Frauen das Geld, das er regelmäßig nach Hause schickte, gut angelegt. Er fing ein Geschäft damit an und hatte bald drei Fleischerläden in verschiedenen Dörfern.

*Er kaufte drei Fleischerläden*

In den folgenden Wochen hatte Frau Hoyt fünf verschiedene Pfleger für »Toto«. Eine kubanische Frau versuchte das Gorillakind aufzuheitern, indem sie ständig vor seinem Gesicht mit Kastagnetten rasselte, die man zum Rumba-Tanzen braucht. »Toto« wurde schließlich so wütend darüber, daß sie ihr die Dinger aus der Hand riß und auf dem Kopf der Frau zerbrach. Dann hatte Frau Hoyt das Glück, einen besonders tüchtigen jungen Spanier namens Thomas zu bekommen, der dann »Toto« über dreißig Jahre betreut hat und mit ihr zusammen alt geworden ist.

Er war vorher bei einer Frau Abren angestellt gewesen, die eine besondere Neigung zu Menschenaffen hatte. Sie züchtete zum erstenmal Schimpansen in Gefangenschaft und glaubte, daß diese so menschenähnlichen Tiere auch »unsterbliche Seelen« hätten. Deswegen baute sie auf ihrer Besitzung eine Kapelle und besuchte mit ihren Pfleglingen die Messe... Als Frau Abren 1930 starb, gab ihr Sohn die große Menschenaffensammlung an zoologische Gärten ab, und so wurde Thomas frei. Er verlor bald sein Herz an das Gorillakind. Lange Jahre hindurch ging er Tag und Nacht niemals von ihm weg, außer gelegentlich eine Stunde am Nachmittag, und verbrachte die ersten sechs Jahre niemals eine Nacht von ihm getrennt. Eine Zeitlang schliefen sie in dem neuen Haus, das für das Tier gebaut worden war, zusammen im selben Bett.

*Schimpansen gingen in die Kapelle zur Messe...*

Manchmal allerdings bekam »Toto« mitten in der Nacht Heimweh nach Frau Hoyt oder ihrem Mann. Dann schlich sie sich heimlich aus dem Bett, ohne Thomas zu wecken, öffnete die Tür lautlos, verschloß sie von außen, und ging in das Schlafzimmer des Ehepaares.

Später wurde ein eisernes Bett besonders für sie gemacht. Es

hatte einen Deckel aus Eisengitter, mit dessen Hilfe sie im Bett
eingesperrt wurde. In dem Bett waren Sprungfedern und eine
Matratze, aber in einer Ecke der Matratze war ein Loch einge-
schnitten, und darunter stand ein Nachttopf. »Toto« lernte im
Gegensatz zu vielen Menschenkindern sofort, ihr Bett sauber-
zuhalten. Auch am Tage benutzte sie diese Toilette. Weil sie
sehr bald alle Wasserhähne aufdrehte und trank, das kubanische Wasser jedoch nicht ungefährlich war, mußten alle Wasserstellen so geändert werden, daß man sie nur mit einem Vier-
kantschlüssel öffnen konnte. Übrigens gingen Stuhl- und Urin-
proben jahrelang zur regelmäßigen Untersuchung an ein medi-
zinisches Institut. Die Proben trugen nur die Aufschrift »Baby
Toto«, und in der ganzen Zeit vermutete niemand von den
Untersuchern, daß es sich nicht um ein menschliches Kind handelte.

»Toto« und Thomas aßen immer zusammen, wobei jeder
seine Mahlzeit auf einem Tablett bekam. Wenn Thomas' Tablett zuerst kam, dann wurde »Toto« recht ärgerlich und nahm
das Essen herunter. Kamen die Tabletts zugleich, so untersuchte
sie erst sorgfältig das von Thomas, ob irgend etwas darauf war,
was bei ihr nicht zu finden war. In diesem Fall nahm sie sofort
weg und probierte, ob es schmeckte. Deswegen wurde es bald
zur festen Regel, Thomas und »Toto« stets das gleiche Essen zu
geben. Übrigens aß »Toto« zeitlebens mit dem Löffel.

Als sie drei Jahre alt war, hatte sie die Stärke von zwei Männern und den Schabernack von einem Dutzend halbwüchsiger
Jungens. Es gab nicht eine Tür im Haus, die sie nicht aufmachen konnte. Unklug war es, etwa eine abzuschließen, denn
dann suchte und suchte sie, bis sie den Schlüssel fand und damit aufschloß, oder sie brach die Klinken ab. Als sie größer und
schwerer wurde, hatte sie bald heraus, daß sie eine Tür leicht
öffnen konnte, indem sie mit der Schulter dagegen wuchtete.

Von dem Haus führte eine breite Treppe in den Garten hinunter. An ihren beiden Seiten waren 7 m lange Marmorbalustraden, die in der Mitte und am unteren Ende je einen Mar-
morpfeiler trugen. »Toto« rannte plötzlich die Treppe herauf,
kletterte auf eine der breiten Marmorbalustraden und rutschte

blitzschnell herunter. Es sah aus, als ob sie gegen den Pfeiler knallen würde, aber sie wich ihm aus, packte ihn mit dem Arm, sauste im Halbkreis durch die Luft um ihn herum, landete auf dem unteren Balustradenstück, machte an dem Pfeiler am Ende der Treppe dasselbe, sprang von da aus auf den Marmorfußboden und schlug anschließend ein halbes Dutzend Purzelbäume. Von da an wurde das der Hauptsport, wenn sie sich in der Villa aufhalten durfte. Ebenso schlug sie die ganze Treppe herunter, von oben bis unten, Purzelbäume. Mit dem Bett, das zwei Männer nicht anheben konnten, fuhr sie, darin eingesperrt, quer durch den Raum bis an den Klingelknopf und läutete nach den Bedienten.

*Purzelbäume die Treppe herunter*

Das Haus, das schließlich eigens für sie neben der Garage gebaut wurde, bestand aus einem Spielraum von $5 \times 8$ m und einem Schlafraum $3,5 \times 5$ m. Daran schloß sich ein vergittertes Gehege von $13 \times 27$ m an. Dort wurde sie aber nur eingesperrt, wenn einmal Gäste im Haus waren, die vor ihr Angst hatten. Sonst stand die Tür immer offen, und »Toto« konnte frei herumlaufen, wie sie wollte. Erst hatte Thomas sein Bett neben dem ihren im Schlafraum stehen, später rückte er es im Verlauf von mehreren Monaten allmählich Zentimeter für Zentimeter weiter bis in den Spielraum und schloß auch langsam die Tür zwischen beiden. So konnte er endlich allein bei geschlossener Tür schlafen, ohne daß sie in Weinen und Schreien ausbrach.

*Sie sperrte ihren Pfleger ein*

Als Thomas eines Tages in ihrem Schlafraum war, ging sie heimlich heraus, schloß von außen die Tür und verriegelte sie. Nachdem sie ihn sicher eingesperrt hatte, tanzte sie vor Vergnügen im anderen Raum. Erst nach einer Stunde, als sie des Spiels ein wenig überdrüssig geworden war, konnte Thomas »Toto« an die Tür rufen, sie von innen her ausschimpfen und ihr befehlen, die Tür wieder aufzumachen, was sie auch tat.

Weil »Toto« so gern Dinge zerriß, gab Thomas ihr gern große Palmblätter und andere Zweige zum Spielen. Denn solange sie nicht beschäftigt war, war nichts vor ihr sicher. Neben der Garage war die Wäscherei. Einer der beliebtesten Tricks des Gorillas war es, schnell ein Hemd oder ein Handtuch zu schnap-

pen, wenn niemand aufpaßte, und es zu zerreißen. Als gar
nichts half, wurde der Wäschetrockenplatz vergittert, ebenso
die Türen und Fenster des Wäschehauses. Aber auch dann gelang es ihr immer wieder einmal, eine der Eisentüren zu ent-
riegeln. Sofort rannten die Diener schreiend nach allen Richtungen weg, und »Toto« übernahm den Platz. Sie machte alles
kurz und klein, bis Thomas mit einem Dornenstock ankam
und sie in ihr eigenes Haus brachte.

Den größten Teil jedes Monats benahm sich »Toto« recht
artig und folgsam. Dann aber wurde sie für zwei oder drei Tage
recht unruhig, und mit zunehmender Stärke auch gefährlich.
Nach Behauptung von Frau Hoyt fielen diese gefährlichen Tage
immer auf Neumond. Ich vermute eher, daß eine Beziehung
mit dem Geschlechtszyklus bestehen mag. Frau Hoyt nahm an,
daß Gorillas im gleichen Alter wie Menschen geschlechtsreif
werden. Wir wissen aber heute, daß das bei ihnen schon im
sechsten Lebensjahr der Fall ist. Frau Hoyt hat ihren Urwald-
Gast bis zum neunten Lebensjahr frei ohne Käfig gehalten!

Manchmal spielte »Toto« während dieser Tage Versteck mit
ihren menschlichen Familienmitgliedern und ließ sie im Garten
stundenlang suchen. Sie verhielt sich irgendwo im dichten Gebüsch mucksmäuschenstill, bis einer der Suchenden beinahe über
sie stolperte. Wenn einer sie entdeckte und nach Thomas rief,
war das Ergebnis, daß sie sofort ihre Richtung änderte und ein
neues Versteck aufsuchte. »Denn obwohl sie nicht sprechen
konnte, verstand sie Spanisch wie jedes spanische Kind ihres
Alters. Zum Glück konnte sie jedoch nicht lesen, und so machten wir eine Reihe von Schildern. Wenn wir ›Toto‹ fanden,
brauchten wir nur eines davon hochzuhalten, um Thomas zu
zeigen, in welche Richtung er zu gehen hatte.« Während dieser
unruhigen Tage wollte sie auch Thomas bald nicht mehr folgen. Sie warf Sand und Kies nach ihm, packte in ihrem Spielraum eine Schaukel und ließ sie voll Schwung gegen den Kopf
von Thomas sausen. Nur ein elektrischer Stock, der Schläge
austeilte, schüchterte sie ein.

Eines Tages fanden Thomas und »Toto« auf ihrem Lieblings-
spielplatz unter einem Bananenbaum vier junge Kätzchen, Kin-

253

der von einer Katze im Haushalt. »Toto« war entzückt. Sie sah sich die kleinen Tiere sorgsam an, lächelte, machte mit ihren Lippen Laute, die wie mh — mh — mh klingen, berührte die Kätzchen vorsichtig mit ihren Fingern. Schließlich nahm sie ein kleines schwarz-weißes auf und trug es in ihren Armen. Das kleine Ding schnurrte auch vergnügt und schmiegte sich an »Totos« dichtes weiches Fell.

»Toto« war so beschäftigt mit ihrem neuen Kind, daß sie von nichts anderem mehr etwas wissen wollte. Sie war sogar nicht dafür zu haben, nach dem Grammophon zu tanzen, was sie sonst immer sehr gern tat. Auf dem Rückweg trug sie die kleine Katze sicher in einem Arm und lief auf den zwei Füßen und den Knöcheln der rechten Hand.

Wo auch immer »Toto« künftig hinging, trug sie »Blanquita« manchmal unter dem Arm, manchmal auf dem Rücken, manchmal um den Hals mit sich herum. Auch als die Katze ausgewachsen war, hielt sie sich fast immer bei »Toto« auf. Eines Tages aber bekam sie sechs Junge. Von diesen suchte sich »Toto« wieder eines aus, einen kleinen Kater, der »Principe« genannt wurde. Seitdem hatte sie nur noch wenig für die Mutter übrig. Wenn »Blanquita« zu ihr kam, sich an ihr rieb und schnurrte, sah »Toto« sie kaum an und schob sie oft ungeduldig mit der Hand weg.

Ein anderer guter Freund von »Toto« war »Wally«, eine von den englischen Bullterriern. »Wally« war die einzige von all den Hunden, die niemals vor »Toto« Angst bekam. Als das Gorillakind noch klein war, spielte es mit allen Hunden auf dem Rasen herum, überkugelte sich, biß und kratzte, aber die Hunde und sie selbst liebten das. Als sie aber später größer und stärker wurde, mit einem Hund im Arm aufrecht stand und ihn ziemlich weit weg warf, bekam einer nach dem anderen Angst vor ihr — alle mit Ausnahme von »Wally«. Sie hielt immer zu »Toto«, und »Toto« liebte sie sehr.

Eines Tages brach ein ziemlich ernsthafter Kampf zwischen den Hunden aus. Erst war der Gorilla nur mäßig interessiert und wollte nur etwas näher gehen, um zuzusehen. Plötzlich aber entdeckte »Toto«, daß »Wally« mit beteiligt war und daß sie unten lag und zwei andere Hunde auf sie einbissen. Im Augenblick war »Toto« auf und ging mit tiefem, kehligem Ruf los, um ihrer Freundin zu helfen.

Thomas befahl ihr dazubleiben, aber sie folgte nicht. Er packte sie, und sofort biß sie ihn in den Arm und kratzte ihn in ihrer Wut und Entschlossenheit, mit »Wally« zusammen zu kämpfen. Schließlich gelang es Thomas, sie mit Hilfe eines Dornenstockes in ihre Behausung zu treiben und einzuschließen. Aber sie vergaß die Sache nicht. Als sie zwei Tage später mit Thomas durch den Garten ging, traf sie einen der Hunde, der auf »Wally« eingebissen hatte. Blitzschnell sprang sie ihn mit gefletschten Zähnen an. Hätte Thomas nicht mit allem eingegriffen, was er konnte, hätte es sicher einen Mord gegeben. Von da an mußten die beiden »Bösewichte« unter den Hunden immer eingesperrt bleiben, wenn »Toto« nicht ihrerseits eingeschlossen war.

Als »Toto« noch klein war und ihr erster Kinderzahn locker wurde, kam sie zu Thomas, den Mund weit offen und einen Finger an der Spitze des kleinen Zahnes. Sie bewegte ihn vor und zurück, um zu zeigen, daß er locker war. Ihre Augen verlangten offensichtlich eine Erklärung. Thomas nahm ein Stück Schnur, knüpfte es um den Zahn und hatte ihn mit einem Ruck heraus. Weil er glaubte, es wäre für die entstandene Wunde gut, gab er ihr anschließend etwas Kognak mit Wasser. »Toto« trank das und verlangte sofort mehr, aber Thomas gab ihr nichts. Wurde künftig ein Kinderzahn locker, rannte sie sofort vergnügt zu ihrem Pfleger, zeigte ihm eifrig den Zahn und hielt den Mund auf, während er den Faden festband. Sobald der Zahn draußen war, verlangte sie Kognak.

*Für Zahnziehen verlangte Toto Kognak*

Auch Mücken liebte sie sehr. Während alle Menschen im Mai und Juni auf Kuba von ihnen belästigt werden, war sie ziemlich sicher vor ihnen, weil ihr Fell zu dicht war. Sobald sich eine Mücke an ihrem Auge festsetzte, schnappte »Toto« sie unfehlbar mit der Hand und verzehrte sie. Ebenso wartete sie interessiert, bis sich Mücken auf ihren Menschenfreunden niederließen, und führte sie demselben Schicksal zu.

Allmählich wurde »Toto« immer stärker, und sie liebte es,

Sie zog den
Gärtner in den
Baum und ließ
ihn fallen

ihre Stärke zu zeigen. Eines Tages packte sie den kleinen japani-
schen Gärtner Kayama und kletterte mit ihm, der strampelte
und schrie, außen an ihrem Gehegegitter empor. Knapp zwei
Meter über der Erde verlor sie aber plötzlich den Spaß an der
Sache und ließ ihn fallen.

Eines Tages wollte ein Amateurboxer, ein Freund des Haus-
herrn, »Toto« (die während des Besuches vorsichtshalber eingesperrt war) durch das Gitter die Hand geben. Obwohl der Gorilla erst fünf Jahre alt war, warnte Herr Hoyt seinen Besucher, das zu tun. Der aber fühlte sich als Boxer sehr stark,
reichte dem Tier trotzdem die Hand — und wurde sofort von
innen her mit solcher Wucht gegen das Gitter gerissen, daß er
vor Schmerz aufschrie. Der Mann wurde sofort ins Krankenhaus gefahren, aber zum Glück war die Schulter nicht gebrochen.

Die einzige, gegen die »Toto« niemals grob geworden ist, war
die alte Mutter von Frau Hoyt. Sie brachte dem Gorilla oft
das zweite Frühstück. Immer nahm dann »Toto« ihre Hand,
küßte sie und hielt den Arm ans Ohr, so daß sie das Ticken der
Armbanduhr hören konnte. Der Pfleger Thomas durfte sich niemals erlauben, eine zu tragen: »Toto« nahm sie ihm unfehlbar
ab und machte sie entzwei. Vielleicht hatte sie das Gefühl, daß
dieses hübsche tickende Ding nur zu der netten alten Dame mit
den weißen Haaren gehörte.

In den letzten Jahren wurde ein Pfeifensignal eingeführt.
Schrillte die Trillerpfeife, dann hieß das: »Toto« ist frei! Jeder,
der sich vor ihr fürchtete, suchte dann schleunigst Deckung auf.
Immerhin wog sie zweihundert Kilo. Man verbarrikadierte die
Türen und schloß die Fenster. Für eine Weile hatte »Toto« das
befriedigende Gefühl, daß sie alles beherrschte. Für gewöhnlich
rannte sie dann zum Haus empor, rüttelte an den Türen, kletterte an den Fenstergittern empor und sah hinein. Der Pfleger
verteidigte sich hauptsächlich mit Dornenzweigen und Schildern
aus Dorngebüsch. Obwohl sie ihn öfter scheußlich zurichtete
und ihm immer wieder die Kleider zerriß, drohte er doch niemals damit, seine Stelle aufzugeben. Trotzdem wurde die Lage
immer unhaltbarer.

Im Dezember 1937 spielte »Toto« mit ihrer Pflegemutter, sprang vor Vergnügen auf die Schaukel, schwang sich gegen Frau Hoyt und warf sie zu Boden. Die Ärmste fiel rückwärts hin und brach sich auf den Fliesen beide Arme. Als der riesige Gorilla sah, daß er sie schwer verletzt hatte, war er schrecklich niedergeschlagen und küßte sie. Da Frau Hoyt wußte, daß »Toto« weggeschafft werden würde, wenn ihr Mann erführe, was sie getan hatte, behauptete sie, sie wäre ausgeglitten und hätte sich dabei verletzt. Aber sie merkte, daß er ihr nicht recht glaubte.

*Sie brach ihrer Pflegemutter beide Arme*

Es dauerte drei Monate, bis Frau Hoyt ihre Hände wieder richtig gebrauchen konnte. Immer, wenn »Toto« mit ihr zusammenkam, zeigte sie sich recht niedergeschlagen, nahm die Hände ihrer »Mutter« vorsichtig in die ihren und drehte sie ganz sachte um, besah sich die Handballen, blies sie an und küßte sie — so wie Frau Hoyt das mit ihr getan hatte, als sie noch ein Baby war, wenn sie Kratzer oder Abschürfungen hatte.

Bald darauf wurde der Ehemann Kenneth Hoyt schwer krank und starb in einem Hospital in New York. Für Frau Hoyt, die sich schrecklich verlassen vorkam, wurde es immer schwerer, den mächtigen Gorilla auf ihrer Besitzung zu halten. Als »Toto« über acht Jahre geworden war, konnte ihr niemand mehr etwas befehlen, was sie nicht wollte, so stark war sie geworden. Außerdem schien sie sich während zwei oder drei Tagen in jedem Monat in irgendeinen der Männer im Haus zu verlieben. Mitunter war es einer der Gärtner, ein großer hübscher junger Mann, manchmal José, der zweite Fahrer, manchmal der Hausdiener. In diesen Tagen folgte sie dem Gegenstand ihrer Zuneigung durch den ganzen Park, setzte sich hin und starrte ihn unaufhörlich an, wenn er arbeitete. Sie wollte ihn auch berühren, was Thomas und Frau Hoyt möglichst verhinderten, weil sie nie wußten, was dabei herauskommen würde. Wollte man sie von dem Gegenstand ihrer Liebe weglocken oder ablenken, wurde sie für gewöhnlich auch gegenüber ihren Freunden Thomas und Frau Hoyt ärgerlich. Blumen, die sie sonst mochte, warf sie ihnen ins Gesicht. Wollte man sie streicheln, so drängte sie die Hand ärgerlich zurück.

*Gorillafrau verliebte sich in Menschenmänner*

Manchmal vergaß sie ihren Liebeskummer und rollte vergnügt auf dem Rasen wie ein großer Teddybär herum. Dann stand sie plötzlich ohne Warnung in voller Größe auf und griff wie ein wütender Bulle an. Das ging so schnell, daß man nicht wegrennen konnte, sondern sich einfach zu Boden werfen und beiseite rollen mußte. Offensichtlich war es das, was sie wollte, denn für gewöhnlich war der Angriff damit zu Ende. Manchmal aber ergriff sie auch ihre Pflegemutter am Arm oder am Kleid und zog sie einige Meter lang über den Rasen oder den Weg oder durch ihren Sandhaufen und ließ sie erst los, nachdem Thomas auf die Hilfeschreie hin herbeigeeilt war. Diese Angriffe entsprechen übrigens recht genau denen der wilden Berggorillas im Kiwu. Auch sie pflegen ja auf einen Gegner oder ein Weibchen nicht weiter einzubeißen, sobald diese sich in einer Ergebenheitshaltung zu Boden geworfen haben.

*Man mußte sich vor ihr flach hinwerfen*

Ihre alten Spiele behielt sie bei. Sie nahm die Hand von Frau Hoyt, führte sie an die Sohlen ihrer Füße oder gegen die Rippen, um zu zeigen, daß sie gekitzelt werden wollte, und lachte über das ganze Gesicht, wenn das geschah. Dann wieder zeigte sie, daß man sie bürsten sollte, oder sie legte sich nieder, bettete ihren Kopf in den Schoß der Pflegemutter und schlief sehr schnell ein. Besonders gern stahl sie ihr die Schlüssel aus einer Tasche und versteckte sie, für gewöhnlich in die Falte zwischen ihrem Oberschenkel und dem mächtig vorragenden Bauch. Wenn die Schlüssel da steckten, konnte sie sogar laufen, ohne sie fallen zu lassen. Hatte sie so etwas versteckt, dann machte sie den Mund auf, hob die Zunge hoch, öffnete die Hände, reckte die Arme hoch, um zu zeigen, daß es nicht bei ihr war. Erst wenn man sehr darum bat oder schimpfte, rückte sie den Gegenstand heraus.

*Toto versteckte Gegenstände*

Manchmal merkte »Toto« selbst, daß sie in schlechte Laune geriet. Wenn das Spiel wilder wurde, legte sie auf einmal die Arme um ihre Mutter, küßte sie und schob sie von dem Tisch weg, auf dem sie saß. Bei steigender Erregung riß sie ihr jedoch dann die Kleider herunter, zerfetzte sie und trug sie irgendwo auf ein Dach. Frau Hoyt hatte deswegen schon in »Totos« Spielraum eine besondere Schublade mit Ersatzkleidern.

*Kleider heruntergerissen*

Nach ihrer Ansicht ist ein Gorilla jeder Selbstbeherrschung unfähig. Das sei der größte Unterschied zwischen Gorillas und Menschen, bedeutsamer selbst als das Unvermögen dieser Menschenaffen zu sprechen. Der einzige Ansatz zur Selbstdisziplin ist wohl der, den Umgang mit einem befreundeten Wesen zu beenden, sobald man fühlt, daß einen Erregung oder Wut bald übermannen werden.

»Toto« hatte eine Abneigung gegen Sonnenlicht und suchte immer möglichst den Schatten auf. Das war auch der Grund, weswegen sie allmählich jeden Fotografen haßte. Weil ein *Abneigung* Gorilla ja ein schwarzes Fell hat, versuchten diese Leute immer, *gegen* »Toto« für die Aufnahmen in den Sonnenschein herauszu- *Fotografen* bringen. Viele Bilder von ihr zeigen daher das Ende des elektrischen Stockes, weil Thomas dabeistehen mußte, um sie von dem Angriff auf den Fotografen und auf die kleine klickende Kamera abzuhalten.

Als »Toto« 1940 wieder einmal im Freien wütete und alles vor ihr zitterte, bekam Frau Hoyt sie nur mit einem Trick wieder in den Käfig. Der Fahrer mußte sie an den Schultern packen und schütteln. Frau Hoyt schrie dabei: »›Toto‹, ›Toto‹, komm, hilf mir!« Fast im gleichen Augenblick waren schon ihre *Überlistet* schweren Füße auf den Steinfliesen zu hören, als sie angaloppiert kam. Sobald sie José sah, gab sie ein drohendes Grunzen von sich und stürzte wie ein Schnellzug herein; ihre Augen funkelten vor Mordlust auf José. Zum Glück entkam er im letzten Augenblick durch die Tür und schlug sie hinter sich zu, gerade in Totos Gesicht. Sie polterte mit den Fäusten gegen die Tür und warf die Schultern dagegen, um sie einzubrechen. Immerhin hatten Frau Hoyt und Thomas sie auf diese Weise noch einmal auf Nummer Sicher bekommen.

Die Behörden drohten, sie würden den großen gefährlichen Gorilla erschießen lassen. So mußte sich Frau Maria Hoyt 1941 entschließen, »Toto« dem Zirkus Ringling Brothers zu übergeben. Sie verkaufte ihn nicht, sondern behielt sich das Recht, ihn jederzeit zurückzunehmen und so lange mit ihm zusammen zu sein, wie sie nur wollte. Die größte Sorge war, »Toto« auf das Schiff zum Transport nach Florida zu bringen. Für den

Transport sperrte man sie in ihr Eisenbett ein und umschloß es noch mit starken Stahlgeflechten. Als sie merkte, was vorging, wurde sie rasend. Sie packte die Eisenstäbe ihres Bettes, durch die sie jahrelang sicher eingeschlossen gewesen war, und brach sie durch, obwohl sie zwei Zentimeter stark waren. Zwölf Mann brauchten zwei Stunden, um das Riesengeschöpf im Bett aus seinem Haus in den Wohnwagen zu bringen, der eigens dafür gebaut worden war. Als das Eisenbett endlich drinnen war und geöffnet wurde, sprang »Toto« mit einem wütenden Satz heraus, raste auf Thomas zu — umarmte ihn, zitterte und wollte getröstet sein. Die ganze Zeit auf dem Schiff war sie schrecklich seekrank und aß nichts. Weder Thomas noch »Toto« schliefen in der Nacht, sondern sie saßen nebeneinander, hielten sich an der Hand und trösteten sich gegenseitig.

*Gorilla und Pfleger trösteten sich gegenseitig*

Frau Hoyt war vorausgeflogen. Sie wurde von ihrem Pflegling freudig begrüßt. Im Zirkus wartete »Gargantua«, ein elfjähriger gewaltiger männlicher Gorilla, auf sie. Nicht nur die Zirkusleute, auch die Presse war gespannt darauf, wie sich die beiden »Brautleute« begrüßen würden. Man wagte nicht, sie gleich zusammenzulassen, sondern brachte die Tiere in den airconditioned Wohnwagen so zusammen, daß sie sich nur durch ein Gitter sehen und fühlen konnten. Aber »Toto« wollte von dem fremden, großen schwarzen Wesen nichts wissen. Sie war erst erstaunt, dann geriet sie in Wut. Sobald er nur seine Hände durch die Gitter streckte, um sie freundlich anzufassen, stampfte und brüllte sie wie rasend. Als er einen Stengel Sellerie von seiner Mahlzeit als Friedensangebot in ihr Abteil warf, schleuderte sie ihn sofort in sein Gesicht zurück.

*Von einem Gorillamann wollte sie nichts wissen*

»Principe«, die Katze, reiste übrigens lange Zeit mit »Toto«. Obwohl sie aus »Totos« Wagen herausgehen durfte, kam sie doch immer bald wieder zurück. Frau Hoyt fuhr die ersten sieben Monate mit dem Zirkus, um »Toto« die richtigen Speisen zu kochen, bis Thomas das selber gelernt hatte. Die folgenden Jahrzehnte verbrachte Frau Hoyt den Sommer über meistens in Europa und anderen Ländern, jeden Winter aber drei bis vier Monate in Sarasota, Florida, um »Toto« Gesellschaft zu leisten.

Natürlich haben manchmal Menschen gesagt, es sei eine

Sünde, soviel Liebe und Geld an ein wildes Tier zu verwenden, es sei unrecht, einen Gorilla zu adoptieren. Aber Maria Hoyt hat niemals ein Gorillakind in ihr Haus nehmen *wollen.* Sie war vor 1932 in Afrika auf einmal vor die Entscheidung gestellt, das hilflose schwarze Baby entweder umkommen zu lassen oder es zu pflegen. Was daraus werden würde, ahnte sie damals selbst noch nicht. Ein Gorilla, der so an Menschen gewöhnt ist wie »Toto«, kann auch nicht mehr nach Afrika zurückgebracht werden. Er würde dort umkommen oder sofort totgeschossen werden. »Toto« ist am 28. Juli 1968 in ihrem großen Reisekäfig im Hause von Frau Hoyt in Venice, Florida, gestorben und auf dem Tierfriedhof in Sarasota begraben. Sie hat von allen Gorillas am zweitlängsten in Menschenobhut gelebt, 36 Jahre.

*Soll man soviel Mühe und Geld an einen Gorilla wenden?*

So hatte ein merkwürdiges Schicksal zwei Leben für ein ganzes Leben eng miteinander verbunden: das einer zarten Dame aus Österreich und das eines vier Zentner schweren gewaltigen Gorillas aus dem Kongo.

## DAS ENDE

Frau Hoyt schrieb mir darüber:

»Anfang März 1968 begann ›Toto‹ an Verstopfung zu leiden, obwohl das gerade das Gegenteil von ihrem sonstigen Befinden war, denn ihr ganzes Leben war sie immer sehr zu Durchfall geneigt, und wir mußten ihre Diät immer danach richten. Als sie plötzlich verstopft wurde, riet mir der Arzt, ihr ›Siblin‹ in Orangensaft zu geben, ein wasseraufsaugendes Mittel. Es half etwas, aber wir mußten trotzdem mit Dosen von Castoröl nachhelfen. Sie war aber lustig und aß wie gewöhnlich und zeigte keine sonstige Veränderung. Als ich dann Mitte Mai eines Tages (wie jeden Tag) zu ihr kam, bemerkte ich plötzlich, daß sie den rechten Arm und den rechten Fuß nicht benutzte und sich ungeschickt bewegte. Ich dachte sofort an einen Schlaganfall und glaube auch heute noch, daß dies der Grund ihres Todes war. Auch der bei Menschen oft beobachtete übermäßige Appetit trat bei ihr ein. Ich brachte ihr z. B. immer ein Stück Vanillecreme-Torte, wobei sie stets den Teig wegwarf und

*Wie Toto starb*

261

*Auf einmal
aß sie viel mehr* nur die Füllung aß. Jetzt aber wurde sie böse, wenn ich ihr die Füllung mit dem Löffel geben wollte, und verlangte das ganze Stück und aß es auf einmal; auch Weintrauben, die sie immer nur aussaugte und die Haut ausspuckte, aß sie jetzt ganz, überhaupt wollte sie immer mehr essen und trinken, als sie es je getan hatte. Ihre Bewegungsfähigkeit wurde nach und nach schlechter. Wir richteten ihr Stricke in allen möglichen Richtungen her, damit sie sich überall anlehnen und anhalten konnte. Aber trotz allem war sie immer sehr lieb und küßte mich täglich, wenn ich kam und ging. Manchmal nahm sie meine Hand und legte ihren Kopf darauf und schlief ein. Auch ihr Fernseh-Gerät interessierte sie immer, und sie wurde böse, wenn man

*Sie wollte
Fernsehen
sehen* es abstellte. Ich verbrachte täglich den ganzen Nachmittag bei ihr, ich bürstete ihr Haar, das bis zu ihrem Tode wunderbar glänzte, wusch ihr Gesicht und ihre Hände usw., sie liebte sehr die Reinlichkeit und drehte sich oft recht mühsam um, damit ich sie waschen konnte; sie wollte nie schmutzig sein.

Wenn sie mich kommen hörte (schon von weitem), klopfte sie sofort an die Tür, wo ich immer bei ihr saß, nur am letzten Tag, am 27. Juli, hatte sie nicht mehr die Kraft zu klopfen. Ich merkte sofort, wie ihre Hand zitterte, als ich ihr das Stück Torte reichte. Trotzdem aß sie später noch eine große, sehr schöne Mango und trank vor dem Schlafengehen ihre Milch. Als sie nicht klopfte, hörte ich, wie sie mit dem Mund Küsse sandte, um mich zu begrüßen! Sie können sich nicht vorstellen, lieber Professor, wie lieb sie zu mir war und wie sehr ich sie vermisse. Am 28. Juli um 10.30 Uhr vormittags legte sie sich mit der Hand unter der Wange auf ihr Kissen und schlief für immer ein.«

# WARUM VERDURSTET DAS KAMEL NICHT?

*Das Wort der Alten ist wie der Kot der Hyäne;*
*frisch ist er schwarz, aber dann wird er hell.*

*Afrikanisches Sprichwort*

Am Rudolf-See in Kenia, also im eigentlichen Schwarz-Afrika, traf ich große Herden von Dromedaren an.

Wenn Sie wie ich in Ihrer Jugend Karl May gelesen haben, dann wissen Sie, wie sich Kara ben Nemsi und Hadschi Halef Omar zu helfen wissen, wenn sie in der Wüste am Verdursten sind. Sie schlachten eines ihrer Kamele, schneiden ihm den Bauch auf und trinken den Vorrat an Wasser, den das Tier in einem seltsamen Beutel neben seinem Magen hat. Dieser eiserne Wasservorrat soll auch das Geheimnis lösen, wieso ein Höckertier Tage und Wochen durch die Wüste marschiert, ohne zu trinken, während Pferde und Menschen dabei längst zugrunde gegangen wären.

In Abenteuerbüchern stehen Wunderdinge darüber, wie schnell und wie weit ein Kamel laufen können soll. Ein trainiertes Reitkamel hat es in einem Rekordmarsch einmal mit dem Reiter auf dem Rücken auf 80 km den Tag gebracht, in fünf Tagen auf 400 km, allerdings im »Winter«, wenn es auch in Nordafrika und der Sahara nicht übertrieben heiß ist und wenn die Pflanzen, die es weidet, leidlich grün und wasserhaltig sind.

Karawanen bewegen sich gemütlich mit einer Geschwindigkeit von 4 km/st fort. Weil die Tiere sich zwischendurch ausruhen müssen, bringen sie es auf 20 km oder etwas mehr am Tage. Bei Wettrennen zwischen Pferden und Kamelen — in Afrika handelt es sich immer um die einhöckrigen Dromedare

*Wettrennen*
*Pferd — Kamel*

— gewinnt auf kürzere Entfernungen meistens das Pferd, bei mehrtägigen Märschen das Reitkamel: aber das hängt davon ab, um was für ein Pferd und was für ein Kamel im Einzelfall gewettet wird.

In neueren Naturkundebüchern findet man die Geschichte von dem eisernen Wasservorrat im Kamelbauch kaum noch.

*Trübe, wider-* 
*liche Brühe im* 
*Kamelmagen*

Wer sich nämlich in Nordafrika die Mühe macht, beim Schlachten und Ausnehmen eines Kameles zuzusehen, der findet wohl einen breiigen Inhalt darin: Er enthält aber weniger Flüssigkeit als bei Kühen oder anderen Wiederkäuern. Natürlich kann man durch ein Tuch das Wasser daraus abtropfen lassen. Aber es hat einen ähnlichen Salzgehalt wie das Blut, es sind eben Verdauungssäfte und kein Wasser. Man muß wohl wirklich schon dem Tod nahe sein, um diese faul schmeckende grünliche Suppe zu genießen. Raswan, ein gebürtiger Deutscher, der viele Jahre bei den Rualas in Innerarabien gelebt hat, ist einmal so durstig geworden. Während eines Kriegszuges, den er mitmachte, waren vor allem die kostbaren Pferde dem Tod nahe. »Um unseren Stuten etwas zu trinken geben zu können, ließ Raschejd vierzehn Ersatzkamele abtun. Pansen und Eingeweide dieser Kamele lieferten genügend Flüssigkeit, um elf Wasserhäute zu füllen. Durch Hirtenmäntel geseiht und mit 10 Liter Milch gemischt, die einige Kamelstuten hergaben, wurde dieses absonderliche Getränk für unsere Stuten genießbar ... Mit blutbeflecktem Bart und wirren Locken beugten sich die Schlächter über die Kadaver der getöteten Kamele, tauchten fieberhaft mit nackten Armen in die Gedärme, rissen den Pansen heraus und gossen die säuerlich schmeckende Flüssigkeit in die Wasserhäute...«

Ob nun ein Mensch oder ein Pferd den Mageninhalt des Kameles wirklich trinken kann, oder nicht — das Kamel selbst kann ja schließlich nur das Wasser aufbrauchen, das es einmal getrunken hat, und nicht mehr. Auch wir Menschen kommen notfalls bei kühlem Wetter ganz ohne zu trinken aus, wenn wir von saftigen Früchten und frischem Gemüse leben; es ist also nicht gerade erstaunlich, daß das Kamel im nordafrikanischen »Winter« monatelang nichts zu trinken braucht. Warum es aber in der sommerlichen Wüstenglut zehnmal solange wie ein Mensch und viermal solange wie ein Esel aushält, kann schon die Neugier eines Naturforschers erregen.

*Kamel durstet zehnmal so lange wie ein Mensch*

Wir Landtiere, ob wir im einzelnen eine kleine Wüstenratte sind oder ein menschlicher Staatspräsident auf zwei Beinen, bestehen nun einmal größtenteils aus Wasser, und wir verlieren das Wasser im Körper alle genau nach den gleichen Gesetzen. Einmal durch die Nieren, weil wir Harnsäure und Salze ausscheiden müssen, dann beim Atmen durch die Lungen, und schließlich verdunsten wir durch unsere Körperhaut oder die Schleimhäute des Mundes ständig Wasser, um dadurch kühler zu werden und unsere Körpertemperatur stets auf der gleichen Höhe zu halten. Die Känguruhratte spart so mit dem Wasser im Urin, daß er gleich nach dem Ausscheiden fest wird. Wenn es tagsüber heiß wird, verkriecht sie sich in ihre feuchte Höhle tief in der Erde. Das machen viele kleine Wüstentiere so.

Das Kamel kann nicht in die Erde kriechen. Wie bleibt es also am Leben? In den neuesten Fachbüchern ist das Rätsel auf einleuchtende Weise gelöst: mit Hilfe seines Fettes im Rückenhöcker. Unsere Körperbestandteile Eiweiß, Stärke und Fett enthalten ja sämtlich Wasserstoff. Wenn sie verbrennen und sich dabei mit dem Sauerstoff der Luft verbinden, entsteht Wasser. So hat man ausgerechnet, daß 100 g Körpereiweiß bei der »Verbrennung« im Körper 41 g Wasser ergeben, 100 g Fett sogar 107 g Wasser. Ein Fetthöcker auf dem Rücken eines Dromedars von 40 kg gibt also über 40 l Wasser, eine einleuchtende Erklärung, die zugleich die ärgerliche Frage löst, warum Kamele, und ausgerechnet nur Kamele, solche Fetthöcker auf dem Rükken tragen.

*Ist der Fetthöcker ein chemischer Wasservorrat?*

Leider hat diese schöne theoretische Lösung einen Haken. Das Tier muß den nötigen Sauerstoff aus der Luft durch seine Lunge aufnehmen, um damit das Fett zu »verbrennen«. Beim Atmen verliert der Körper aber durch die Feuchtigkeit der Atemluft mehr Wasser, als er bei der Umwandlung des Fettes gewinnt. Damit wird die Sache spannend. So spannend, daß sie zwei amerikanische Naturwissenschafter, Dr. Schmidt-Nielsen und T. R. Haupt, zusammen mit Dr. Jarnum von der Universität Kopenhagen bewog, sich nach der Oase Beni Abbas in der Sahara, südlich vom Atlasgebirge, zu begeben und sich dort nunmehr sehr ernstlich mit Kamelen zu beschäftigen.

Die erste Schwierigkeit war unerwartet: überhaupt Kamele zu bekommen. Niemand wollte welche verkaufen. Aber als die Gelehrten endlich welche hatten, haben sie ihre Höckertiere um so gründlicher gewogen, Blut und Urin untersucht und mit dem Fieberthermometer geprüft.

Im Sommer wird es in der Oase Beni Abbas erschreckend heiß. Für gewöhnlich sind dann Europäer nicht dort. Die Lufttemperatur steigt auf 50° C: wo die Sonne auf die Steine brennt, kann man sogar 70° C messen. Ein Mensch verliert dann in einer Stunde 1,14 l Schweiß, und natürlich wird er sehr durstig. Hat ein Mensch mehr als 4,5 l Schweiß verdunstet, d. h. 5 v. H. seines Körpergewichtes, dann ist er schon darin behindert, seine Umwelt richtig zu sehen und zu beurteilen. Bei 10 v. H. Körpergewichtsverlust hört er nichts mehr, hat schreckliche Schmerzen und wird irre. In kühler Umgebung können wir Menschen recht lange dursten, und wir sterben erst, wenn unser Körpergewicht um 20 v. H. verringert ist. In der Wüstenhitze kommen wir dagegen bei 12 v. H. Gewichtsverlust infolge Dürstens durch Hitzschlag um.

Ein Kamel hält mehr aus. Als die Forscher eins im Wüstensommer acht Tage lang hielten, ohne es zu tränken, verlor es 100 kg Gewicht, d. h. 22 v. H. seines Körpergewichts. Es sah schrecklich abgemagert aus, der Bauch war eingezogen, die Muskeln geschrumpft, und deswegen wirkten die Beine überlang. Sicherlich hätte es nicht arbeiten und auch nicht weit laufen können, aber es wirkte keineswegs ernstlich krank. Mir gefällt an den drei Forschern, daß sie nicht ausprobiert haben, wieviel Gewicht ein Kamel verlieren muß, bis es an Durst stirbt. Nachdem es so dünn und leicht geworden war, gaben ihm die drei Kamelgelehrten zu trinken. Es trank und trank Eimer um Eimer hintereinander aus und wurde zusehends wieder rund und normal. Bis 25 v. H., ein Viertel seines Körpergewichts, kann also ein Kamel auch in glühender Hitze ohne Lebensgefahr durch Dursten verlieren — bis es stirbt, sicher viel mehr.

*Wenn der Mensch 4,5 Liter Schweiß verliert*

*Ein Viertel des Kamelkörpers kann verdunsten*

Das Geheimnis, warum die Kamele das vertragen und wir Menschen nicht, liegt einmal im Wassergehalt unseres Blutes. An sich steckt bei Kamel und Mensch gleichviel Wasser im Blut: etwa ein Zwölftel von dem gesamten Wasser, das im Körper ist. Wenn aber das Kamel durch Verdunsten ein Viertel seines Körpergewichts verloren hat, ist erst ein Zehntel des Blutwassers verschwunden, das Blut ist also noch fast genauso dünnflüssig wie vorher. Bei uns Menschen ist dagegen zum gleichen Zeitpunkt schon ein Drittel des Wassers im Blut verschwunden. Unser Blut wird sehr dick, es fließt langsam, kommt nicht mehr recht durch die feinsten Blutgefäße und läuft nur noch schwerfällig im Körper umher. Es kann also auch nicht die ansteigende Hitze aus dem Körperinneren zur Haut bringen, wo sie abgegeben wird. So steigt bei uns die Körpertemperatur im Inneren sehr rasch an, und wir sterben durch Hitzschlag.

*Geheimnis liegt im Kamel- und Menschenblut*

Ein weiteres Kamel-Geheimnis hat der israelische Zoologe Professor K. Perk (Universität Revohot) jetzt entdeckt. Nicht nur, daß sich überall im Kamelkörper beim Trinken schnell Wasser anlagert, nehmen auch die roten Blutkörperchen der Tiere bis zu zweihundertvierzig Prozent ihrer sonstigen Größe Wasser auf, ohne dabei zu zerplatzen. Das ist ein weiterer Grund, warum ein Kamel äußerste Wassernot und dann wieder große Wassermengen bewältigen kann.

*Blutkörperchen als Wasserspeicher*

Dr. Knut Schmidt-Nielsen wollte auch ausprobieren, ob ein Kamel ähnlich wie die Känguruhratte immer mehr Harnsalze im Urin abgibt, wenn es dürstet. Um recht viel Harnsäure zu erzeugen, wollte er es eiweißreich füttern und gab ihm deswegen Erdnüsse. Er hatte allerdings nicht damit gerechnet, wie sehr Kamele am Althergebrachten festhalten. Sein Versuchskamel hatte die Erdnüsse bald über, es wollte bei seinem schlechten Futter bleiben und streikte zunächst überhaupt mit dem Essen. So mußte der Naturforscher es ganz allmählich an immer mehr Erdnüsse gewöhnen. Ehe er das richtig fertiggebracht hatte, gab es aber in der ganzen Oase keine Erdnüsse mehr. So mußte er diese Untersuchung bleibenlassen.

*Was das Kamel nicht kennt ...*

Ein Kamel verträgt es also weit besser als wir, ganz wenig Wasser im Körper zu haben. Damit ist es aber noch nicht getan: Es hat auch die Fähigkeit, viel weniger Wasser abzugeben als wir. Wenn wir in sehr warmer Luft sind, die eine höhere Temperatur hat als unser Körper (der auf 36° C gleichbleibend geeicht ist), dann fangen wir zu schwitzen an. Nur durch die Verdunstung unseres Körperwassers können wir erreichen, daß wir im Inneren nicht immer heißer und heißer werden. Das Schwitzen aber kostet, wie wir gesehen haben, Wasser, und zwar gehörig.

*Wechselwarmes Kamel*

Beim Kamel ist das anders. Bei ihm steigt tagsüber, wenn die Sonne brennt und die Luft glüht, die Körperwärme immer weiter an, bis auf 40° C. Erst wenn sie so hoch geworden ist, fängt es zu schwitzen an. Das spart natürlich sehr viel Wasser. Überdies geht aber beim Kamel in der Nacht, wenn es in der Wüste sehr kalt wird, die Körpertemperatur stark herunter, bis auf 34° C. Durch diese tägliche Schwankung der Körperwärme um 6° dauert es in den Morgen- und Mittagsstunden selbstverständlich viel länger, bis der große Kamelkörper sich wieder bis zu dem Punkt neu erhitzt hat, an dem das Schwitzen beginnt. Die Körperwärme wechselt bei den Wüstenschiffen nur in der Sommerhitze so stark. Im Winter und an der Mittelmeerküste sind die Schwankungen viel geringer.

Das sind aber noch nicht alle Kamelgeheimnisse, die in der Oase Beni Abbas aufgedeckt wurden. Esel sind ja auch Wüstentiere, sie können ebenfalls im Gegensatz zu uns Menschen bis zu einem Viertel ihres Körpergewichts durch Dursten verlieren.

*Esel kann schlechter dursten*

Aber sie verlieren ihr Wasser im Körper dreimal so schnell wie ein Kamel. Während ein Dromedar selbst in der Wüstenglut siebzehn Tage ohne Trinken aushielt, mußten die Esel jeden vierten Tag getränkt werden. Ihre Körperwärme kann zwar auch stärker schwanken als beim Menschen, allerdings nicht soviel wie beim Kamel. Esel fangen also schon viel eher an zu schwitzen. Das liegt unter anderem an ihrem dünnen Haarkleid. Kamele verlieren zwar im Sommer ihre Haare, aber auf dem Rücken behalten sie einen dicken Filz, der oft 5 bis 10 cm stark ist und natürlich ausgezeichnet gegen die Sonnenstrahlen schützt. (Auch die Beduinen der Wüste ziehen sich ja nicht wie wir leichte Sommerkleider an, sondern sie tragen wollene Burnusse, oft viele übereinander.) Fett ist ein recht schlechter Wärmeleiter. Deswegen ist es ein besonderer Vorteil, daß Kamele und Dromedare ihr Fett auf dem Rücken speichern; es schirmt sie noch weiter gegen die Sonnenglut ab. Säße das Fett überall im Körper zwischen den Eingeweiden und Muskeln verteilt, so würde es den Wärmeabfluß nach außen an die Körperoberfläche hindern.

*Darum sitzt das Fett im Höcker*

In einem ist der Esel dem Kamel allerdings über. Ein ausgetrocknetes Dromedar trinkt 135 l Wasser in zehn Minuten und hat damit sein verlorenes Körpergewicht wieder ergänzt. Es ist fast erschreckend, so ein Tier in dieser kurzen Zeit zehn Wassereimer leeren zu sehen. Ein Esel aber schafft es sogar in zwei Minuten, ein Viertel seines Körpergewichtes wieder hinzuzutrinken. Wenn wir Menschen einen Tag lang in der glühenden Wüste waren, ergänzen wir unser verlorenes Gewicht durch Trinken erst nach einigen Stunden; vielfach müssen wir zwischendurch noch essen.

*Dromedar trinkt in 10 Minuten zehn Wassereimer leer*

So hastig zu trinken hat Vorteile für wilde Tiere. Im Sommer ist das Wasser knapp, meist gibt es nur einige wenige Wasserlöcher, und an denen lauern die Raubtiere. Kann man in zwei Minuten nachtanken, wird auch die Zeit der Gefahr kürzer.

Diese geheimnisvollen Kamelkünste, von denen wir bis vor kurzem noch nichts ahnten, haben jahrhundertelang den Handel durch Nordafrika und große Teile Asiens ermöglicht. Sie haben Königreiche aufblühen lassen und die Menschenherrschaft über trostlose Gegenden ausgedehnt. In der Mitte des vorigen Jahrhunderts führte man Kamele nach Nordamerika ein. Ihre Hunger- und Durstkünste bewährten sich auch dort so, daß Kamele schon begannen, die Geschicke des neuen Kontinents zu entscheiden — bis sie durch die neuaufkommende Eisenbahn rasch überholt wurden.

So ist es auch in der Sahara. Ein Auto schwitzt nicht, und es kann in seinen Eingeweiden wirkliche Wassertanks mitschleppen. Es trinkt bei weitem nicht so schnell wie ein Kamel, aber es kann rascher und weiter laufen. Es ist also dem guten Wüstenschiff bei weitem überlegen — solange jedes Zahnrädchen in seinem Bauch in Ordnung ist.

*Auto gegen Kamel*

# WARUM ES ZUGLEICH ZUWENIG UND ZUVIEL ELEFANTEN GIBT

*Auch der Elefant stirbt nur an einem einzigen Tag.*

Afrikanisches Sprichwort

Wie steht es heute um die Elefanten in Afrika? Mal melden Zeitungen, man müsse Tausende von ihnen abschießen, weil sie ganze Landstriche übervölkert haben und verwüsten. Dann wieder klagen alte Afrikaner, daß man heute wochenlang mit dem Auto durch Afrika fahren könne, ohne einen Elefanten oder auch nur die Kotballen von Elefanten zu sehen. Daß es keine kapitalen Elefanten-Bullen mit wirklich riesigen Stoßzähnen als Trophäen für den Großwildjäger mehr gibt.

Die Blütezeit der Rüsselträger auf Erden ist längst vorbei. Die Elefanten begannen sich vor fünfzig Millionen Jahren zu entwickeln, sie besiedelten alle Erdteile mit Ausnahme von Australien; die Überreste von über 350 verschiedenen Arten hat man bereits aus der Erde gegraben. Unsere Vorfahren in Europa und Asien lebten noch mit kleineren dichtbehaarten Elefanten zusammen. Solche Mammuts kommen noch heute hier und da in Sibirien, hart gefroren mit Fleisch und Blut und mit Futter zwischen den Zähnen, gelegentlich ans Tageslicht.

Auch mit der Verwandtschaft der Elefanten ist es heute nicht mehr weit her. Elefanten haben nämlich mit Nashörnern und Flußpferden, die man früher mit ihnen recht laienhaft als »Dickhäuter« zusammenfaßte, recht wenig zu tun. Nicht mal zu den eigentlichen Huftieren rechnet man sie heute mehr, sondern faßt sie wegen der Verwandtschaft im Körperbau zoologisch mit den Sirenen oder Seekühen und den kaninchengroßen Klippschliefern zur Ordnung der »Vorhuftiere« oder Subungulaten zusammen. Das ruft beim Betrachten der äußerlich so verschiedenen Tiergestalten beim Zoobesucher immer Kopfschütteln hervor.

Heute stampfen nur noch zwei, für jedermann leicht unterscheidbare Elefanten-Arten über die Erde: der rundliche, wuchtige asiatische oder *indische Elefant* mit gewölbten Stirnbuckeln und kleineren Ohren, bei dem die Weibchen meistens keine Zähne tragen. Bei ihm ist der Kopf der höchste Punkt des Körpers, beim *afrikanischen Elefanten* dagegen der Rücken. Der Afrikaner hat eine fliehende Stirn, viel größere Ohren, ist hagerer und hat im Gegensatz zum Inder *zwei* Finger am Rüsselende. Asiatische Elefanten sind viel häufiger in zoologischen Gärten. 1965 lebten in allen amerikanischen zoologischen Gärten zusammengenommen dreißig afrikanische Elefanten, die alle eingeführt waren, gegenüber 91 indischen, von denen immerhin vier im Lande geboren waren. Der erste afrikanische Zoo-Elefant kam überhaupt erst 1943 (in München) zur Welt; seitdem sind nur wenige mehr geboren worden. Asiatische Elefanten werden seit Jahrtausenden von uns Menschen als Arbeitstiere gezähmt.

*Erst 1943 der erste afrikanische Elefant im Zoo geboren*

Wahrscheinlich haben das auch die Karthager mit dem ziemlich kleinen, inzwischen längst ausgerotteten nordafrikanischen Elefanten fertiggebracht. Die Elefanten, mit denen Hannibal im Jahre 220 v. Chr. die Alpen überquerte und die den Römern so großen Schreck einjagten, dürften wohl Afrikaner gewesen sein. Sechzig Jahre vorher hatte schon Pyrrhus, König von Epirus in Griechenland, die Römer mit Hilfe von Elefanten innerhalb Italiens in mehreren Schlachten besiegt. Aber seitdem galt der Afrikaner im Gegensatz zum indischen Elefanten etwa zweitausend Jahre lang als unzähmbar. Die Belgier haben in den letzten Jahrzehnten nachgewiesen, daß das keineswegs so ist. Sie haben afrikanische Elefanten zum Wagenziehen, Reiten und allen anderen möglichen Arbeiten abgerichtet. Ich habe mich einige Zeit in der militärisch geleiteten Elefanten-Zähmungsstation in Gangala na Bodio im nordöstlichen Kongo aufgehal-

*Belgier bewiesen: sie sind zähmbar!*

271

ten und in meinem Buch »Kein Platz für wilde Tiere« beschrieben, wie das vor sich geht.

Doch im ganzen gesehen sind die grauen Riesen auch im *Südafrikaner* Schwarzen Erdteil weiter im Rückmarsch. Als die ersten Holländer nach Südafrika kamen, weideten in der Gegend von Kapstadt noch große Elefanten-Herden. In den ersten Jahrzehnten des vorigen Jahrhunderts kamen aus diesen Ländern noch beträchtliche Elfenbeinmengen auf den Markt.

*Südafrikaner*
*rotteten sie aus*

Dann aber wurden sie schnell abgeschossen. Selbst im berühmten Krüger-Nationalpark gab es keine mehr, sie sind aus dem angrenzenden portugiesischen Mozambique später wieder eingewandert. Einigermaßen behauptet haben sich die Riesentiere nur nördlich des Sambesi.

Die Elefanten, die vermutlich ursprünglich alle Waldbewohner waren, haben sich, besser als die meisten anderen Tierarten, den verschiedensten Lebensräumen angepaßt, ähnlich wie Ratte, Mensch oder Sperling. Afrikanische Elefanten trifft man, bis an den Rücken im Wasser stehend, Schilf- und Wasserpflanzen kauend, sie steigen hoch ins Gebirge, manchmal bis über fünftausend Meter, sie weiden Gras wie Kühe oder brechen in anderen Gegenden Bäume um.

*Ähnlich*
*wie Ratte*
*und Mensch*

Deswegen sehen die afrikanischen Elefanten auch keineswegs überall gleich aus. Im vorigen Jahrhundert, als das in der Zoologie Mode war, hat man Dutzende von Elefanten-Arten nach der Ohrform oder anderen Körpermerkmalen feststellen zu können geglaubt. Inzwischen haben sich die Fachleute längst auf zwei afrikanische Elefanten-Unterarten oder Arten geeinigt: den kleineren Rundohr- oder *Waldelefanten* (Loxodonta cyclotis), der in Westafrika und in den Kongowäldern haust, und den Großohr- oder *Steppenelefanten* (Loxodonta africana). Ihn finden wir in Südafrika und Ostafrika bis herauf nach Äthiopien und Somaliland. Der Waldelefant hat am Vorderfuß fünf, hinten vier Zehen, der Steppenelefant soll für gewöhnlich vorn vier, hinten drei haben. Beim Waldelefanten berühren sich die oberen Ränder der beiden Ohren niemals, im Gegensatz zum Steppenelefanten, dessen Ohren auch viel größer werden, etwa dreieckig sind und nach unten eine Spitze haben. Der Rücken

*Afrikanischer*
*Wald- und*
*Steppenelefant*

eines Wald-Elefanten ist 2,20 bis 2,50 m über dem Boden, selten höher, während Steppenelefanten den Kopf meistens hoch tragen und ihre Kühe im Durchschnitt 2,85 m, Bullen 3,20 m hoch werden, besonders große auch 3,50 bis 3,70 m. Vor allem haben aber die Waldelefanten dünnere und neben dem Rüssel nach unten zur Erde zeigende Stoßzähne, während bei den Steppenelefanten die kräftigeren Zähne am Rüssel vorbei schräg nach vorn gehen und sich dann meistens mehr nach oben biegen. Das Waldelefanten-Elfenbein ist härter.

Aber so gut unterscheidbar sind die beiden Elefantentypen wohl nur, wenn man einen Waldelefanten von der Westküste neben einen Steppenelefanten von der Ostküste stellt. Wo die beiden Typen zusammenkommen, gibt es alle Übergänge. Unter den Elefanten von Gangala na Bodio sah ich welche, die man den Ohren nach hätte zu Steppenelefanten, der Zehenzahl nach zu Waldelefanten ernennen können, und im Queen-Elizabeth-Park am Eduard-See in Uganda erinnern die Stoßzähne schon ziemlich an die der Waldelefanten. Beide Typen oder Arten kreuzen sich ohne weiteres.

Und die berühmten *Zwerg-Elefanten*? Der deutsche Zoologe Noack führte sie 1906 unter dem Namen Elephas africanus pumilio als neue Art in die Wissenschaft ein. Er stützte seine Beschreibung auf ein einzelnes lebendes Tier, das damals 1,80 m hoch war und den Zähnen nach auf sechs Jahre geschätzt wurde, während für gewöhnlich Elefanten dieser Größe erst anderthalb Jahre alt sind. Dieses Tier lebte neun Jahre lang im New Yorker Zoo und starb dann mit immerhin 2 m Rückenhöhe. Seitdem sieht man ausgewachsene Elefanten von unter 2 m als Zwerg-Elefanten an. Die meisten, die als solche von Zirkussen und Tierschauen gezeigt worden sind, waren zweifellos Jungtiere. Immerhin sind wiederholt in Freiheit, und zwar in Westafrika, solche kleinen Tiere mit langen Stoßzähnen beobachtet worden. Major Powell-Cotton sah eine schwangere Kuh mit einer Schulterhöhe von 1,80 m. Die Elefanten-Zähmungsstation hatte einmal zwei besonders kleine Tiere, die beim Fang nur 1,30 m groß waren, aber schon Stoßzähne von 0,70 m hatten. Demnach wären sie 12 bis 14 Jahre alt gewesen.

*Gibt es Zwergelefanten?*

Die Tiere selbst wuchsen in den folgenden zehn Jahren nur auf 1,60 m Höhe, die Stoßzähne auf einen Meter. Leider wurden sie dann verkauft. Keineswegs sind aber einzelne Gegenden nur von solchen Zwerg-Elefanten bevölkert. Auch kommen sie nirgends besonders zahlreich und in Herden vor. Wir dürfen also wohl annehmen, daß es sich nicht um eine besondere Rasse oder gar Art handelt, sondern um Einzeltiere unter der Elefanten-Bevölkerung von gewöhnlichem Wuchs, genau wie es besonders riesige einzelne Elefanten gibt.

*Das Unglück
der Elefanten:
ihr Elfenbein*

Die schwersten Tiere ihres Erdteils zu jagen, war für die Afrikaner recht gefährlich und mühsam, solange es keine wirksamen Feuerwaffen gab. Sie erbeuteten Fleisch viel leichter von dem unzähligen anderen Wild. Einen wirklichen Anreiz zur Elefantenjagd boten die Stoßzähne, die schon seit uralten Zeiten als Elfenbein gehandelt und hoch bezahlt worden sind.

Deswegen schloß man Elefanten-Herden in künstlich entzündete Flammenmeere ein, baute Fallgruben, beschoß sie mit Giftpfeilen. Als es noch keine Eisenbahnen gab, mußte Elfenbein von Trägern in neunzig Tagemärschen von Uganda bis zur Küste gebracht werden. Es war die einzige Ware, die diese kostspielige Beförderung lohnte. Der Forschungsreisende Sir Samuel Baker schätzte den Gewinn am Elfenbein-Handel auf

*2000 %
Verdienst*

wenigstens 1500 %, er selber verdiente oft 2000 %. Trotzdem waren auch die Verkäufer zufrieden. Die meisten Stoßzähne dürften wohl aus den Überresten von Elefanten gesammelt worden sein, die aus anderen Ursachen gestorben waren. In Kolonialzeiten wurden Jagd und Elfenbeinhandel genehmigungspflichtig und durch die Game-Departments überwacht. Nach Noel Simon verliert trotzdem Kenia in jedem Jahr durch Wilddieberei und wohlgeregelten Schmuggel weit über eine Million Mark Staatseinkünfte.

Auch heute noch müssen besonders in Ostafrika in jedem Jahr viele Elefanten geschossen werden, weil das Land mehr und mehr von der wachsenden menschlichen Bevölkerung gebraucht wird. Die Jagdverwaltung von Tansania ließ z. B. 1963 durch eigene Angestellte 3247 Elefanten schießen und gab noch 393 Elefanten-Jagderlaubnisscheine an andere Jäger aus. Sie erlöste auf den Versteigerungen 16 shs für ein Pfund Elfenbein, insgesamt 103 540 ostafrik. Pfund (gleich etwa 1 100 000 DM) für rund 116 500 kg Elfenbein. Aber während zwischen 1850 und 1860 die ostafrikanischen Elefantenzähne, die in Sansibar auf den Markt kamen, zwischen 25 und 50 kg wogen und Ende des vorigen Jahrhunderts in Rhodesien noch durchschnittlich etwa 20 kg, wogen die Zähne von 31 966 Elefanten, die in Uganda von 1927 bis 1958 von den Angestellten der Jagdverwaltung selbst geschossen worden waren, im Durchschnitt etwas über 12 kg. Weniger als 2 v. H. der Zähne wogen mehr als 45 kg. 1929 waren Elefanten noch in etwa 70 v. H. des Landes von Uganda anzutreffen, dreißig Jahre später jedoch nur noch in 17 v. H. der Landfläche, und seitdem dürfte ihre Verbreitung weiter stark zurückgegangen sein. Mir erzählten noch die belgischen Wildbeamten, daß sich im nordöstlichen Kongo zu bestimmten Jahreszeiten nicht selten bis zu zweitausend Elefanten aus unbekannten Gründen zusammenfanden. Ein Reisegefährte Livingstones sah am Sambesi einmal achthundert Elefanten beieinander. Solche Naturschauspiele kann man heute in Afrika kaum noch sehen.

*Elefantenzähne werden immer kleiner*

Wie passen zum allgemeinen Rückgang der Elefanten die Zeitungsberichte, nach denen Tausende von Elefanten getötet werden sollen, um den Pflanzenwuchs zu erhalten? Nach den schweren Dürrejahren 1960 und 1961 fand ich an den Flüssen des Tsavo-Nationalparks in Kenia die Bäume von den Elefanten umgeworfen oder entrindet. Sogar die riesigen Baobab-Bäume mit ihren dickbäuchigen wasserhaltigen Stämmen waren von den Elefanten ausgehöhlt und gestürzt. Im Murchison-Falls-Nationalpark von Uganda wurden bis heute auf vielen, vielen Quadratkilometern Land die licht stehenden Bäume von den Elefanten restlos durch Entrinden der Stämme getötet. Ähnlich betätigen sich die Elefanten neuerdings auch im Albert-Nationalpark des Kongo, dem Krüger-Nationalpark Südafrikas und an anderen Stellen. Im Wankie-Nationalpark Rhodesiens hat E. Davison beobachtet, daß immer nur ein paar Einzeltiere in einer Kuhherde die Akazienbäume entrindeten, keineswegs alle. Große Bullen taten es nie.

*Sie stürzen Bäume um*

Im Tsavo-Nationalpark, der 10 000 qkm groß ist, hatte man im Juni und September 1962 von der Luft aus alle Elefanten gezählt. Bei dieser Elefanten-Zählung, die in fast baumlosem Gelände wegen der Größe der Tiere recht genau ist, kam man im Juni auf 6825 Elefanten, im September auf 10 799, wozu noch 4 804 Köpfe in angrenzenden Gebieten hinzuzurechnen sind. Es handelte sich um 1007 Herden und 128 Einzel-Elefanten. Gegen 300 Herden bestanden aus zwei bis fünf Elefanten, ebenso viele aus sechs bis zehn Köpfen. Immerhin wurden zehn Ansammlungen von mehr als hundert Tieren gesichtet; die drei größten bestanden aus 191, 289 und 700 Elefanten.

*700 Elefanten an einem Platz*

Nun sind 10 000 Elefanten für den 20 000 qkm umfassenden Tsavo-Nationalpark, der etwa halb so groß ist wie die Schweiz, an sich gar nicht einmal soviel. Die Elefanten-Dichte war im Juni 0,34 und im September 0,54 Elefanten je qkm. Diese Zahlen sind klein im Vergleich mit anderen Gebieten in Afrika: 1,1 Elefanten je qkm in den Aberdare-Bergen von Kenia; 1,7 je qkm in den Ruindi-Rutschuru-Ebenen des Albert-Nationalparks im Kongo; 1,72 je qkm im Queen-Elizabeth-Park von Uganda; 1,8 je qkm im Murchison-Falls-Nationalpark von Uganda. Und doch sind es zuviel Elefanten, wenn man die Trockenheit des Tsavo-Gebietes mit den anderen Nationalparks vergleicht und die geringe Pflanzenmasse, die in diesen Trockengebieten wächst. Fast alle die Tiere wurden nämlich im Abstand von etwa 23 km von ständigem Wasser gefunden. Obwohl nach jüngsten Zählungen 1966 die Elefanten im Tsavo auf sogar 20 500 Köpfe angestiegen sind, fuhr ich im Januar 1966 zwei Tage dort umher und sah vom Auto aus ganze zwei. Es gibt im Tsavo-Nationalpark nur einen einzigen Fluß, der das ganze Jahr hindurch Wasser führt, den Galana-Fluß. In den beiden Trockenjahren hatten die Elefanten den Pflanzenwuchs an den Flüssen so zugrunde gerichtet, daß von den etwa 780 Nashörnern 1960 rund 300 verhungert sind.

*300 Nashörner verhungert*

Der Tsavo, der früher ein Buschland war mit hohen Galerie-Wäldern an den Ufern der Flüsse, verwandelt sich also immer mehr in Grassteppe. Die Elefanten werden darunter wohl am wenigsten leiden, sie kommen auch auf reinem Grasland gut fort. Schlimmer kann es für die Spitzlippen-Nashörner sein, die vor allem Zweige und Buschwerk weiden. Sie machen auch kaum so weite Wanderungen wie die Elefanten, um Trockenheiten auszuweichen. Im Gegensatz zu vielen Bäumen und Büschen, deren Wurzeln viel tiefer in die Erde reichen, verdorrt außerdem das Steppengras während der trockenen Monate völlig, enthält also, wenn es geweidet wird, kaum noch Feuchtigkeit, ja, es verschwindet durch die ständigen Steppenbrände überhaupt völlig.

Die Hauptursache für den Schaden, den Elefanten im Tsavo-Nationalpark in Kenia angerichtet haben, ist das künstliche Schaffen von Wasserstellen, so schließt zum Beispiel Sylvia K. Siks, die die Elefantenfragen in Ostafrika studiert hat. Das Unheil begann nach ihrer Ansicht bereits mit dem Bau der Eisenbahn Mombasa—Nairobi, als man für Wasser sorgen mußte. Das zog die wasserabhängigen großen Tiere an, besonders die Elefanten — ein vollerwachsener männlicher Elefant braucht zwischen 90 und 130 l Wasser am Tage. *Elefant braucht täglich 100 Liter Wasser* Die Elefanten hielten sich später auch während der Trockenzeit in der Nähe der Bahn auf, weil dort Menschensiedlungen entstanden waren. Die Tiere kamen nachts zum Trinken und verschwanden vor Morgengrauen leise wieder. Noch schlimmer wurde die Lage, als die Verwaltung der Nationalparks von Kenia ständige künstliche Trinkstellen im Tsavo-Park anlegte. Die Elefanten blieben jetzt das ganze Jahr in Gebieten, wo der Pflanzenwuchs nicht genügend Nahrung für sie gab. Die Zerstörung der Umgebung war das unausbleibliche Ergebnis. Sylvia Siks zieht den Schluß, daß in erster Linie die Steppenfeuer bekämpft werden müßten und daß außerdem die künstlichen Wasserstellen in der Trockenzeit *Künstliche Wasserstellen — gut gemeint, aber schädlich* völlig geschlossen werden müßten, um die Elefanten aus dem Park zu vertreiben. Wie kommt es nun aber überhaupt anderswo zu solch einer örtlichen Übervölkerung mit Elefanten? Sie wandern, im Gegensatz zu vielen anderen afrikanischen Tierarten, ausdauernd und weit. Auf den meisten Flächen Afrikas werden sie heute hartnäckig bejagt und ausgerottet. Offensichtlich weichen sie in die wenigen Schutzgebiete aus und übervölkern diese so, daß die Landschaft gefährdet wird. Vielleicht sind sie auch abgeschnitten von Gegenden, in denen sie früher ihren Bedarf an Mineralien und Spurenelementen befriedigten. Baumrinde und Zweige enthalten nicht nur Feuchtigkeit, sondern z. B. auch 3,4 bis 5,68 v. H. Kalk, die Gräser dagegen nur 0,18 bis 0,33 v. H. Wir tappen in diesen Fragen noch völlig im dunkeln. Obwohl Elefanten seit Jahrhunderten von uns Menschen verfolgt und bewundert werden, obwohl so viele Jäger Abenteurer-Bücher über sie veröffentlicht haben, wissen wir herzlich wenig über ihre Art zu leben und ihre Bedürfnisse. Deswegen war man in Kenia klug genug, nicht sofort mit dem Abschuß von 3000 oder 5000 Elefanten im Nationalpark zu beginnen, wie in den Zeitungen vorgeschlagen wurde. Statt dessen hat man erst einmal eine Gruppe von Wissenschaftern hingebracht, welche die Bedürfnisse der Elefanten erforschen sollen. Daher hat die Fordstiftung 750 000 Mark für diese Forschungen bereitgestellt. Es ist nämlich auch möglich, daß der Rückgang der Bäume auf die künstlichen Grasfeuer zurückzuführen ist, welche in Afrika ständig zunehmen. Auch sie vernichten auf die Dauer

die Bäume und lassen offenes Grasland entstehen, wie das die Viehzüchter anstreben. Nach einiger Zeit verwandelt sich dieses Grasland aber in bestimmten Gegenden in Dornbusch und anderes Gestrüpp. Das ist in einigen Teilen des Tsavo-Nationalparks bereits im Gange.

Es ist recht beschämend: Solange wir Europäer als Kolonialisten in Afrika herrschten, haben wir kaum Anstrengungen gemacht, das Leben wichtiger Großtiere zu erforschen, welche so ausschlaggebend sind für das Gleichgewicht der Landschaft, das Klima und das Überleben der Menschen in diesen heißen Gegenden. Erst in den letzten Jahren, und zwar merkwürdig genug überall erst nach dem Selbständigwerden der afrikanischen Staaten, sind Biologen darangegangen, die vielen Geheimnisse dieser Tier-Riesen zu enträtseln. Wir werden noch sehen, wie weit ihnen das bisher gelungen ist. Die eindrucksvollste For-

schungsstätte ist das Serengeti Research Institute bei Seronera im Serengeti-Nationalpark, das von dem sehr erfolgreichen Nationalparkdirektor John Owen geschaffen worden ist. Dort sind ständig 10—18 Zoologen, Botaniker, Bodenforscher,

Verhaltensforscher aus den verschiedensten Ländern tätig, jeweils für mindestens drei Jahre. So gewinnen wir nunmehr allmählich ein Bild der afrikanischen Trockenlandschaft und des Lebens darin. Die Häuser für die Wissenschaftler und das »Michael Grzimek Memorial Laboratory« wurden von der Fritz-Thyssen-Stiftung errichtet.

Ich habe mich wochenlang anstrengen müssen, bis ich meinen ersten wilden Elefanten sah — in den Wäldern Westafrikas, der Elfenbeinküste. Wir hatten uns dazu in einer großen Bananenplantage häuslich niedergelassen, deren Besitzer nicht dort wohnte. Sie wurde jede Nacht von einer Herde Waldelefanten heimgesucht. Was uns da als »greenhorns«, als Neulingen Aufregendes passierte, habe ich in meinem Buch »Wir lebten mit den Baule« beschrieben. Diese zudringlichen und doch so scheuen Elefanten gingen gern einen Bachlauf entlang, der mitten durch die Bananen-Pflanzungen führte. Damit man ihn mit Autos bequem überqueren konnte, war eine kleine Brücke aus Baumstämmen gebaut worden. Den Elefanten paßte das nicht. Statt über die Stämme hinwegzusteigen oder um sie herumzugehen, hoben sie sie regelmäßig auf, wenn sie im Bachbett entlanggingen, und legten sie beiseite.

Sie nehmen überhaupt an so manchem Anstoß, was wir Menschen neu in ihrer Heimat aufstellen. Mitunter decken sie niedrige Wegweiser mit Haufen von Zweigen zu, reißen sie auch heraus und verschleppen sie ein Stück. Sogar neu angelegte Straßenstücke haben sie schon mit Zweigen bedeckt. Telegraphenpfähle, die mühsam in die Erde gegraben und aufgestellt waren, haben Elefanten gelegentlich einen nach dem anderen nachts dutzendweise wieder herausgezogen und flach auf die Erde gelegt.

*Elefanten reißen Telegrafenpfähle aus*

Filmszenen, in denen Elefanten-Herden Eingeborenen-Dörfer überfallen, die Hütten zertrampeln und die Menschen zerschmettern, sind Unsinn. So etwas gibt es in Wirklichkeit nicht. Wohl aber können die Riesen, die ja keine anderen natürlichen Feinde kennen, sich manchmal stundenlang zwischen Hütten aufhalten, ja in seltenen Fällen ein Dach teilweise abdecken oder eine Wand eindrücken, wenn innen etwas liegt, das ihre

Eßlust oder ihre Neugierde reizt. In Ezo, im südlichen Sudan, wurden drei solche hartnäckige Dorf-Eindringlinge leicht durch laute Walzerklänge vertrieben, als ein Landwirtschafts-Inspektor sein Autoradio auf vollste Lautstärke anstellte.

Eine Neuerscheinung der letzten Jahre sind die »Touristen-Elefanten«, einzelne Tiere, die an Besucher-Unterkünften in Nationalparks immer zudringlicher werden, weil man sie trotz Verbotes füttert. Ich habe die Lebensgeschichte und das traurige Ende des Lord Mayor, des »Bürgermeisters« am Paraa-Lodge im Murschison-Falls-Park in meinem Buch »Nashörner gehören allen Menschen« geschildert. Aber voriges Jahr verfolgte mich schon wieder ein halbwüchsiger Elefant namens »Charly«, als ich vom Restaurant-Bau nachts zu meinem Zimmer in einem der Pavillons ging. Er besichtigte mich so nachdrücklich,

*Im Etoscha-Nationalpark, Südwestafrika, gibt es »weiße« Elefanten. Es ist verblüffend, immer wieder ganze Gruppen dieser weißen Tiere im Busch anzutreffen. Es liegt daran, daß sie sich in dem Schlamm der Okerfontein-Wasserstelle suhlen. Die Erde ist dort weiß, und weil sie an der Haut der Elefanten haftet, nimmt diese die gleiche Farbe an. Ähnlich gibt es im Tsavo-Park von Kenia, Ostafrika, »rote« Elefanten.*

*Seite 282 oben:*
*Weiße Nashörner sind (nach den beiden Elefanten-Arten) die drittschwersten Landtiere. Sie können bis fast zwei Meter Rückenhöhe erreichen und von der Nasenspitze bis zur Schwanzwurzel 4,20 m lang werden. Nachdem die weißen Nashörner 1920 beinahe ausgerottet waren, ist diese Gefahr dank der Bemühungen der Naturschützer heute völlig gebannt. Ich habe diese Tiere im Mkusi-Schutzgebiet in Zululand, Südafrika, aufgenommen.*

*Seite 282 unten:*
*Bei kühlerem Wetter machen weiße Nashörner gern Kampfspiele. Die Bullen können sich dabei in seltenen Fällen auch todernst gemeinte, echte Wutkämpfe liefern. In einem Fall kamen 43 andere Nashörner herbei, um so einem Kampf zuzusehen.*

*Seite 283 oben:*
*Bei Voi im Tsavo-Nationalpark, Kenia, wurden verwaiste Elefanten- und Nashornkinder mit der Flasche großgezogen. Auch nachdem sie erwachsen sind, kommen sie jeden Abend in die Station der Wildwarte oder lassen sich dorthin treiben und über Nacht einsperren. Sie sind Menschen gegenüber völlig zahm, also auch zu mir.*

*Seite 283 unten:*
*Die Zwergmangusten oder Kitafe sind kleine Fleischesser, die gruppenweise in Ostafrika leben und gern in den Gängen von Termitenbauten und hohlen Bäumen hausen. Sie sind immer damit beschäftigt, unter Laub und Gras nach Insekten zu scharren. Zieht man kleine Zwergmangusten zahm auf, so wie ich das mehrfach getan habe, werden sie sehr anhänglich, ja machen sich fast lästig, weil sie alle Taschen untersuchen, durch Ärmel und Hosenbeine kriechen und jeden Winkel untersuchen und »säubern«.*

daß ich es vorzog, mich an den Häusern entlangzudrücken und offene Flächen sehr schnell zu überqueren.

Nicht lange danach stand der Bulle eines Abends dicht an der Fensterfront des Speisesaales und sah den Gästen zu, während sie ihr Abendessen verspeisten. Er benahm sich wie ein kleines Kind, das in ein Schaufenster voller Süßigkeiten starrt. Sein Kopf war so nahe am Fenster, daß seine noch kurzen Stoßzähne drei Scheiben zerbrachen. Damit noch nicht zufrieden, steckte er dann seinen Rüssel durch das offene Fenster, um an die Speisen zu gelangen. Ein paar Tage später mußte sich der Geschäftsführer des Restaurants auf der Veranda mit Knüppelhieben gegen seine gefährliche Zudringlichkeit verteidigen. Eine andere Elefantin bekam dort den Spitznamen »Mülleimer-Nelly« (Dustbin-Nelly), weil sie mit ihrem Kalb »Billy« gern die Mülleimer untersuchte. Als einer der Touristen ihr Kind dicht an der Veranda fotografieren wollte, ging Nelly auf ihn los. Der Wildwart konnte den Besucher noch am Arm packen und durch die Tür ins Innere stoßen. »Nelly« hielt etwa zwei Meter vor dem Wildwart an und ging dann zurück.

*Elefant steckte seinen Kopf durch die Scheiben in den Speisesaal*

*»Mülleimer-Nelly«*

Bei einer anderen Gelegenheit begeisterte sich »Billy« über die Drahtseile, welche den Radiomast aufrecht halten. Er zog so stark daran, daß der obere Teil des Mastes umfiel, und zwar gerade auf den Rücken seiner Mutter. Beide Elefanten rannten eilends in den Busch davon. »Billy« entfernte auch das Warnschild vor der Unterkunft, auf dem steht, daß sich die Besucher vor Elefanten in acht nehmen sollen.

Er hat dort zweimal versucht, Autos vom Parkplatz wegzuschieben. Leider ist er dann im Alter von zwei Jahren und zehn Monaten gestorben, vermutlich an unverdaulichen Dingen, die er aus dem Müll herausgeholt hatte. In den Kotballen der Ele-

*Plastikbeutel im Kot*

*Max war der erste Gorilla, der in Deutschland geboren wurde. Seine Mutter ist Makula, die als winziges Baby zu uns kam und jahrelang in meiner Familie aufwuchs. Gorillas »lausen« sich im Gegensatz zu den meisten anderen niederen Affen gegenseitig nicht. Während kleine Schimpansen oder z. B. Paviankinder sich nur gar zu gern von ihren Müttern mit den Fingern das Fell säubern lassen und sie oft noch gerade dazu auffordern, wehren sich die kleinen Gorillas dagegen, so wie unsere Menschenkinder gegen das Gewaschenwerden. Gorillas haben zweiundzwanzig verschiedene Laute, um sich untereinander zu verständigen, sie gähnen, schnaufen, husten, stoßen auf, haben Schluckauf und kratzen sich ähnlich wie wir Menschen.*

fanten, die sich häufig an den Mülleimern zu schaffen machen, hat man wiederholt Plastikbeutel und Schinkentüten gefunden.

Wahrscheinlich auch durch ihre Vorliebe für solche Spielerei geraten Elefanten gar nicht so selten in Stahldrahtschlingen, welche von Wilddieben für andere Tiere aufgestellt sind. Wenn die Schlinge sich um den Rüssel zuzieht, schneidet sie allmählich immer tiefer in die Haut ein, was eiternde ringförmige Wunden gibt. Ich selbst habe schon zweimal solche Elefanten angetroffen. Ein Wildhüter fand in Acholi in Uganda solch einen Elefanten, der sich mit dem Rüssel in einer Drahtschlinge verfangen hatte. Als er später mit einem bewaffneten Begleiter zurückkam, war der Elefant verschwunden; es hing aber fast 1 m Rüssel in der Schlinge. In Malawi traf man einen solchen fast rüssellosen Elefanten an, der kniend Gras weidete, dabei aber ganz gut ernährt aussah.

*Rüssel abgeschnitten*

Halten Sie einmal Elefanten davon ab, an einen bestimmten Platz zu gehen, ohne sie zu beschießen! Vor ein paar Jahren errichtete man am Sanyati-Fluß, rund 100 km stromaufwärts oberhalb des bekannten Kariba-Dammes in Sambia, einen Wildzaun. Er sollte verhindern, daß die Wildtiere aus dem Sambesi-Tal in die dicht von Menschen besiedelten Nachbargebiete eindringen. Der neue Zaun, der mitten durch den Wald geht, wurde öfter von Elefanten beschädigt und durchbrochen. Deswegen schlug man beiderseits einen breiten Streifen kahl und stellte schließlich Wächter an, die das Wild mit Schreckschüssen vertreiben mußten. Im allgemeinen wirkte das auch. Der Zaun besteht aus acht Drähten, von denen jeder bis zu 550 kg Druck aushält, ehe er zerreißt. Die Hartholzpfähle sind 1 m tief eingegraben und sitzen wie einzementiert. Die Drahtstränge schlagen schmerzhaft zurück, wenn sie zerrissen werden.

*Wie sie doch über den Zaun stiegen*

Eines Tages wurde der Zaun trotzdem von zwei Elefanten überquert. Sie hatten vergeblich versucht, ihn gewaltsam zu zerstören, waren dann in Wut geraten und hatten rund vierzig Bäume in der Nähe abgeknickt. Sechs Stämme von etwa 25 cm Durchmesser hatten sie dann herangeschleppt und oben auf den Zaun geworfen. Durch ihr Gewicht waren die Drähte so weit heruntergebogen, daß die Elefanten über den Zaun hinwegklettern konnten. Eine Woche danach benutzten sie einen viel stärkeren Baum auf ähnliche Weise, um wieder zurückzugehen.

Wer lernen will, wie man in Afrika elefantensichere Zäune baut, geht am besten in den kleinen Addo-Nationalpark in Südafrika, der nur 67 qkm groß ist. Dort in der Nähe von Port Elizabeth an der Südspitze des Erdteils hat man 1931 ein Stück Busch zum Nationalpark erklärt und mitten in eine immer mehr besiedelte Gegend das allerletzte Dutzend südafrikanische Elefanten hineingetrieben. Das ging auch zunächst gut, ihre Zahl stieg auf 25, aber dann fing der Kummer an. 1949 war die Lage einfach unhaltbar geworden. Nicht weniger als dreißig Farmen mit etwa 150 Europäern und gegen dreihundert Afrikanern hatten sich an den Grenzen des Parks angesiedelt, über welche die Elefanten fast jede Nacht hinausgingen. Zäune wurden niedergetrampelt, Wasserröhren aus dem Boden gerissen, Dämme zerstört, Bäume, Gärten und Pflanzungen übel zugerichtet und Haustiere sogar gelegentlich getötet. Außerdem hatten die Menschen Angst vor den Riesentieren, die ohne jede Warnung auf einmal mitten in der Nacht auftauchten. Die Farmer, mitunter wirklich in Lebensgefahr, schossen die Elefanten an, und die verwundeten Tiere bedrohten dann wieder andere, insbesondere die Wildhüter. In einer Nacht überquerten fünf Elefanten die Eisenbahnlinie. Als sie im Morgengrauen wie üblich zurückkamen, rollte gerade ein Güterzug heran. Vier der Elefanten rannten noch davor über die Geleise, aber eine Kuh zögerte. Der Zug wurde kreischend zum Halten gebracht, doch vorher verletzte er noch den Elefanten tödlich, genau vierzehn Tage, nachdem der Anführer der Herde in gleicher Weise umgebracht worden war.

Ein anderer Bulle griff des öfteren Feldarbeiter an, so daß sie um ihr Leben rennen und die Eisengerüste von Windpropellern emporklettern mußten. Eines Tages ging er gegen einen Eisenbahnzug an. Er wurde zweiter Sieger und ziemlich zerschlagen. Seinetwegen mußte der Park eine Zeitlang für Besucher geschlossen werden. Ein Jahr später traf er wieder einen herankommenden Zug. Offensichtlich erinnerte er sich an die böse Erfahrung, denn er drehte um und versuchte in den Park zu

*Elefanten-sichere Zäune*

*Elefanten von Eisenbahn getötet*

kommen. Aber die Lokomotive erwischte ihn und brach ihm sein Hinterbein. Schreiend vor Schmerzen stolperte er auf drei Beinen weiter, brach jedoch nach zwanzig Metern zusammen. Die ganze Nacht hörte man seine Todesschreie, aber es war unmöglich, ihn zu erlösen. Die anderen Elefanten hatten ihn eingeschlossen, und er mußte langsam da sterben, wo er zusammengebrochen war. Damit war die Zahl der Elefanten wieder auf siebzehn zurückgegangen, darunter nur noch drei zuchtfähige Bullen.

*Sterbenden eingeschlossen*

Deswegen wollte man den Park gegen die Farmen abzäunen. In der Mitte der vierziger Jahre hatte man es mit einem elektrisch geladenen Zaun versucht, aber die Elefanten brachen immer wieder aus und stellten in der Nachbarschaft Unheil an. Es dauerte lange, bis die Nationalparks das Geld aufbrachten, um einen festen Zaun zu errichten. Von 1951 bis 1957 hat man daran gearbeitet. Der Zaun besteht aus alten Straßenbahn- und Eisenbahn-Schienen, die 1,80 m in die Erde getrieben sind und 2,40 m darüber herausragen. Sie stehen 7,5 m voneinander, zwischen ihnen sind aber noch in 2,50 m Abstand Hartholzpfähle, die ebenfalls in die Erde gehen, und Rundhölzer, welche frei schweben und die Drahtstränge miteinander verbinden. Die Hölzer hat man mit scharfendigen herausragenden Nägeln gespickt, um den Elefanten zu verleiden, sie mit den Rüsseln zu umfassen. Die Drahtstränge sind stählerne Fahrstuhl- und Grubenseile, die unter starker Spannung stehen.

*Elefant mit Wucht dagegen: Zaun hält!*

Dieser Zaun hat es ohne weiteres ausgehalten, daß Elefantenkühe mit voller Wucht dagegenrannten. Insgesamt sind 25 qkm undurchdringlichen Dornbusches in dieser kostspieligen Weise für die Elefanten eingezäunt. Sie haben sich inzwischen wieder gut vermehrt. Einen ähnlichen, aber viel kürzeren Zaun findet man im Wald an einem Ende des Manyara-Nationalparks in Tansania, zwischen dem See und dem Steilhang des Großen Grabens.

Im Auto bin ich nur einmal von einer Elefantenkuh im Queen-Elizabeth-Park angenommen worden. Ich war mit meinem Sohn ausgestiegen, und wir hatten die Kamera auf dem Dreifuß aufgebaut, um ihr Kalb zu filmen. Sie rannte auf das

Auto zu, in das wir rasch hineingesprungen waren, blieb dann aber dicht davor stehen, ohne es zu berühren, als der Motor nicht startete. Es ist überhaupt selten, daß Elefanten sich an Autos vergreifen. Zwei Fahrer, die am Lodge im Murchison-Park schliefen, waren recht überrascht, als durch das offene Hinterfenster ihres Wagens der Stoßzahn eines Elefanten zu ihnen hineinfuhr.

Bekannt ist der Fall dreier südamerikanischer Professoren, die mit ihren Studenten durch den Albert-Nationalpark im Kongo fuhren und plötzlich ohne ersichtliche Ursache von zwei Bullen angegriffen wurden. Professor Gevers konnte das angreifende Tier noch durch das Fenster filmen, doch der Bulle zermalmte den Motor, stieß seine Zähne durch die Seitenwand und warf das Gefährt um, wobei dem Professor beide Beine gebrochen wurden. Das Tier lief dann weg, fiel aber nach einer kurzen Strecke auf einmal tot um. Die Todesursache konnte nicht ermittelt werden, doch der Professor erhielt einen der Stoßzähne zum Andenken an dieses Abenteuer. *Professor brach beide Beine*

1965 versperrte im Krüger-Nationalpark, Südafrika, eine Gruppe von Elefanten etwa fünfzehn Minuten lang eine Autostraße. Eines der Autos hupte ungeduldig. Daraufhin wandte sich der Elefanten-Bulle, der auf der Straße gestanden hatte und den langsamen Übergang der Kühe und Kälber gedeckt hatte, herum und klappte die Ohren ab. Er »bellte« und ging rasch auf einen der kleinen Wagen zu. Der Elefant warf den Volkswagen in die Luft, indem er Stoßzähne und Rüssel unter die Frontachse legte, verbog die Vorderseite des Wagens mit einem Stoßzahn, hob den Wagen dann noch zweimal an und schob ihn beim zweitenmal von der Straße weg fünf Meter ins Gebüsch. Die Insassen, ein Ehepaar Bauer, blieben unverletzt, stiegen aber nachher sehr blaß aus. »Herr Bauer besitzt selbst eine Reparatur-Werkstätte und meint, er würde den Wagen allein wieder in Ordnung bringen«, schrieb die »Cape Times«. *Elefant schob Volkswagen ins Gebüsch — Insassen sehr blaß*

Auf Bildern von Afrika-Malern findet man angreifende Elefanten für gewöhnlich mit hocherhobenem Rüssel und abgestellten Ohren. Das scheint mehr dazu zu dienen, durch Riechen und Hören mehr über ein gegenüberstehendes Wesen herauszufinden. Ich selbst habe bei ernstlich angreifenden Elefanten niemals hochgehobene Rüssel gesehen, obwohl ich sie aus kurzem Abstand fotografiert habe. Andere haben mir das gleiche bestätigt. Der Elefant, der auf einen Feind losgeht, rollt den Rüssel für gewöhnlich nach hinten gegen die Brust zu ein, senkt den Kopf und wird oft immer »kleiner«, je näher er kommt. Diese Erfahrung machte auch Herr G. Gilett in Rhodesien, dessen Auto eine Elefanten-Kuh genau von vorn annahm und mit ihren Stoßzähnen zwei Löcher unterhalb des Kühlers stieß. »Sie legte dabei die Ohren flach gegen den Hals«, berichtete später der Angegriffene, dem dabei nichts passiert war, »sie drückte das Auto dreißig Meter zurück, ehe ich sie stoppen konnte«.

*Vom Elefanten in die Luft geworfen*

Ein früherer Kameramann von mir, der mich im Kongo begleitet hatte, wurde zwei Jahre später, 1958 im Queen-Elizabeth-Park von Uganda beim Filmen am Nyamugasani-Fluß, von einem Elefanten beinahe getötet. Entgegen den Vorschriften war er aus seinem Auto gestiegen, und überraschend griff ihn eines der Tiere an. Er wurde von dem Elefanten aus einem Busch herausgezogen, in den er sich geflüchtet hatte, und dreimal in die Luft geworfen. Trotzdem waren seine einzigen Verletzungen eine Stoßzahnwunde im Bein und ein gebrochener Knöchel. Im selben Jahr wurden zwei Afrikaner gerade außerhalb der Parkgrenzen von einem Elefanten getötet, der anschließend erschossen wurde. Solche Zwischenfälle sind auf Verletzungen der Elefanten durch Wilddiebe und auf die Ungeschicklichkeit einer bestimmten Art von Europäern mit Jagdscheinen zurückzuführen; unschuldige Opfer haben nachher dafür zu leiden.

*Mit dem Fahrrad versehentlich in eine Elefantenherde*

Im Juli 1959 fuhr ein afrikanischer Straßenaufseher mit dem Fahrrad durch den Murchison-Falls-Park nach dem Krankenhaus in Masindi, weil seine schwangere Frau dort krank geworden war. Er hatte es sehr eilig, beschäftigte sich in Gedanken mit ihr und fand sich so nach ein paar Kilometern plötzlich mitten in einer Herde von Elefanten auf der Straße. — »Es waren Elefanten zu meiner Linken, zu meiner Rechten, vor und hinter mir, überall Elefanten. Ich stieg von meinem Fahrrad und stand eine Weile regungslos. Meine Anwesenheit schien sie überhaupt nicht erschreckt zu haben, obwohl sie mich aufmerk-

sam ansahen. Nach einer kurzen Weile begannen die Tiere weg-
zugehen, und meine Furcht ließ nach. Aber plötzlich griff ein
Mutter-Elefant von der Seite an und ein anderer von vorn. Ich
warf mein Fahrrad hin und rannte mit einer Geschwindigkeit
los, die ich bis dahin noch niemals in meinem Leben erreicht
hatte.

Die Elefanten-Kuh kümmerte sich nicht um das Rad; so warf
ich ihr meinen großen Übermantel hin. Aber auch der interessierte sie nicht; so warf ich einen Schuh weg. Sie wollte auch
den nicht haben, und so griff ich einen Stock auf. Der Elefant
faßte das andere Ende des Stockes: derart liefen wir beide weiter. Ich hatte das Gefühl, ich flöge, aber trotzdem wurde ich
sehr schnell erschöpft. Ich verlor Abstand, während der Elefant
immer schneller wurde. Ich fühlte, daß sein Rüssel mich beinahe berührte, und dann fiel ich zwischen seinen Vorderbeinen
hin. Die Elefanten-Kuh beugte ihren mächtigen Kopf herunter,
und die Stoßzähne bohrten sich in die Erde: ich war zwischen
ihnen festgenagelt.

In meiner Verzweiflung brachte ich es irgendwie fertig, aus
meiner Jacke zu schlüpfen, und steckte sie mit meiner linken
Hand geradewegs in den Mund des wütenden Tieres. Es stieß
mich mit einem Fuß und rannte weg. Ich blieb halb bewußtlos
auf der Erde liegen, schaffte es aber, etwa zweihundert Meter
auf meinen Knien weiterzukriechen. Als ich wieder völlig zu
mir gekommen war, ging ich zum Lager der Straßenarbeiter
zurück. Von dort brachte mich jemand auf einem Fahrrad nach
dem Masindi-Krankenhaus, wo ich behandelt wurde.«

Im besonders trockenen Sommer 1951 verdursteten im Norden von Kenia sogar Elefanten. Sie machten den Somali-Einge-
borenen die Wasserstellen streitig und griffen Frauen an, die
Wasserbehälter trugen. Die Wasserlöcher sind zum Teil dort
sehr tief in die Erde gegraben, und das Wasser muß von Eingeborenen mit Leitern aus diesen tiefen Schächten in die Höhe
geholt werden. Diese Leute wagten erst dann nach Hause
zu gehen, wenn ihre Kleider völlig getrocknet waren, weil die
verdurstenden Elefanten sonst von der Feuchtigkeit angezogen
wurden und sie verfolgten.

*»Ich stecke
meine Jacke in
den Mund
des Elefanten«*

*Nicht mit
nassen Kleidern
in die Nähe
verdurstender
Elefanten!*

Noch keine echte Erklärung hat man dafür, daß manche Elefanten die Menschen, welche sie getötet haben oder welche sie tot oder scheinbar tot antreffen, mit Zweigen zudecken. Im Jahre 1954 geriet eine alte blinde Turkana-Frau im Norden von Kenia vom Weg ab und wurde von der Nacht überrascht. Sie fand einen Baum, dessen Zweige sich unten an der Erde dicht ausbreiteten, kroch darunter bis an den Stamm und fiel in Schlaf. Während der Nacht wurde sie durch das Kreischen eines Elefanten geweckt. Das Tier fühlte mit seinem Rüssel nach ihr und muß wohl den Eindruck gehabt haben, daß sie tot war. Denn es riß Zweige von dem Baum ab, unter dem sie lag, und ebenso von benachbarten Bäumen und legte sie vorsichtig auf sie. Als andere Leute, die nach ihr suchten, sie am nächsten Morgen auffanden, war sie gut anderthalb Meter hoch mit Laubästen bedeckt und völlig außerstande, selbst darunter hervorzukriechen.

*Sie decken Leichen mit Zweigen zu*

In der Nähe von Ruhengeri im Kongo wollte ein Farmer einen Elefanten mit Schüssen aus seiner Pyrethrum-Pflanzung vertreiben, wurde aber von dem verwundeten Tier angegriffen und hoch in die Luft geschleudert. Als er auf den Boden knallte, verlor er das Bewußtsein, fand sich jedoch später mit mehreren gebrochenen Rippen unter einem Haufen von Zweigen. — Ein Wildhüter, der im Kilwa-Bezirk in der Nähe von Makumba, Tansania, 1949 von einem Elefanten getötet worden war, wurde später mit Erde bedeckt aufgefunden, auf die das wütende Tier noch einen Reisighaufen geschichtet hatte.

Dr. Wolf Dietrich Kühme, der auch längere Zeit als Forscher im Michael-Grzimek-Laboratorium in der Serengeti gearbeitet hat, legte sich eines Morgens gegen fünf Uhr im Opel-Zoo im Taunus in der Nähe eines Abfallhaufens zwei Meter neben die Absperrung der afrikanischen Elefanten. Der führende Bulle angelte nach Zweigen und bewarf den Liegenden mit Mist, Aststückchen und Kies. In der halben Stunde, bis der Wärter die Elefanten ablenkte, schleuderte er etwa fünfzehnmal. Als Dr. Kühme aufgestanden war, hob sich der leerbleibende Körperumriß von den herumliegenden Wurfstoffen deutlich ab.

*Vom Elefanten mit Mist beworfen*

Daß zahme Elefanten bestimmte Menschen kennenlernen,

z. B. Wärter im Zoo oder Tierlehrer im Zirkus, ist altbekannt. Allerdings beziehen sich diese Beobachtungen meist auf asiatische Elefanten. Soweit ich feststellen konnte, benahmen sich jedoch die gezähmten afrikanischen Elefanten in der Station Gangala na Bodio nicht anders. Meinem Sohn Michael und mir fiel auf, daß eine Gruppe dieser Arbeits-Elefanten, die im Ituri-Urwald in der Nähe der Okapi-Fangstation untergebracht waren, sich uns beiden gegenüber recht scheu verhielt. Michael malte sich daher Gesicht, Arme und Beine schwarz und zog die Uniform der Elefanten-Reiter an. Daraufhin ließen sich die Tiere, welche zuvor immer ängstlich zurückgewichen waren, ohne weiteres von ihm besteigen, reiten und folgten seinen Befehlen. Ich habe das, auch mit Fotos, in meinem Buch »Kein Platz für wilde Tiere« beschrieben. *Gesicht schwarz gemalt — Elefant wurde zutraulich*

So manches Benehmen von Elefanten uns Menschen gegenüber wird uns verständlicher, wenn wir uns näher ansehen, wie sich Elefanten zu anderen Tieren und untereinander verhalten. Sie kennen offensichtlich keinen Feind und Widersacher in ihrer Umwelt, vom neuzeitlichen, technisch bewaffneten Menschen abgesehen. Wohl gerade deswegen sind die Riesen verträglich zu anderen Lebewesen. Wasserböcke, Impala, Kaffernbüffel, Flußpferde und auch kleinere Antilopen weiden mitunter ganz unbekümmert nur wenige Meter von den grauen Kolossen entfernt. Alle anderen Tiere, selbst Nashörner, Flußpferde und Löwen, weichen ausgewachsenen Elefanten zuerst aus oder ziehen sich zurück, z. B. auf einem schmalen, eng von Büschen oder Böschungen eingefaßten Pfad. B. Nicholson sah am Ufer des Kilombero in Tansania einer kleinen Herde von Elefanten zu, von denen nur einer Stoßzähne hatte. Sie wurden von einer Kuh angeführt, die ebenfalls stoßzahnlos war. Plötzlich erschrak dieses Tier und ging hastig rückwärts, wobei sie ihren Kopf in Verteidigungsstellung tief hielt. Im nächsten Augenblick kam ein schnaubendes Nashorn aus einer Senke heraus und gerade auf die Elefanten-Kuh zu. Es näherte sich ihr aber nur auf 4 bis 5 m, verlor dann den Mut und drehte ab. Dreimal ging es auf die Elefanten-Gruppe los, und jedesmal bog es kurz davor ab, bis es schließlich mit steil erhobenem kleinem *Kampf zwischen Nashorn und Elefant*

Schwanz endgültig weglief. Die Elefanten verteidigten sich die ganze Zeit lediglich, ohne selbst anzugreifen. Im Krüger-Park wurde dagegen ein wütender Kampf zwischen einem Elefanten und einem Nashorn festgestellt, wobei dieses mit vier Stoßzahnlöchern tot an dem Platz blieb.

Auch um Krokodile kümmern sich Elefanten nicht, da sie unbesorgt an und in das Wasser gehen. Colonel Radford beobachtete jedoch vom Motorboot aus auf dem Nil im Murchison-Falls-Park, wie eine Gruppe Elefanten am Ufer trank. Plötzlich fuhr einer davon erschreckt zurück und zog am Rüssel ein anderthalb Meter langes Krokodil heraus, das sich darein verbissen hatte. Das Krokodil, das auf diese Weise ganz aus dem Wasser gerissen worden war, wurde weggeschleudert, und der Elefant rannte davon.

*Krokodil verbiß sich in Elefantenrüssel*

Mit Löwen ist es wohl nicht viel anders. A. Schiess sah in der Etoscha-Pfanne in Südwestafrika einen großen Elefantenbullen ständig kurze wütende Angriffe in die Richtung eines großen Marula-Baumes machen. Dann änderte er sein Vorgehen, ging um den Baum herum, griff wieder an, und jetzt bewegte sich das lange Gras unter der Baumkrone auf einmal stark. »Dann ging es los. Der Riese, entweder beschämt oder wild über seine eigene Feigheit, ging auf einmal geradewegs auf den Baum los. Das Ergebnis war eine regelrechte Explosion. Wie von einer Dynamitladung hochgetrieben, sprangen vier Löwen auseinander, nur um sofort wieder in dem langen Gras zu verschwinden, mit Ausnahme eines Junglöwen, der stehenblieb und sich den Riesen ansah. Daraufhin hielt der ganz plötzlich an, mit einer komischen Bewegung, wie man sie in Disney-Filmen sieht. Für ein paar Sekunden starrten Elefant und Löwe sich gegenseitig ohne Bewegung an, bereit, bei der kleinsten Geste des anderen wegzulaufen. Schließlich verlor Jumbo seine Nerven und ging mit schrillem Kreischen zurück, woraufhin der Löwe ruhig zu dem Baum zurückschritt. Nach den Bewegungen des Grases mußten sich auch die anderen beruhigt haben. Der Elefant stand eine Weile und starrte den Baum an, dann ging er in der Richtung des Teiches weg. Als er an einer Buschgruppe vorbeiging, muß ihm wohl ein Gedanke gekommen sein. Von den

*Elefant gegen Löwen*

Büschen verdeckt, näherte er sich dem Baum wieder, aber diesesmal vorsichtig. Eine Weile verloren wir ihn aus dem Gesicht, doch plötzlich erschien sein gewaltiger Kopf über den Büschen, der Rüssel hoch in der Luft. Allmählich wurde dieser Rüssel ruhig, bis er genau auf den Baum zeigte, wie eine Schlange, die zuschlagen will. Die Löwen verhielten sich völlig still. Der Elefant drehte sich um, sah hin und ging zum Trinken an das Wasser.«

Im Wankie-Schutzgebiet stand ein übel gelaunter alter Bulle mit einer sehr schweren Wunde im Bein. Der Wildwart erschoß ihn und fand, daß der Bulle mit einem Fuß auf einem Warzenschwein gestanden hatte, das offensichtlich von einem Geparden getötet worden war. Er hatte den Geparden von seiner Beute vertrieben und blieb mit dem Fuß darauf stehen. Der Wildwart zog das Warzenschwein ein Stück von dem toten Elefanten weg und ließ es da liegen. Gleich darauf kam der Gepard zurück und begann mit seiner Mahlzeit.

Man kann nie voraussagen, was diesen Riesentieren in den gewaltig dicken Kopf kommen wird. Im September 1957 standen dreizehn Elefanten am Grunde eines der leeren Krater im Queen-Elizabeth-Park an einem kleinen sumpfigen Wasserloch. Etwa zwanzig Meter entfernt von ihnen warteten zwei vollerwachsene Kaffernbüffel mit einem ziemlich großen Kalb. Das schien einem der Elefanten nicht zu passen, er machte erst einige Drohangriffe, griff dann das Büffelkalb mit dem Rüssel an und machte Miene, es auf dem Boden zu zerschmettern. *Elefant bringt ein Büffelkalb um* Schließlich aber trampelte er langsam auf dem unglücklichen verwundeten Tier herum. Währenddessen machte die Büffel-Mutter ständig Angriffe gegen den Elefanten, die aber vergeblich waren. Endlich versuchte der Elefant, dem Kalb mit den Stoßzähnen den Rest zu geben, und ging dann weg. Die Büffel-Mutter schritt nun zu ihrem Kind, das sich noch bewegte. Es erhob sich sogar auf seine Vorderbeine, aber der Hinterteil des Körpers war völlig zerbrochen. Es brach zusammen, als es der Mutter zu folgen versuchte. Diese schien nun eingesehen zu haben, daß es hoffnungslos war, noch länger zu warten. Sie ging langsam weg zu dem anderen Büffel.

Im Krüger-Nationalpark wurden die schwarzen Arbeiter im Lager Letaba nachts häufig von wilden Tieren gestört. Deswegen erlaubte der Wildwart ihnen, einen Hund zu halten, was sonst im Nationalpark nicht gestattet ist. Dieser Hund hat in zahlreichen Fällen Elefanten in die Flucht geschlagen. Zuerst versuchten sie den Hund zu töten, es glückte ihnen aber nicht, das Tier zu packen. Er bellte und biß sie von hinten in die Füße. Die Elefanten, welche in der Nachbarschaft leben, lernten den Hund so gut kennen, daß sie nicht näher als hundert Meter an das Lager heranzukommen wagen. In weiterem Abstand kümmerte sich der Hund nicht um sie.

*Hund schlägt Dickhäuter in die Flucht*

Vielleicht liegt das daran, daß dieser Hund für die wilden Elefanten ein neues und unbekanntes Tier ist. Sie sind nämlich außerordentlich mißtrauisch und ängstlich gegenüber neuen Dingen, ähnlich wie Pferde. Es trifft zwar nach meinen eigenen Versuchen nicht zu, daß Elefanten vor Mäusen Angst hätten. Ebenso laufen Mäuse nicht in den Rüssel und bringen Elefanten zum Ersticken, wie Eingeborne in manchen Gegenden Afrikas erzählen, und sogar weiße Wildwarte. Ein Elefant könnte eine Maus ohne weiteres aus seinem Rüssel herausblasen, außerdem vermag er auch durch den Mund zu atmen. Zoo-Elefanten näherten ihr weitgeöffnetes Rüsselende ohne Furcht den Mäusen, um sie zu beriechen. Vor Kaninchen und Dackeln, die ich zu Zirkus-Elefanten in den Stall oder zu Zoo-Elefanten in den Auslauf brachte, wichen sie jedoch ängstlich zurück und bewarfen sie aus Abstand mit Sand und Steinen, indem sie mit dem Vorderfuß gegen den Erdboden stießen.

*Kriechen Mäuse in Elefantenrüssel?*

Kann man vor einem angreifenden Elefanten weglaufen? Ein afrikanischer Elefant geht, im Paßgang, etwa so schnell wie ein Mensch, in der Stunde 4 bis 6 km. Er kann die Geschwindigkeit aber auch auf fast das Doppelte steigern und sie für Stunden so beibehalten. Laufen Elefanten erschreckt davon, oder greifen sie an, so bringen sie es auf 30 km/st. Sie sind also schneller als ein menschlicher Schnelläufer, aber langsamer als ein Reitpferd, als Antilopen und die meisten Raubkatzen. Elefanten können diese ihre Höchstgeschwindigkeit allerdings nur etwa hundert Meter lang durchhalten. Im Busch werden sie viel weniger be-

*Elefant schneller als Mensch*

hindert als Menschen oder kleinere Tiere, weil sie einfach durch das Gestrüpp brechen können. Elefanten können nicht galoppieren, nicht springen, und auch steile, mäßig hohe Wände sind für sie unüberwindliche Hindernisse. Im Zoo Nürnberg leben Elefanten seit Jahrzehnten hinter einem Graben, der oben 1,70 m breit und an der niedrigsten Stelle nur 1,40 m hoch ist. Sonst sind Gräben meistens breiter als zwei Meter, jedoch nur, damit hineingefallene Elefanten sich nicht darin festkeilen. Dagegen klettern die schweren Tiere Steilhänge ausgezeichnet empor und gehen, wie schon gesagt, hoch in die Gebirge. Wir hatten Mühe, in den Kongo-Bergen auf den Elefanten-Pfaden emporzusteigen, weil diese meistens senkrecht nach oben führen. Elefanten sind in einer einzigen Nacht schon über achtzig Kilometer gelaufen.

*Zoogräben für Elefanten*

Lange Zeit wurde ihnen nachgesagt, daß sie im Stehen schliefen und sich nicht niederlegten. Prof. Hediger hat dann bei indischen Zirkuselefanten nachgewiesen, daß sie es doch tun, und zwar bevorzugt kurz nach Mitternacht. Alte Elefanten liegen dann nur zwei bis drei Stunden, Jungtiere länger. Ich selbst habe niemals in Freiheit einen liegenden oder im Liegen schlafenden Elefanten gesehen, wohl aber in den Urwäldern der Elfenbeinküste Stellen, an denen Elefanten bis kurz vorher geschlafen hatten, weil sich alle Rundungen ihres Körpers gut in der Erde abgedrückt hatten. In der Elefantenstation Gangala na Bodio fand ich bei nächtlichen vorsichtigen Besuchen vor Mitternacht sämtliche angeketteten Elefanten stehend, nach Mitternacht jedoch zwölf von sechzehn liegend. Ich konnte sie mit Blitzlicht so fotografieren. In zoologischen Gärten scheinen Elefanten sehr rasch aufzustehen, wenn nur der Schlüssel zu ungewohnter Stunde in die Tür gesteckt wird. Deswegen ist wohl die Liegestellung so lange nicht beobachtet worden. Andrerseits schlafen liegende Elefanten wenigstens zeitweise sehr tief und fest. Unser Elefantenwärter war einmal durch einen Zufall im Elefantenhaus eingeschlossen worden und konnte nicht durch die Haupttür hinaus. Er kletterte über mehrere schlafend liegende Elefanten hinweg, um an eine andere Tür zu gelangen, ohne daß die Tiere sich rührten oder erhoben. Allerdings war

*Das kurze, tiefe Schlafen der Elefanten*

er ihnen sehr vertraut. Im Murchison-Falls-Nationalpark in Uganda sah einer der Arbeiter 1963 einen offensichtlich toten Elefanten frühmorgens in der Nähe des Paraa-Lodge liegen. Weil er sich die Belohnung für das Abliefern des Elfenbeines verdienen wollte, lief er schnell weg, um eine Axt zu holen, und ließ einen anderen als Wache bei dem Tier. Als er mit der Axt zurückkam, ging er mit zwei anderen Männern auf den Elefanten zu. Nur aus Vorsicht warf er noch einen Stein auf das Tier. »Ein sehr überraschter und ärgerlicher Elefant stellte sich auf seine Füße, und alle Beteiligten flohen, zum Glück in verschiedene Richtungen.«

*Toter Elefant wird wieder lebendig*

Die Elefanten in Gangala na Bodio ließen sich von ihren Kameraden durch Stöße und Laute ihrer Artgenossen nicht im Schlaf stören; mein Blitzlicht aber brachte die Tiere sofort auf die Beine. Sie machen sich zum Teil richtige Kopfkissen aus den Ästen, die zum Füttern für sie aufgetürmt sind. Auch bei Zoo-Elefanten kann man das sehen. Elefanten, die im Stehen schlafen, stützen gern die Stoßzähne dabei auf, wenigstens die Wald-Elefanten, bei denen diese mehr nach unten zeigen. Auch der Rüssel berührt die Erde.

*Elefanten können schwimmen, tun es aber selten*

Elefanten können schwimmen, tun dies jedoch selten, obwohl sie so gern baden. Nahe am Mweya Lodge im Queen-Elizabeth-Park sieht man immer wieder Elefanten den Kazuga-Seearm durchschwimmen. Der rasch strömende Viktoria-Nil im Murchison-Falls-Nationalpark ist dagegen eine echte Grenze für die zwei Elefanten-Bevölkerungen beiderseits. Nur wenige einzelne Tiere sind dort jemals beobachtet worden, wie sie den Strom durchschwammen. Dagegen konnte sich der Wildwart 1965 mit dem Motorboot einem schwimmenden Elefantenbullen nähern. »Der Elefant war etwas verwirrt durch die enge Annäherung des Bootes, schwamm dann aber bald weiter. Es ist unmöglich, die Art des Schwimmens zu beschreiben: Das Tier tauchte zeitweise völlig unter, dann wurde der Rüssel wieder sichtbar, bald darauf gefolgt durch den Kopf. Das Ganze erinnerte an einen menschlichen Schwimmer beim Kraulen.

Beim zweitenmal wurde ein Elefant halbwegs zwischen Paraa und Namsika in der gleichen Richtung schwimmend angetroffen. Es war ein viel älterer Bulle, mit hängenden Ohren, und er schien durch das Schwimmen sehr angestrengt zu werden. Er hatte erhebliche Schwierigkeit, am Ufer aus dem Wasser herauszusteigen.

Elefanten können schrill trompeten, wenn sie aufgeregt sind, also beim Angriff, in jähem Schreck, oder wenn ein einzelnes Tier sich verirrt hat und sich verlassen fühlt. Richtiges Brüllen aus tiefer Kehle bei angeschossenen Tieren wird von Jägern berichtet; ich selbst habe es nie gehört. Viel gerätselt worden ist über das Rumpeln, Kollern oder Schnurren von Elefanten. Im Englischen wird es »to purr« oder »rumble«, also wörtlich eigentlich »Magenknurren«, genannt. Tatsächlich wurde bis in jüngste Zeit angenommen, daß die Elefanten es mit ihrem Magen oder ihren Därmen hervorrufen. Dagegen spricht, daß sie es willkürlich stoppen können, etwa wenn sich Menschen an sie heranpirschen, und daß man es nie von schlafenden Elefanten hört. Diese Geräusche sind also dem Willen untertan, während ja Magen und Eingeweide selbsttätig arbeitende, vom Gehirn aus nicht zu beeinflussende Muskeln haben. Einzelne Elefanten sollen es nicht hören lassen, wohl aber fast immer Tiere, die in Gruppen zusammen sind. Das spricht dafür, daß es eine Art Stimmfühlung darstellt, eine Versicherung, daß die anderen Tiere noch da sind, und ebenso ein Ausweis »Ich bin ein Elefant« zum Erkennen bei der Annäherung von anderen Elefanten. Der Elefantenfachmann I. O. Buss, der sich lange in Uganda mit dieser Frage beschäftigt hatte, konnte sie dann im Baseler Zoo lösen. Dort ließen sich afrikanische und indische Elefanten durch Zureden des sehr vertrauten Wärters zum »Schnurren« veranlassen. Sobald ein Tier begann, wurden der Wärter und I. O. Buss von den übrigen Elefanten, die daraufhin herbeikamen, eng eingeschlossen. Dadurch, daß I. O. Buss eine Hand auf die Kehle eines »schnurrenden« Elefanten und die andere über sein Rüsselende legte, konnte er deutlich die Vibrationen in der Kehle und die dazugehörenden stoßweisen Luftströme aus dem Rüssel feststellen. Wieweit dieses Schnurren bei den geschlechtlichen Beziehungen und für die Rangordnung in einer Elefantengruppe eine Rolle spielt, ist noch ungeklärt.

*Das rätselhafte »Magenkollern« der Elefanten*

*Lösung des Rätsels im Baseler Zoo*

Wiederholt hat man beobachtet, daß Elefanten versucht haben, verwundeten Kameraden zu helfen und sie zu stützen. W. D. Nicholson, Elephant Controll Officer in Tansania, schreibt: »Im Tunduru-Distrikt nahe am Ruvuma-Fluß zerschmetterte ich die Schulter eines Bullen. Daraufhin kamen zwei Kühe, die bereits angefangen hatten, in anderer Richtung wegzulaufen, wieder zurück, als sie den Hilfeschrei des Bullen hörten. Je eine ging auf jede Seite von ihm, und sie versuchten, ihn halb zu tragen, halb wegzuziehen. Ich hatte Sorge, daß sie das wirklich schaffen würden, rannte also seitlich neben sie und rief sie an, um zu versuchen, die Kühe zu vertreiben. Als sie meine Stimme hörten, drehte sich eine von ihnen um und lief auf mich zu. Ich konnte nicht vermeiden, sie zu erschießen, wonach ich dem Bullen den Rest gab. Die andere Kuh war wegen der wiederholten Schüsse weggegangen. Als sie sah, daß der verwundete Bulle zu Boden fiel, schien ihr klarzuwerden, was geschehen war, und sie ging traurig weg, wobei sie alle paar Meter anhielt, um zu lauschen und sich umzublicken.«

Daß Elefanten totgeschossene Tiere aufzuheben versuchen, ist sehr häufig gesehen worden. Bei manchen Gelegenheiten kam eine ganze Herde trompetender und kreischender Tiere zurück und versuchte das zusammengebrochene Tier hochzuheben. Von manchen Jägern ist das dann als Massenangriff aufgefaßt worden.

Der Wildhüter Patulani Ng'uni hatte den Auftrag, in Sambia vier weibliche Elefanten zu vertreiben, die ständig Pflanzungen und Gärten verwüsteten. Er schoß den führenden Elefanten. Einer von den anderen verfolgte ihn daraufhin über einen halben Kilometer, ging dann aber zu dem Toten zurück. Als Ng'uni zurückkam, fand er die anderen um die Leiche versammelt; sie versuchten den toten Körper anzuheben und faßten dabei mit den Rüsseln am Kopf, an den Stoßzähnen, an den Beinen und auch mitten am Körper. Ein Teil des Körpers blieb jedoch immer auf der Erde liegen. Dabei brach ein Stoßzahn des toten Elefanten ab und wurde fünf Meter weit weggeworfen. Die Tiere blieben etwa vier Stunden an der Stelle und brachen Bäume nieder. Am nächsten Morgen fand Ng'uni den toten Elefanten völlig zugedeckt mit Zweigen von Mopani-Bäumen. Ebenfalls in Sambia beobachtete ein Wildhüter am Katete-Strom, wie die anderen Elefanten die Vorderbeine und den Kopf des geschossenen Tieres eine Stunde und dreißig Minuten lang anzuheben versuchten. Nicholson schreibt: »Ich habe festgestellt, daß andere Bullen einem fallenden Bullen zu helfen versucht haben und Kühe einem gestürzten Bullen oder einer Kuh, aber merkwürdig genug habe ich niemals einen Bullen beobachtet, der auch nur den leisesten Versuch gemacht hat, einer zusammengebrochenen Kuh zu helfen.«

*Bullen halfen den Kühen aber nicht*

David Sheldrick, der langjährige Wildwart des Tsavo-Nationalparks im Süden von Kenia, behauptet, daß Elefanten recht häufig Zähne aus den Leichen toter Elefanten bis zu über einem halben Kilometer wegtragen und mitunter gegen Felsen und Bäume schmettern. Ursprünglich nahm man an, das sei das Werk von Hyänen; diese können jedoch Stoßzähne von 35 bis 45 kg nicht soweit verschleppen oder gar gegen Felsen werfen.

Im Zusammenleben der afrikanischen Elefanten spielen Ohrbewegungen und Geruch eine große Rolle, wie besonders W. Kühme durch jahrelange Beobachtungen an den zwei Bullen und einer Kuh im Opelschen Freigehege bei Frankfurt ermitteln konnte. Diese Tiere haben einen sehr geräumigen Auslauf und werden in der Nacht nicht angekettet, sie haben inzwischen auch Nachwuchs bekommen. Die Ohren werden je nach der Luftwärme verschieden häufig vor- und zurückgeklappt. Ein Anstieg der Temperatur um ein halbes Grad läßt auch sofort die Ohrbewegungen rascher werden. Angriffslust drückt sich durch Abspreizen der Ohren und durch noch rascheres Bewegen aus, als es der Luftwärme entsprechen würde. In der Rangordnung tieferstehende Tiere wagen in der Nähe des Ranghöheren nicht ganz die Zahl der Ohrbewegungen zu erreichen, die ihnen der Außenwärme nach »zustehen« würde. Nur bei reiner Fluchtstimmung bleiben die Ohren angelegt.

*Ohrbewegungen drücken den Rang des Elefanten aus*

Elefanten graben, indem sie sich mit den Vorderbeinen auf die Handgelenke niederlassen und die Erde zuerst mit den Stoßzähnen bearbeiten. Sie wälzen sich gern, bewerfen sich ausgiebig selbst mit Staub, der mit den Vorderfüßen und dem

Rüssel zusammengefegt wird und mit dem Rüssel gegen den Körper geschleudert wird. Aber auch Äste, Laub, Gras, Erde und Kot werden über den Körper geworfen. Manchmal schütteln Elefanten den erhobenen Kopf schnell und kurz mit abgestellten Ohren, oft so stark, daß ein Vorderbein mitpendelt. Ebenso nicken sie gern mit dem Kopf, oft bevor sie angreifen oder losstürmen wollen. Ein Elefant kann sich auch minutenlang um sich selbst drehen.

*Mit dem Rüssel in Ohr und Mund des anderen*

Elefanten, die ja wohl in erster Linie Geruchstiere sind, tasten bei sich selbst und beim Artgenossen gern mit dem Rüssel an den Kopf und dort vor allem in den Mund, sowie an die Schläfendrüsen — und die Ohröffnung. Ein Bulle hält oft sein Rüsselende in die Achsel eines Weibchens und führt es zwischendurch für einige Sekunden in seinen Mund.

Ist der Elefant völlig ruhig und gleichmütig, so legt er die Ohren an und läßt den Rüssel nach unten hängen. Bei Erregung und angriffslustiger Stimmung klappt er die Ohren vor, hebt den Kopf leicht nach oben an, ebenso hebt sich erst das Rüsselende ein wenig empor, später, in immer größerer Erregung, der ganze Rüssel. Er wird schließlich über den noch stärker angehobenen Kopf und die Stirn emporgereckt. Beim eigentlichen ernsten Angriff ändert sich diese Haltung wieder. Ein Elefant, der sich unterlegen vorkommt, schlägt demgegenüber den Rüssel nach hinten ein, steckt ihn auch in den Mund, faßt damit an seine eigene Schläfendrüse oder an den Ohrrand.

*Angreifende und verlegene Elefanten*

Wenn Bullen, insbesondere jüngere, Kampfspiele machen, stellen sie sich gern in einem Abstand von 5 bis 10 m gegenüber. Dann heben sie den Kopf an, schwingen dazu den Rüssel über die Stirn, stellen die Ohren ab und gehen geschwind aufeinander zu, bis sie mit den Rüsselansätzen aufeinandertreffen. — Die Rüssel selbst werden kurz vor dem Zusammenprall um den Kopf des Partners oder beide Rüssel ineinander geschlungen. Dann drücken die gestemmten Beine den Körper nach vorn. Kann einer den anderen nicht zurückdrängen, hören sie mit dem Stemmen auf, gehen wieder rückwärts und fangen das Stoßen nach einigen Minuten von neuem an. Menschen griffen diese halbzahmen Elefanten an, indem sie sich ihnen zuwandten, einen Augenblick mit erhobenem Kopf stehenblieben, die Ohren abspreizten und dann mit hängendem Rüssel schnell auf sie zugingen. Je näher der Elefant kommt, um so stärker schwingt der Rüssel oder wird immer mehr nach dem Körper zu gebogen. Unmittelbar vor dem Feind berührt die Rüssel- spitze die linke oder rechte Kopfseite, und kurz vor dem Schlag den Ausführgang einer der beiden Schläfendrüsen. Der Rüssel- schlag gegen Menschen wird von unten nach oben oder seitlich ausgeführt.

Ernstgemeinte Kämpfe, die sehr selten sind, werden ähnlich *Wenn Elefanten* eingeleitet, dann aber mit ungeheurer Wucht und Wut durch- *sich im Ernst* gefochten. Im Queen-Elizabeth-Park fochten zwei Bullen, von *bekämpfen* denen einer viel größer als der andere war, rund um einen Ter- mitenbau, auf dem ein kleiner Baum wuchs. Sie boxten und stießen sich über und um den Hügel herum. Schließlich riß der jüngere Elefant den kleinen Baum heraus, schwang ihn drohend mit seinem Rüssel, benutzte ihn aber nicht wirklich als Waffe. Es gab eine Reihe von Stößen Kopf gegen Kopf mit Zusam- menhauen der Stoßzähne und Umeinanderwinden der Rüssel. Obwohl der größere Bulle als erster ernste Schrammen auf dem Vorderkopf erhielt, verlor der jüngere den Mut, drehte sich rasch um und rannte weg, wobei ihm der andere folgte. Das gab eine richtige Fluchtverfolgung, bis der große Bulle die Jagd aufgab und statt dessen den Geländewagen des zusehenden Wildwarts anzugreifen begann.

Im Tsavo-Nationalpark kamen fünf Elefanten-Bullen ge- meinsam ans Wasser zum Trinken. Drei davon gingen nachher weg, während zwei mit schweren Stoßzähnen in Kampfstim- mung zu sein schienen. Einer griff den anderen plötzlich an und trieb ihn etwa 80 m in den Busch. Dann aber drehte sich das zurückgedrängte Tier um und stellte sich dem Angreifer. Beide Elefanten trafen sich Kopf an Kopf, und der Angreifer, der gradere Zähne hatte, erwies sich als tödlich. Sein rechter Stoßzahn stieß in das Gaumendach im Mund seines Gegners, der linke Zahn durchbohrte die Kehle mit solch ungeheurer Ge- walt, daß der Angegriffene vom Boden hochgehoben wurde. Dann zog der Angreifer seine Zähne zurück, und sein unglücklicher Gegner brach in die Knie. Sein Gegner machte einen neuen Angriff, stieß den anderen in die Schulter und offensichtlich durch das Herz, denn er fiel tot um.

Der siegreiche Bulle ging an das Wasser, trank wieder, war aber offensichtlich nicht unbeschädigt, denn er blutete ausgiebig aus mehreren Wunden in der Brust. Er ging am Ufer des Teiches entlang und kam nach einem erneuten Trank zum Kampffeld zurück. Als er den toten Elefanten auf der Erde liegen sah, geriet er wieder in Wut, griff nochmals an und stieß seine Stoßzähne durch den Kopf des toten Tieres geradewegs in das Gehirn. Dann wälzte er den Riesenkörper über, bis er nach der anderen Richtung lag. Schließlich stellte er sich unter einen Baum, etwa hundert Meter entfernt.

Einer der Wildhüter, welcher der Schlacht zugesehen hatte, ging hinunter, um sich das tote Tier aus der Nähe zu besehen. Aber er mußte um sein Leben rennen, als der wütende Bulle ihn sah und angriff. Kurz nach diesem großen Elefanten-Zweikampf näherte sich eine andere Elefantenherde dem Wasser, wurde jedoch sofort von dem wütenden Bullen weggejagt. Sie mußte einen sehr großen Umweg machen, bis sie endlich trinken konnte. Der stolze Sieger hielt dann gegen sechs Stunden an der Leiche Wache, bis er sich in den Busch zurückzog. Die Stoßzähne des toten Elefanten wogen 52 kg und 49 kg, es war also zweifellos ein sehr schwerer, ausgereifter Bulle. Sein Angreifer war etwa ebenso groß und hatte ähnlich schwere Stoßzähne.

Colonel R. Hoier fand eines Tages in der Kiwu-Provinz des Kongo im Kopf eines geschossenen Elefanten die Spitze des Stoßzahnes seines Gegners, die am Schädelbein abgebrochen war. Mehrfach sind Stoßzähne bei solchen Kämpfen zerbrochen. Im Sudan steckte im Körper eines Elefanten, der im Zweikampf getötet worden war, ein großes Stück vom Stoßzahn seines Gegners. Es war in vier Teile zerbrochen, die zusammen 25 kg wogen. Man kann sich danach die Wucht derartiger Zusammenstöße vorstellen.

Kommt ein Elefant zu Tode, so strömen die Aasfresser von allen Seiten zusammen; besonders die Geier sammeln sich in ungeheuren Scharen. So verschwinden die Fleischteile rasch, aber auch die Knochen werden auseinandergeschleppt. Der gewaltige Schädel verwittert rasch, da er ja zum großen Teil aus Lufträumen mit dünnen Knochenwänden besteht. Es trifft nicht zu, daß man niemals tote Elefanten fände, wie mitunter behauptet wird. Ich selbst habe schon vielfach welche gesehen, und zwar auch solche, die nicht erschossen, sondern aus anderer Ursache gestorben waren. Im Murchison-Falls-Nationalpark wurden in den letzten Jahren 325 Elefanten gefunden, die auf natürliche Weise gestorben waren und von den Wissenschaftlern untersucht werden konnten. Trotzdem ist das Märchen von den Elefantenfriedhöfen in Afrika anscheinend nicht auszurotten. Danach sollen sich die gewaltigen Tiere, wenn sie ihr Ende nahen fühlen, in Sümpfe oder entlegene Gegenden zurückziehen, wo man dann große Ansammlungen von Elefantengebeinen findet. Anlaß zu solchen Legenden mögen Massenschießereien in früheren Zeiten gewesen sein, auch das Umzingeln ganzer Elefantenherden in hohem Gras und Busch während der Trockenzeit und Einkreisen durch angelegte Brände, in denen die Tiere elend zugrunde gingen. Ferner Vergiftungen, um das Elfenbein zu gewinnen, vielleicht auch Ansammlungen von erstickenden Gasen in Talsenken, wie sie Dr. Verschuren zuerst beschrieben hat. Darin kommem nacheinander viele Großtiere um. Während die Leichen von Elefanten für gewöhnlich verstreut hier und da in der Landschaft anzutreffen sind, mag es auf diese Weise zu Anhäufungen an bestimmten Plätzen und damit zu dem Märchen von den »Elefantenfriedhöfen« gekommen sein. Die Turkanas z. B. legten in der trockenen Steppe um bestimmte Tümpel Fallen an und töteten hier im Laufe der Jahre immer wieder Elefanten.

*Das Märchen von den Elefanten-Friedhöfen*

*Massensterben von Elefanten*

Elefanten sind nun einmal Riesen im wahrsten Sinne des Wortes. Sie sind die schwersten und nach der Giraffe auch die höchsten Landtiere. Man hat Steppenelefanten-Bullen erlegt, die in Stücke aufgeteilt und einzeln gewogen insgesamt 6,5 t schwer waren. Dr. Laws untersuchte 360 Elefanten aus dem Murchison- und dem Queen-Elizabeth-Nationalpark in Uganda. Die durchschnittliche Schulterhöhe der Bullen im Murchison-

Falls waren 3,15 m, im Queen-Elizabeth 2,98 m, bei den Kühen 2,72 m. Das Durchschnittsgewicht der Kühe war 2766 kg, das Höchstgewicht der Bullen 6000 kg.

Gewöhnliche Zirkus- oder Zooelefanten, die ja meistens Kühe sind, wiegen 3 bis 4 t; ein Elefant von 5 t ist schon ungewöhnlich gewichtig. Allein die Haut wiegt 1 t, getrocknet immer noch 13 Ztr., sie hat 35 qm Oberfläche. Die Lunge wurde mit 137 kg, die Leber mit 105 kg, die Nieren mit 18 kg gewogen, die Ohren mit 80 kg, der Rüssel 120 kg, das Skelett 1600 kg, Herz 20 kg, Muskeln 2700 kg und Fett 100 kg. Bei einem Elefanten entfallen viel weniger Quadratzentimeter Haut auf jedes Kilogramm Körpergewicht als bei kleineren Tieren. Deswegen verliert er verhältnismäßig wenig Wärme durch die Oberfläche, kann die Haare entbehren und verträgt auch nördliches Klima gar nicht so schlecht. Die Ohren, die beim afrikanischen Elefanten ein Sechstel der Körperoberfläche ausmachen, dienen vor allem der Abkühlung. Ein größerer Elefant erzeugt soviel Wärme wie dreißig Menschen. Sein Herz schlägt etwa dreißigmal in der Minute.

*Warum der Elefant keine Haare braucht*

Die Stoßzähne sind nicht etwa die Eckzähne, sondern umgebaute Schneidezähne. Es gibt afrikanische Elefanten, die gar keine Stoßzähne, nur einen oder auch als Mißbildungen fünf bis sieben davon haben. Im Sambesital in Südrhodesien findet man etwa 65 km östlich von Chirundu viele stoßzahnlose Elefanten. Rund jeder zehnte trägt keine. Die Stoßzähne der Elefanten sind nicht mit Schmelz überzogen und wachsen das ganze Leben nach, im Jahr aber nicht mehr als 5 cm. Der Elefant hat in jeder Kieferseite nur einen, allerdings brotlaibgroßen Backenzahn, der aber sechsmal im Leben immer wieder erneuert wird, wenn der vorhergehende abgebraucht ist.

*Ein Elefant mit sieben Stoßzähnen*

Die Stoßzähne brechen im Alter von ein bis drei Jahren durch und wiegen nach den Untersuchungen von Dr. Laws in den Uganda-Nationalparks bei den Weibchen im Alter von etwa sechzig Jahren zusammen durchschnittlich 17,7 kg, bei den Bullen 109 kg. Die Reste des ausfallenden Backenzahnes werden nach vorn geschoben und ausgespuckt, manchmal aber auch verschluckt, und sind dann im Kot zu finden.

Sicher das merkwürdigste Gebilde ist der Rüssel. Der Elefant kann mit seiner Nase Bäume abbrechen, Löcher graben, andere Tiere totschlagen, aber auch kleinste Münzen vom Boden aufheben. Ein Rüssel faßt 15—20 l Wasser, das die Tiere sich dann in den Mund spritzen. Das Tier bespritzt damit auch seinen Körper. Es kann seinen Rüssel nach jeder Richtung verbiegen, kann ihn länger und kürzer dehnen, denn er besteht aus 40 000 Bündeln von Längs- und Ringmuskeln. Er ist so stark und zäh, daß es schwer ist, ihn mit einem Messer zu durchschneiden, obwohl keine Knochen darin sind. Trotzdem können Elefanten ohne Rüssel weiterleben.

*Wunderwerkzeug Rüssel*

So wurde ein einjähriges rüsselloses Elefanten-Kalb etwa vier Monate lang im Süd-Luangwa-Wildreservat beobachtet. Es blieb in gutem Futterzustand, obwohl es niederknien mußte, um die Diospyros-Früchte aufzunehmen. Im Addo-Park saugte ein Elefant, dem die Rüsselspitze fehlte, Orangen fest an das Rüsselende und blies sie sich dann in den Mund. Ein Elefant, der im Nzega-Gebiet von Tansania geschossen wurde, hatte einen verkümmerten zweiten Rüssel, der vom Hauptrüssel abging. Er war 46 cm lang und hatte nur einen Finger an seiner Spitze.

*Elefant mit zwei Rüsseln*

Dank seines beweglichen Rüssels kann ein Elefant hoch in der Luft wie eine Giraffe riechen, aber auch dicht am Boden wie ein Wildhund. Offensichtlich richten sich Elefanten in der Hauptsache nach dem Geruch. So wollte in Sambia eine Dame einen Elefanten in einem trockenen Flußbett fotografieren, während sie selbst am Fuße eines Baumes am Ufer stand. Nachdem sie ihr erstes Bild gemacht hatte, fing der Elefant zu ihrer Verwirrung an, geradewegs auf sie zuzugehen. Daraufhin legte sie sofort den Apfel auf die Erde, den sie in der Hand hielt, hing sich die Kamera um den Hals und machte sich zu einem hastigen Rückzug bereit. Der Elefant kam langsam immer näher und hielt auf der anderen Seite des Baumes. Langsam griff er mit dem Rüssel um den Baumstamm herum, nahm den Apfel von der Erde auf, steckte ihn in seinen Mund, drehte sich um und ging in umgekehrter Richtung wieder davon. Die ganze Zeit hatte ihn der Geruch des Apfels bis einen Meter an die

*Geruch ist die Hauptsache*

Frau herangeleitet. Im Krüger-Nationalpark kam ein schwerverwundetes Elefantenkalb in die Nähe eines Wildwarts, der an einem Wasserloch wartete. Es verschwand anschließend im Gebüsch. Zwei Stunden später erschien eine Gruppe von acht ausgewachsenen Elefanten, die sofort zu trinken begannen. Eine große Elefantenkuh begann dann in der Luft mit erhobenem Rüssel zu schnüffeln und suchte auch mit dem Rüssel an der Erde. Sie erreichte dabei die Stelle, an der das Kalb unter dem Baum gelegen hatte. Nachdem sie überall herumgeschnüffelt hatte, folgte sie der Spur des Elefantenkindes. Dabei bewegte sie sich sehr langsam, und ihr Rüssel berührte beinahe die Erde. Sie verfolgte genau die Geruchsspur. Eine Stunde später kam sie mit dem Kalb zu der Gruppe zurück.

Plinius hat vor 2000 Jahren geschrieben: »Der Elefant hat von Natur aus, was man bei den Menschen selten findet, nämlich Redlichkeit, Klugheit, Gerechtigkeitssinn und Gehorsam im Glauben. Sobald der Neumond wiederkehrt, gehen die Elefanten zu den Flüssen, reinigen sich dort feierlich und baden, und nachdem sie den Planeten auf diese Weise begrüßt haben, kehren sie in die Wälder zurück. Wenn sie krank sind und darniederliegen, werfen sie Gras gen Himmel, als wollten sie opfern.«

Ähnlich vermenschlichende und merkwürdig mystische Ansichten über die Wesensart des Elefanten findet man auch heute noch in Romanen und Abenteurer-Büchern.

Das Gehirn des Elefanten ist 4—5 kg schwer, also dreimal so gewichtig wie das des Menschen. Trotzdem ist uns über die Denkleistungen der Afrikaner nicht viel bekannt. Soweit ich selbst und andere Untersucher Experimente in dieser Richtung mit Elefanten angestellt haben, handelt es sich um asiatische. Ich habe darüber in meinem Buch »Die Elefantenschule« erzählt. Arbeitselefanten beherrschen über dreißig verschiedene Kommandos und gehen recht sinnvoll und verständig mit Baumstämmen, Stricken usw. um.

*Vom Elefanten auf den Fuß getreten*

Nur mit Mühe konnte ich einmal einen Zoo-Elefanten bewegen, mir auf den Fuß zu treten. Der wird davon nicht beschädigt oder gequetscht, sondern es fühlt sich an, als ob ein Zweizentner-Sack Getreide darauf gestellt wird. Natürlich darf man den eigenen Fuß nicht unter die Vorderkante des Elefantenfußes setzen, wo die Hufe sind. Auf der Rückseite der Elefantensohle ist nämlich eine gallertartige Masse, die auch den leisen, weichen Gang dieser Riesen bedingt. Selbst wenn eine Elefanten-Herde davonstürmt, hört man kein Hufeklappern oder Donnern wie etwa bei Antilopen und Zebras.

Der Fuß wird breiter und dicker, wenn er belastet wird, aber erheblich dünner, wenn das Tier ihn anhebt. Die Sohlenfläche kann sich um etwa ein Viertel verringern. Deswegen vermag der Elefant seine Beine auch leichter aus tiefem Schlamm wieder herauszuziehen. 1958 fand man im Krüger-Nationalpark einen schwerverletzten Elefanten, der ohne Fußsohlen auf dem blanken Fleisch stand. Die versengten Sohlen lagen unweit davon. Das Tier war jenseits der portugiesischen Grenze in ein Buschfeuer geraten. *Das Tier hatte keine Fußsohlen mehr*

Das Alter von Elefanten ist früher oft übertrieben worden. Auf Grund von Untersuchungen an 325 natürlich gestorbenen Elefanten in den beiden Nationalparks von Uganda hat man eine durchschnittliche Lebenserwartung für Elefanten von weniger als fünfzehn Jahren errechnet. Vermutlich erreichen sie nicht die Lebensdauer des Menschen. In zoologischen Gärten, wo Einzeltiere sicher älter werden können als in der Wildnis, ist nach einer Umfrage von Dr. Alfred Seitz das Leben eines afrikanischen Elefanten von über vierzig Jahren bisher noch nie nachgewiesen worden. (Die Mehrzahl der asiatischen Elefanten stirbt vor dem fünfzigsten Lebensjahr, sechzig ist noch keiner geworden.)

Elefanten brauchen ziemlich große Mengen Futter, da sie die Nahrung offensichtlich schlecht ausnutzen. Wir geben im Frankfurter Zoo einem Elefanten täglich 6 kg Quetschhafer, 3 kg Kleie und etwa 75 kg Grünfutter. Arbeitspferde, die etwa ein Fünftel davon wiegen, verzehren bis zu 40 kg Grünfutter, dazu 2—3 kg Kartoffelflocken mit Häcksel gemischt und Futterstroh. *Was ein Elefant verzehrt*

In der Elefanten-Station Gangala na Bodio gibt man einem Elefanten 350—400 kg Laub und Pflanzen, von dem er aber sehr viel umherstreut und zertritt. Als man die Reste zurückwog, kam heraus, daß ein Tier etwa 150 kg wirklich verzehrt und im Laufe von 24 Std. etwa 150 l Wasser verbraucht, wovon allerdings manches nur mit dem Rüssel auf den Körper gespritzt wird.

Ein Elefant setzt tagsüber etwa jede Stunde, im ganzen in 24 Stunden vierzehn- bis achtzehnmal, seine großen Kotballen ab, die zu 80 v. H. aus Wasser bestehen. In der Nacht muß er zum Koten und Harnen aufstehen. Trotz der recht ansehnlichen Futtermengen ist die Arbeitsleistung nicht besonders groß. Ein Paar Elefanten zieht einen Wagen, der selber zwei Tonnen wiegt und vier Tonnen Last geladen hat, insgesamt also

Was ein Arbeitselefant leistet

120 Zentner — nicht mehr, als die beiden Elefanten selber wiegen. Allerdings sind die Straßen um die Elefanten-Station Gangala na Bodio, von der diese Angaben stammen, nicht gerade glatt. Mit so einem Wagen legen sie am Tag nur zwanzig Kilometer zurück, bei einer Geschwindigkeit von vier Kilometern die Stunde. Sie sollen in der Woche nur fünf Tage arbeiten und bei der Arbeit alle Stunden für etwa zehn Minuten verschnaufen und dabei wieder Futter bekommen. Ein Elefant trägt 300—400 kg Last auf seinem Rücken und pflügt in vier Stunden zwei Drittel Hektar etwa 12 cm tief. Wahrscheinlich sind diese Arbeitsangaben aber absichtlich niedrig, damit die Farmer, welche die Tiere ausliehen, sie nicht überbeanspruchen sollten. Der Kommandant erzählte mir, daß seine Elefanten auch bis neun Tonnen auf dem Wagen zogen.

Der ostafrikanische Steppenelefant hält sich offensichtlich am liebsten auf Gras-Steppen auf, die aber Baumgruppen haben oder Baumgürtel an Flüssen, unter die sich die Tiere während der heißen Tagesstunden zurückziehen können. In solchen Gegenden, dicht außerhalb der Grenzen des Murchison-Nationalparks in Uganda, untersuchte Irven Buss den Mageninhalt von 47 geschossenen Elefanten im Januar bis März 1959. Dabei kam heraus, daß 91 v. H. ihrer Nahrung Gras war, 8 v. H. Bäume und Büsche und 1 v. H. krautige Pflanzen. Nur etwa 10 v. H. des gegessenen Grases waren grün und unreif, 90 v. H. dagegen braun. Die Tiere ziehen beim Weiden unaufhörlich umher. Besonders wenn die Elefanten frisches Gras weiden, das nach dem Brennen emporgeschossen ist, vertiefen sie sich förmlich in diesen Genuß. Man kann sich ihnen dann bis auf 15 m nähern, ohne daß sie einen bemerken. Beim Grasen schließen sie nämlich ihre Augen entweder ganz, oder sie sehen unmittelbar auf die Erde zu ihren Füßen. So kann man bei näherem Betrachten von ihren Augen nur die Oberlider und die schönen langen Wimpern entdecken. Das Gras wird mit dem Rüssel samt Wurzeln aus der Erde gepflückt, und die Erde wird gegen ein Bein oder einen Stoßzahn herausgeschlagen. Nach Nicholson tropft ihnen dabei des öfteren Speichel aus dem Mund. Wenn die Grasflächen in der Trockenzeit abgebrannt sind, gehen die Elefanten dann dazu über, mehr Äste zu essen.

*Mahlzeit mit Genuß*

So riesig sie sind, so sehr können sie aber auch Feinschmecker sein. Das gefingerte Rüsselende, mit dessen Hilfe die Tiere so fein riechen können, ermöglicht es ihnen, ganz nach der Wahl einzelne Kräuter, ja Blätter herauszusuchen. Ein Bulle, der vorsichtig über den Zaun in den Gemüsegarten des Wildwartes am Paraa-Lodge im Murchison-Falls-Nationalpark einstieg, aß in der ersten Nacht den ganzen grünen Mais, die Melonen, Gurken, Runkelrüben und einige der Eierpflanzen. Beim zweiten Besuch führte er sich den Rest der Eierpflanzen und den Pfeffer zu Gemüte. Tomaten, Salat, Mohrrüben und Passionsfrüchte hat er nicht angerührt.

*Der Elefant im Gemüsegarten*

In Tansania gehen die Elefanten im Oktober und November gern in Bambuswaldungen, halten sich dort tagelang auf und leben fast nur von Bambus-Schößlingen. Im Februar gibt es hier in dem Litou-Kiperere-Gebiet im Süden Elefanten-Ansammlungen, wenn die Mugongo-Früchte reif werden. Während der Trockenzeit wandern sie gern in Gegenden, wo es besonders viel Magugu-Gras gibt, das breitblättrig und bis zu 6 m hoch ist. Im Krüger-Nationalpark, Südafrika, machen sich die Elefanten über die Früchte des Marula-Baumes her, sobald diese reif sind. Sie werden in den Elefanten-Mägen fermentiert, und die Tiere werden auf diese Weise betrunken. Einige der Elefanten werden dabei gelegentlich angriffslustig, andere sind nur »angenehm beduselt«. Obwohl die »betrunkenen« Elefanten jedes Jahr allerlei anstellen, sind sie keine Gefahr für die Be-

*Elefanten betrunken von den Früchten des Marula-Baumes*

sucher, da die Marula-Bäume aus der Nachbarschaft aller Tou-
ristenplätze sorgfältig entfernt sind. An sich ist dieser Baum
einer der meist verbreiteten im Nationalpark. Die Eingeborenen machen Marula-Bier aus den Früchten, das sehr wirksam
ist. Deswegen schlagen sie die Bäume nicht als Brennholz. Die
Früchte werden erst am Nordende des Parks reif, und die Elefanten gehen dann langsam nach Süden, wobei sie sich ständig
an der wohlschmeckenden Speise vergnügen. Einmal wurde ein
*Elefant mit* afrikanischer Wildhüter durch einen angetrunkenen Bullen vom
*Eingeborenen-* Fahrrad gestoßen. Ein anderer Elefant drang mit dem Kopf in
*hütte um die* eine Eingeborenen-Hütte ein und rannte dann in den Busch da-
*Schultern* von, mit der Hütte um seine Schultern. Es wurde aber niemand
verletzt. Wieder ein anderer Bulle schleppte einen gleichfalls angetrunkenen Afrikaner von seinem Fahrrad weg etwa zehn Meter in den Busch. Dann ging er zurück auf die Straße und trampelte das Fahrrad in die Erde, so berichtete der Direktor des
Nationalparks, Dr. N. van der Merwe.

Die Elefantenherden waren gewohnt, in Afrika je nach der
Jahreszeit umherzuziehen und den besten Futterquellen nachzugehen. Das ist ihnen heute in großen Teilen völlig unmöglich
gemacht worden, und deswegen nehmen sie zum Teil schädliche
Futtergewohnheiten an.

Elefanten sind wohl die einzigen Tiere Afrikas, die Löcher
*Sie graben* nach Wasser graben. Sie lockern dazu die Erde mit den Stoß-
*Brunnen* zähnen auf, heben dann aber die oft steilen und metertiefen
Löcher mit dem Rüssel aus. Auf diese Weise erschließen sie meist
im Sandbett ausgetrockneter Flüsse Wasser für viele andere
Tiere: Nashörner, Antilopen, Zebras, Vogelscharen, Schlangen,
und ermöglichen es diesen erst, die Trockenzeit zu überstehen.
Ähnlich tun das ja auch einzelne Känguruharten im Nord-
westen Australiens. A. Gordon will im Wankie-Park beobachtet haben, daß Elefanten ihr Wasserloch oben mit einem Pfrop-
fen aus Blättern, Gras oder Elefantendung wieder verschließen
und mit Sand zuschütten. Verlassen Elefanten während der
Trockenzeit aus irgendwelchen Gründen eine Gegend ganz, so
kann das für die anderen Tiere vernichtende Folgen haben.

Im Januar und im August 1957, also während der kurzen und

der langen Trockenzeit, zählte der Biologe H. K. Buechner im südlichen Teil des Murchison-Nationalparkes, Uganda, je über viertausend Elefanten. Als die Regenzeit in der Mitte September begonnen hatte, stieg ihre Zahl jedoch auf das Doppelte. Die Tiere kamen von mehr bewaldeten Gegenden außerhalb des Parkes auf die Gras-Steppen. Inzwischen ist auch in diesem Nationalpark die Zahl der Elefanten außerordentlich stark angewachsen, weil sie wegen der ständig zunehmenden Besiedlung in den Gebieten außerhalb sich immer mehr in den Park drängen und auch das ganze Jahr über darinnen verbleiben.

Weil in weiten Gebieten des Parks bereits aller Baumwuchs von den Elefanten zerstört war, wurden 1964 versuchsweise zweihundert Elefanten in dem Teil des Parks geschossen, welcher südlich des Viktoria-Nils liegt, und weitere zweihundert auf der Nordseite. Wissenschafter konnten durch sorgfältige Untersuchungen der getöteten Tiere deutliche Unterschiede bei den Elefanten auf dem südlichen und nördlichen Ufer feststellen. Die Geschlechtsreife tritt bei den nördlichen Weibchen mit durchschnittlich vierzehn (zehn bis fünfzehn) Jahren ein, bei den Elefanten-Kühen auf dem Südufer mit achtzehn (dreizehn bis zweiundzwanzig) Jahren. *Auf die Dauer passen sich Elefanten mit der Vermehrung den Futterquellen an*

Für die Bullen sind die entsprechenden Alter dreizehn (acht bis fünfzehn) Jahre auf dem Nordufer und sechzehn (dreizehn bis zwanzig) Jahre in den Herden auf der südlichen Seite des Stromes. Der durchschnittliche Abstand zwischen zwei Geburten bei einem Weibchen sind vier bis fünf Jahre bei beiden Elefanten-Bevölkerungen. Aber die durchschnittliche Dauer der Milchabsonderung ist am Südufer viel kürzer, ziemlich sicher, weil die Sterblichkeit der Kälber unter diesen Tieren sehr hoch ist. Die Zeit, in der sich kein neues Ei im Eierstock bildet, ist daher auf der Südseite auf elf Monate verlängert, verglichen mit vier Monaten jenseits des Nordufers. Die Elefanten-Bevölkerung auf der Nordseite ist jünger und nimmt zu, sie hat ein Durchschnittsalter von neunzehn Jahren. Die südlichen Elefanten sind durchschnittlich zwanzigeinhalb Jahre alt und nehmen an Zahl ab. Tiere von weniger als zehn Jahren machen 40 v. H. der nördlichen Elefanten aus, aber nur 22 v. H. der südlichen. Die

Elefanten-Kühe am Nordufer nehmen von November bis April auf, während sich die Empfängnis bei den südlichen Tieren auf April bis September verschoben hat. Sicher ist die Ernährung eine Ursache dafür. 1963/64 wurden zwei- bis dreimal soviel Elefanten-Kälber gezeugt wie 1964/65. Der Unterschied bei den zwei Elefanten-Bevölkerungen ist darauf zurückzuführen, daß der Pflanzen- und Baumwuchs südlich des Nils viel stärker vernichtet ist. Das Land war früher dicht mit Bäumen bestanden oder sogar Wald und wurde von den Elefanten völlig in Gras-Steppe umgewandelt. Am Nordufer gibt es noch einige Bezirke mit Baum- und Buschbestand. Nördlich des Nils leben 0,9 Elefanten je Quadratkilometer, im Süden 1,7.

In alten Zeiten, als den Elefanten noch ganz Afrika gehörte, hätte sich so etwas von allein geregelt. Die grauen Herden wären aus den kahlgeweideten Südlanden anderswohin gezogen. Oder sie wären in dem verwüsteten Bezirk vor Unterernährung von allein immer weniger geworden. Heute aber will man ja nicht die Nationalparks, die letzten Stücke echter Wildnis, zu Halbwüsten und Vollwüsten werden lassen. Das stellt die Verantwortlichen vor unangenehme Entscheidungen.

*Jedes Jahr 45 000 Elefanten geschossen*

45 000 Elefanten sind früher jedes Jahr geschossen worden, gerechnet nach den etwa 600 000 kg Elfenbein, die jährlich auf der Welt verarbeitet wurden. Die größte Menge davon stammte aus Afrika. Niemand aber hat sich in all diesen langen Jahren die Mühe gemacht, etwas über ihre Lebensweise herauszufinden, die Hekatomben hingemähter Riesen näher zu untersuchen. Dabei darf man wohl vermuten, daß am Ende dieses Jahrhunderts keine völlig freilebenden Elefanten außerhalb der wenigen Nationalparks in Afrika mehr vorhanden sein werden. Deswegen ist es erfreulich, daß die Tiere, welche in einigen der Nationalparks wegen Überfüllung und Zerstörung der Landschaft trotz allem inneren Widerstreben der Wildwarte getötet werden müssen, nunmehr meistens in jeder Richtung für die Forschung ausgenutzt werden.

*»Musth« hat nichts mit Brunft zu tun*

So konnte I. Buss klären, daß der »Musth«, der Ausfluß aus der Schläfendrüse an der Kopfseite, zumindestens beim afrikanischen Elefanten nichts mit der Brunft oder der Geschlechtsreife zu tun hat. Jahrhundertelang hatte man das Gegenteil angenommen. Von Juli bis Oktober getötete Elefanten hatten keine Anzeichen davon, aber fast alle Elefanten, die nach dem 20. Oktober bis zum Ende März geschossen wurden, zeigten den »Musth«. Nur bei einigen sehr jungen Kälbern konnte man diesen Ausfluß in der Mitte zwischen dem Auge und dem Ohr nicht sehen. Aber die meisten Bullen und Weibchen, die noch nicht geschlechtsreif waren, zeigten in diesem Zeitraum alle Anzeichen des »Musth«, auch alte Kühe, die soeben geboren hatten und Milch gaben, und Kälber. Vielleicht hat die Tätigkeit dieser Drüse mit der Trockenzeit und den hohen Temperaturen zu tun, jedoch offensichtlich nichts mit der Fortpflanzung.

Buss stellte bei dieser Gelegenheit auch fest, daß die Elefanten mit besonders großen und schweren Stoßzähnen recht alt waren, sowohl Bullen wie Kühe. Sie kauten bereits auf dem fünften und sechsten Backenzahn.

Als Aufforderung zum Paaren drängt das Weibchen sich mit *Elefantenliebe* ihrem Hinterteil gegen den Kopf des Bullen und sieht sich dabei halb nach hinten um. Der Bulle legt seinen Rüssel der Länge nach auf ihren Rücken. Während sie sich dagegenstemmt, schiebt er sie mit dem Rüsselansatz und den Stoßzähnen langsam vorwärts, so beschreibt dies W. Kühme. Er hat das Paarungs-Verhalten eingehend bei afrikanischen Zoo-Elefanten beobachtet. Plötzlich geht die Kuh in schnellem Schritt, rüssel- und schwanzschlenkernd und kopfnickend, los. Der Bulle folgt seitlich dahinter; sie läuft in einer Bahn, die ihm zugekrümmt ist, während er ihr den Weg abzuschneiden scheint. Dann stellen sie sich mit den Köpfen gegeneinander, oft mit S-förmig erhobenen Rüsseln. Wenn sie die Rüsselansätze wie beim Kampfspiel gegeneinander drücken, ist das Männchen überlegen. Die Rüssel verschlingen und lösen sich. Mit den Enden tasten sie zärtlich die Köpfe ab. Das Treiben wird wiederholt, die Kuh bietet allmählich dem Bullen häufiger ihr Hinterteil, geht auch in die Knie und hebt den Schwanz, er tastet mit dem Rüssel nach ihrer Scheide. Wenn sie nach wiederholtem Umherjagen stehenbleibt, springt er schließlich auf. Das Geschlechtsglied ist nur wenige Sekunden eingeführt.

W. Poles beobachtete die Paarung wildlebender Elefanten im Luangwatal-Wildreservat von Sambia. Der Bulle nahm den Schwanz der Kuh in seinen Mund, drängte die Seite seines Kopfes gegen ihr Hinterteil, ging dann an ihr entlang, legte seinen Rüssel über ihren Nacken und ergriff das gegenüberliegende Ohr. Die Kuh blieb stehen, bis der Bulle es wieder losließ. Auch hier dauerte die Paarung selbst etwa zehn Sekunden. Nachher

*In den Serengeti-Ebenen haben die Gnus sich seit der ersten genauen Zählung aus der Luft von Michael und Bernhard Grzimek 1957/58 ständig vermehrt. Sie haben heute die vierfache Kopfzahl, es sind etwa 1,3 Millionen Großtiere. Hier ziehen die Herden der Gnus während der Wanderung über die Steppe. Ihre Riesenzahlen bedecken sie im weiten Umkreis bis an den Horizont.*

*Immer wieder ist es versucht worden, in Südafrika und Rhodesien Elenantilopen zu zähmen und zu Haustieren zu machen. Auf einigen Farmen werden auch heute Elenherden zahm gehalten. In der Südukraine hat jedoch der Gutsbesitzer Friedrich von Falz-Fein 1896 Elenantilopen erworben, deren Nachkommen noch heute dort leben und wie Kühe von berittenen Hirten auf der Steppe geweidet werden. Einige Tiere werden sogar regelmäßig gemolken. — Dies ist ein Elenbulle mit dem Viktoria-See im Hintergrund.*

*Seite 318:*
*Afrikanische Wildhunde oder Hyänenhunde sind hundertfünfzig Jahre lang hartnäckig totgeschossen und verfolgt worden, weil man ihr Wesen und ihre Rolle in der Natur völlig verkannt hat. Erst in den letzten Jahren hat sich durch monatelange Beobachtungen in den ostafrikanischen Steppen und durch die Zucht in zoologischen Gärten ihr Bild ganz erstaunlich geändert.*

*Seite 319 oben:*
*Drei männliche große Kudus kommen hier im Krüger-Nationalpark Südafrikas gemeinsam zur Tränke. Im Hintergrund eine weibliche Impala-Antilope. Große Kudus sind in einzelnen Teilen Südafrikas durchaus häufig. So sprang um drei Uhr nachmittags ein vollausgewachsener Kudu-Bulle auf die Straße und landete genau auf einem Auto auf der Straße zwischen Johannesburg und Pietersburg. In dem Auto saßen ein Europäer und ein Afrikaner. Da der Wagen eine Geschwindigkeit von über 100 km/st hatte, wurde das Dach weggerissen, und das Tier lag tot hinten auf dem Rücksitz. Der Europäer mußte mit schweren Verletzungen in das Krankenhaus gebracht werden, dem Afrikaner passierte nicht viel, weil er mit einem Sicherheitsgurt festgeschnallt war. — Das ist eine etwas betrübliche Unterschrift zu so schönen Tieren. Aber in einem Jahr wurden auch in der Bundesrepublik 660 Hirsche und 44 000 Rehe totgefahren, in Schweden 1200 Elche, in den USA sogar 70 000 Hirsche. Solche Unfälle kosten in Deutschland jährlich auch sehr vielen Menschen das Leben — nur weil man die geringe Ausgabe für Wildabwehrzäune beim Straßen- und Autobahnbau scheut.*

*Seite 319 unten:*
*Zebrafamilien halten zusammen. Auch die Hengste verteidigen neugeborene Fohlen gegen die Angriffe von Hyänen; meistens kommen auch noch die Onkels und Tanten dazu. Es gibt gelegentlich weiße mähnenlose, sogar karierte Zebras. Kein Zebra hat ganz die gleichen Streifen wie das andere. Deswegen kann man die Tiere nach Fotos einzeln wiedererkennen, so wie Menschen nach Fingerabdrücken. Dies sind Damara-(Chapman-)Zebras in Südwestafrika.*

stellten sich die Tiere gegenüber und hoben die Rüssel in S-Form. Zwei andere Bullen ähnlicher Größe, welche die ganze Zeit nicht weit davon gestanden hatten, kamen dann herbei und gingen zwischen dem Paar hindurch, ohne daß der erste Bulle etwas dagegen einwandte. Die vier weideten friedlich zusammen. Bald begann die Kuh sich einem der neu angekommenen Bullen anzubieten, und zwar viermal hintereinander, ohne daß dieser sich für sie interessierte. Die Ebene war voll von Elefanten, und in der Nähe des Paarungsplatzes waren im Abstand von einigen hundert Metern mehrere vollreife Bullen.

A. Lewin fotografierte in Südafrika die Paarung zweier Elefanten unter Wasser. Von der Kuh ragten nur der Oberkopf und der Nacken hervor, von dem aufgerittenen Bullen Kopf und Schultern. Im übrigen betasten Bullen auch sonst häufig Kühe in zärtlicher Weise und umschlingen ihre Rüssel, ohne daß sie Miene zur Paarung zeigen. Wie wir oben bereits gesehen haben, paaren sich Elefanten das ganze Jahr hindurch, ohne daß es eine ausgesprochene Brunftzeit gibt.

Allan Wright sah im Nuanetsi-Gebiet von Rhodesien einen jungen Bullen, offensichtlich der jüngste der Gruppe, mit Stoßzähnen von je etwa zehn Kilo. Der junge Bulle bewegte sich schnell durch die Herde. Wenn er sich einer der Kühe näherte, hörte sie sofort mit dem Weiden auf und stand still. Ging er zu nahe an sie heran, so entfernte sie sich schnell. Der Bulle schien alle die Kühe nacheinander zu versuchen. Die anderen Bullen waren ganz unbeteiligt, aber auch sie standen bewegungslos, wenn der Treiber ihnen zu nahe kam. Sein Geschlechtsteil war ausgeschachtet und aufgerichtet.

Schließlich waren die sieben Kühe zusammen und liefen davon. Sie hatten aber offensichtlich nicht die Absicht, wirklich wegzurennen. Sie liefen nämlich in einem engen Kreis, trompeteten und quietschten, wobei die Kälber ihren Müttern voraus-

*Der große Kudu gehört seit dem großen Rinderpest-Seuchenzug gegen Ende des vorigen Jahrhunderts in Ostafrika zum seltenen Wild, ist aber in Südwestafrika, Rhodesien, Mozambique, im Krüger-Park und bis herunter nach Zulu-Land immer noch recht häufig. Große Kudus rechnen zu den größten und schönsten Antilopen; sie überspringen ohne weiteres zweieinhalb Meter hohe Zäune.*

liefen. Am Ende lief der Bulle und versuchte eine Kuh zu besteigen. Büsche und kleine Bäume wurden zertrampelt. Die vier anderen Bullen schienen wieder ganz unbeteiligt. Schließlich bestieg der Bulle eine Kuh, die noch etwa zehn Meter weiterging und sich dann seitwärts umdrehte; der Bulle blieb dabei auf ihr. Nach etwa zwei Minuten ging der Bulle wieder herunter, und die Kuh bewegte sich zu den anderen.

Es scheint so, als ob die Bullen nur zu bestimmter Zeit, und zwar jeweils verschieden, in Brunftstimmung sind. Offensichtlich müssen wohl aber verschiedene Voraussetzungen zusammenkommen. Daß afrikanische Elefanten bisher so selten in zoologischen Gärten gezüchtet wurden, liegt zwar nicht zuletzt daran, daß in den Tiergärten meistens Inder vertreten sind, bestenfalls mit ein oder zwei afrikanischen Kühen dabei. Eine Kreuzung zwischen asiatischen und afrikanischen Elefanten ist noch nie gelungen. Aber in der Elefanten-Zähmungsstation im Kongo werden seit 1925 stets mindestens zwölf ausgewachsene zuchtreife Kühe und einige Bullen gehalten, oft sehr erheblich mehr. Die Tiere leben in ihrer natürlichen Umgebung, sind zwar nachts angekettet wie im Zoo, weiden aber tagsüber stundenlang oder ganze Tage im Gelände, nur unter Aufsicht ihrer Kornaks. Dabei trägt allerdings ein Teil von ihnen an den Vorderfüßen Fesseln. Trotzdem gab es in dreißig Jahren nur vier Geburten, höchst merkwürdig: alle im Jahre 1930, und später noch einen Nachzügler Ende der fünfziger Jahre. Die Schwangerschaft des afrikanischen Elefanten dauert knapp 22 Monate; im Baseler Zoo deckten beide Bullen zwischen dem 23. 3. und 4. 4. 1964, die Kuh gebar am 12. 1. 1966.

*22 Monate Schwangerschaft*

Während der Geburt selbst wird die Mutter häufig von anderen Kühen umgeben und, wenn man so sagen will, beschützt. Besonders eingehend konnte F. Poppleton, damals Wildwart im Queen-Elizabeth-Park, im Dezember 1956 dort die Geburt eines Elefanten beobachten, allerdings erst, nachdem das Junge bereits zur Welt gekommen war. Er sah einen Teil einer größeren Elefanten-Herde zusammengedrängt; alle hatten die Köpfe nach außen, trompeteten, klappten mit den Ohren und waren recht unruhig. Poppleton konnte den Vorgang aus 25 Schritten

*So kommen Elefanten auf die Welt*

Abstand mit dem Feldstecher besehen. In der Mitte der eng zusammenstehenden Elefanten war ein soeben geborenes Kalb. Die Mutter und eine andere Kuh entfernten gerade die Eihäute. Der Bauch der Mutter war ungeheuer erweitert und hing bis nahe zur Erde. Die Scheide, welche ja beim Elefanten unten zwischen den Beinen, nicht hinten und oben liegt, war erweitert und blutete. Die Gruppe bestand aus sechs großen Kühen mit fünf kleinen Kälbern, dazu einem jungen Bullen, der aus etwa fünfzehn Metern Abstand zusah.

Die Tiere versuchten das neugeborene Junge mit ihren Rüsseln und Füßen auf die Beine zu stellen. Andere nahmen die Eihaut und warfen sie in die Luft, so daß sie sich ausbreitete wie ein Laken. Die Kühe trieben die Geier weg. Alle anderen Elefanten mit Ausnahme eines Bullen durften nicht näher kommen und wurden von den Kühen vertrieben. Das neugeborene Kalb war naß und mit Schleim bedeckt. Es hatte ein deutliches Haarkleid, besonders am Kopf. Das Trompeten und Kreischen ging etwa zehn Minuten weiter.

*Sie wollten das Baby auf die Beine stellen*

Nach einer halben Stunde gingen vier der Kühe mit ihren Kälbern weg und ließen die Mutter, eine andere erwachsene Kuh und einen jungen Bullen von etwa sieben Jahren mit dem neugeborenen Kind zurück. Auch die übrige Herde bewegte sich zum Fluß hinunter und verschwand. Die Mutter, die andere Kuh und der siebenjährige Bulle versuchten weiter das Baby auf die Beine zu bringen. Nach einer weiteren Viertelstunde verschwand auch die zweite Kuh und ließ die Mutter mit dem Baby und dem Jungbullen zurück, der offensichtlich ihr Sohn war. Dieser junge Bulle führte seinen Rüssel unter den Bauch des Kleinen von der Seite und ebenso zwischen die Beine, um ihm aufzuhelfen. Das Kleine war sehr schwach und fiel immer wieder hin. Die Mutter fuhr fort, die Eierhaut herumzuwerfen und schleuderte sie schließlich auf ihren Rücken, wo ein Teil liegen blieb. Zweimal versuchte sie die Häute zu verzehren, nahm sie aber wieder aus dem Mund.

Der kleine Elefant machte seine ersten wackligen Schritte nach zwei Stunden, fiel jedoch vornüber auf seinen Kopf und rollte auf seinen Rücken. Mutter und Jungbulle erlaubten ihm nicht liegen zu bleiben, sondern stellten es immer wieder auf seine kleinen Füße. Die Mutter blutete die ganze Zeit und brachte den Mutterkuchen zwei Stunden nach der Geburt hervor. Sie verzehrte etwas von der äußeren Haut, aber die Hauptmenge davon blieb liegen. Die Kuh spielte eine Zeitlang damit. Eine Weile hing die Nachgeburt regelrecht auf ihrem Stoßzahn. Der Jungbulle verlor nach zwei Stunden das Interesse und verschwand in der Richtung der Herde. Als Poppleton mit dem Geländewagen näher heranfuhr, wurde er sofort von der Mutter angegriffen.

*Kuh gebar auf der Straße, sie sperrte den Verkehr*

Die Geburt selbst beobachtete ein Wildwart in Sambia. Eine Elefantenkuh lehnte sich gegen einen großen Baum, der Kopf des Jungen erschien in der Scheide, und nach ständigem Drücken fiel das Neugeborene auf die Erde. Die Kuh wendete sich sofort um und stand über dem Kalb, schnüffelte an ihm mit dem Rüssel und blieb so zwanzig bis dreißig Minuten stehen. Dann stellte sich das Kleine auf seine Füße und begann nach dem Euter zu suchen. Es stand seitwärts mit den Vorderbeinen vor und hinter einem Vorderfuß der Mutter und begann zu trinken. In der ganzen Zeit waren keine anderen Elefanten in der Nähe. Demgegenüber konnte der Konservator R. Hoier im belgischen Kongo vier Stunden lang mit dem Auto nicht weiterfahren, weil eine Kuh gerade an der Straße in der Nähe einer kleinen Brücke geboren hatte. Die Elefanten ließen sich weder durch Schreie noch durch Hupen verjagen.

Im Etoscha-National-Park (Südwestafrika) wurde eine junge Kuh gebärend beobachtet, während der Rest der Herde in einem Halbkreis von etwa 400 m von ihr entfernt weidete. Der nächste Elefant, der eine alte Kuh zu sein schien, graste etwa 200 m von ihr unter dem Wind. Die junge Kuh stand beinahe kauernd mit eingeknickten Hinterbeinen und trompetete durchdringend, als ob sie Todesangst hätte. Wildhüter Baard stieg aus dem Wagen und ging näher, um sie zu untersuchen. Als er etwa 20 m von dem Tier entfernt war, sah er, wie sich ihre Muskeln plötzlich zusammenzogen, an den Rippen anfangend und wellenartig über den Bauch gehend. Dann begann sie wieder zu trompeten.

Die übrige Herde schien sich nicht darum zu kümmern, nur die alte Kuh hob ihren Rüssel an. In Zwischenräumen von etwa fünf Minuten hatte die beobachtete Kuh schmerzhafte Krämpfe und trompetete. Nach dreißig Minuten erschien der Kopf eines Kalbes. In diesem Stadium schien die Kuh sehr erschöpft zu sein. Erst nach weiteren fünfzehn Minuten hatten die Vorderbeine und die Schultern des Jungen die Scheide verlassen. Plötzlich tat sich die Kuh langsam nieder und lag auf ihrer rechten Seite. Nun trompetete sie in kürzeren Zwischenräumen. Schließlich gab sie einen langen stöhnenden Ton von sich, wonach sie sehr ruhig lag und langsam atmete.

*Elefantengeburt im Liegen*

Der neugeborene Elefant strampelte auf der Erde, um sich von der Eihaut zu befreien. Die Mutter war entweder ohnmächtig oder zu erschöpft, um sich irgendwie um ihr Kind zu kümmern. Das Kalb, das sich inzwischen fast von den Häuten befreit hatte, sah rosarötlich aus. Nur die Sohlen der Füße hatten eine gelbbraune Farbe. Nach etwa zehn Minuten hob die Kuh ihren Rüssel und richtete ihn gegen das Kalb. Von der Ankunft des Beobachters an bis zum Zeitpunkt der Geburt waren eine Stunde und zehn Minuten verstrichen.

Recht ähnlich verlief die Erstgeburt bei der jungen Elefantenkuh »Idunda« des Baseler Zoos im Januar 1966. Morgens hatte der Tierpfleger einen großen bräunlichen zähen Schleimpfropf vorgefunden, und am nächsten Morgen um 9.15 Uhr traten die ersten Wehen ein. Die Kuh tastete mit ihrem Rüssel nach den geschwollenen Brüsten, ab und zu auch nach dem Bauch und der etwas vergrößerten Scheide. Sie legte sich völlig auf die Seite und wälzte sich hin und her. Die Wehen waren unverkennbar und wiederholten sich alle vier bis sechs Minuten. Dabei wurden ständig kleinere Mengen von Kot und Harn abgegeben. Um 9.36 Uhr floß das erste Fruchtwasser ab, und dann schwoll das Gebiet unter dem After merkwürdig an.

*Geburt im Zoo ging sehr schnell*

Die Kuh war sehr unruhig, ging hin und her, klappte mit den Ohren, stemmte die Zähne gegen den Boden und machte beinahe Kopfstand. Gleichzeitig wurde ihr Euter zusehends größer, und die Zitzen schwollen sichtbar an. Sie legte sich immer wieder nieder. Um 9.55 Uhr wurde die Fruchtblase sichtbar und platzte gleich darauf. Dann knickte die Mutter mit den Hinterbeinen etwas ein, und schon war das Junge ausgetreten, und zwar mit den Hinterbeinen voran. Die Geburt ging so rasch vor sich, daß sie nur mit dem Film, aber nicht mit dem Auge einwandfrei verfolgt werden konnte. Erst nach einigen Minuten betastete die Mutter das Kleine eingehend und hob ihr Kind sogar mit dem Rüssel am Schwanz etwas an. Eine Viertelstunde später stand der kleine Elefant, allerdings mit Hilfe des Wärters. Es wog 113 kg und war 95 cm hoch. Erst am nächsten Morgen gegen acht Uhr fand das Junge die rechte Zitze und trank ausgiebig. In Deutschland waren vorher junge afrikanische Elefanten erstmals während des letzten Weltkrieges in München und im August 1965 im Opelfreigehege im Taunus geboren worden.

Die Kongo-Elefantenstation gibt 100 kg Geburtsgewicht und 80–85 cm Höhe an. Mit einem Jahr ist das Kind einen guten Meter groß, mit zwei Jahren 115–120 cm und entwöhnt. Bis zum fünften Jahre wächst es jährlich um 10 cm, später etwas weniger. In diesem Alter sind auch die Stoßzähne schon gut sichtbar, welche im Alter von ein bis drei Jahren hervorbrechen.

*Elefantenmütter helfen ihren ungeschickten Kindern* In der ersten Zeit helfen Elefanten-Mütter ihren noch recht ungeschickten Kindern. So kletterte eine Gruppe von Kühen mit Kälbern einen steilen Abhang am Nil in der Nähe von Fajao empor, aber ein sehr kleines Kalb konnte einfach nicht in die Höhe kommen. Da kniete die Mutter oben an der Böschung nieder, griff den kleinen Kerl mit ihrem Rüssel und zog ihn sehr vorsichtig empor. Der Wildhüter Kachari traf in Sambia am Kolozi-Fluß zwei Elefanten-Kühe mit vier Kälbern, die vor ihm wegrannten. Während sie einen Hügel emporstiegen, schob die vorderste Kuh ihr Kind ständig mit dem Rüssel, so daß es schneller klettern sollte. Als die Elefanten an eine Stelle kamen, wo viele umgestürzte Bäume lagen, hob dieselbe Kuh die Bäume in die Höhe, so daß ihr Kalb bequem laufen konnte. Immer wenn es einen Baumstamm nicht überklettern konnte, kam die Mutter, lüftete ihn vom Boden und ließ das Kalb darunter durchgehen.

R. M. Bere traf in Begleitung des Ministers of Natural Re-

sources 1959 im Queen-Elizabeth-Park eine Elefanten-Kuh, die *Sie trug die*
ein totes Kalb trug. Dem Geruch nach mußte es schon vor drei *Leiche ihres*
oder vier Tagen gestorben sein. Die Mutter legte die Leiche *Kindes*
ihres Kindes mehrmals auf die Erde, um zu weiden oder zu
trinken. Auf diese Weise kam sie langsam voran, und die anderen Elefanten ihrer Gruppe warteten regelmäßig auf sie. Obwohl sie die Leiche mit dem Stoßzahn aufnahm, trug sie sie
zwischen ihrem Unterkiefer und der Schulter, »ähnlich wie ein
Geiger sein Instrument hält«. — Beim Baden bespritzen Elefanten-Kühe häufig die Kälber oder bewerfen sie auch mit
Schlamm.

Alles zusammengenommen, wissen wir leider noch recht wenig darüber, wie afrikanische Elefanten leben und was sie zum
Leben brauchen. Das ist um so schlimmer, weil wir in den
nächsten Jahren Mittel und Wege finden müssen, wenigstens
einen Teil dieser herrlichen und würdevollen Tiere zwischen
der anwachsenden Menschenbevölkerung und der Zivilisation
zu erhalten. Sie sind die wahren Könige des Tierreiches, denn
sie fürchten keinen natürlichen Feind, selbst den Löwen nicht.

Das ist auch die Auffassung des Volksstammes der Dan, der *Zugleich*
in Liberia und der Elfenbeinküste lebt. Ich habe diese Leute *Mensch und*
zweimal besucht. Wie Hans Himmelheber untersucht hat, glau- *Elefant*
ben sie, daß nicht der Mensch selbst die Hauptsache sei, sondern ein Geist, der in ihm lebe. Derselbe Geist kann gleichzeitig
auch in einem Tier leben. Wer in sich die Fähigkeit verspürt,
als Geist gleichzeitig im Menschen und in einem bestimmten
Tier zu hausen, muß die Aufnahme in einen Tierbund anstreben und dafür oft sehr viel an den Bundesmeister bezahlen.
Wessen Geist zugleich auch Tier sein kann, der erlangt auch in
seinem Menschenkörper die besonderen Eigenschaften dieser
Tierart.

Der höchste Tierbund ist der der Elefanten; seine Mitglieder
sind Herren über die Menschen, also insbesondere auch Häuptlinge. Diese Menschen werden groß von Gestalt, haben einen
mächtigen Bauch und schreiten gewichtig einher. Der Geist des *Der Geist*
Häuptlings fährt also nicht in einen der vorhandenen Elefan- *schafft sich*
ten, sondern er schafft sich einen neuen, bisher noch nicht dage- *neue Elefanten*

wesenen. Wird dieser Elefant im Busch erlegt, dann muß auch der dazugehörende Mensch sterben. Immer wieder erklärt ein Sterbender, daß er aus dem Leben scheiden müsse, weil er zugleich der Elefant oder der Büffel sei, der vorgestern erlegt worden ist. Wenn ein bedeutender Mensch ohne erkennbare Ursache stirbt, so nimmt man für gewöhnlich Hexerei an und muß dann durch Zauberer den Übeltäter herausfinden. Bevor man diese unangenehme Untersuchung einleitet, wird die Leiche sorgsam entkleidet und untersucht, ob nicht irgendeine Abschürfung oder ein kleines Geschwür zu finden ist, welche auf die Verwundung des zugehörenden Tieres hindeutet. Man bestraft den Jäger, der das Tier erlegt hat, nicht, denn er hat ja nur seinen Beruf ausgeübt, damit das Dorf Fleisch hat.

*Teurer Eintritt in den Elefanten-Bund*

Am teuersten ist der Eintritt in den Elefantenbund. Ein wohlhabender Mensch muß auf einmal Schulden machen, kann sich nichts mehr leisten, von seinen zehn Kühen sind fünf verschwunden. Obwohl der Anwärter nichts verrät, munkeln doch die Mitbürger, daß er die Aufnahme in einen Geisterbund bezahlen will. Kann er endlich strahlend verkünden, daß er jetzt »im Elefant« sei, steigt sein Ansehen ungeheuer. Wenn er in einer Verhandlung zu sprechen beginnt, verstummt jedermann. Er wird auch gern in Ämter gewählt oder gar als Häuptling eingesetzt, denn man weiß ja, daß die Elefanten hinter ihm stehen.

Deswegen halten die Dan auch Gesetze zum Schutz der wilden Tiere für sinnlos. Denn alle heute im Busch lebenden Tiere sind ja Zweitformen von Menschen, sie können also nicht aussterben, solange es Menschen gibt . . .

*Einst religiöse Tabu-Bezirke in Afrika — heute Nationalparks*

Andererseits haben die alten afrikanischen Religionen sich oft sehr zum Schutz der Tierwelt ausgewirkt. In den meisten Gegenden gab es Tabubezirke, heilige Haine und Landschaften, in denen nicht gejagt werden durfte. Solche religiösen Gesetze werden sehr gewissenhaft innegehalten, weil man weiß, daß die Götter oder die Geister jeden noch so heimlichen Verstoß unerbittlich bestrafen. War also eine Gegend überjagt und waren manche Tierarten verschwunden, so breiteten sie sich immer wieder später langsam von den Tabubezirken in die Nachbarschaft aus. Je mehr die alten afrikanischen Religionen verschwinden, um so weniger kümmern sich die Leute noch um die Tabuvorschriften. Man muß also im modernen Afrika zum Wohl des Landes die heiligen Tabulandschaften durch Nationalparks ersetzen.

# LANDUNGETÜME KAMEN NICHT
## ÜBER DEN NIL

*Eine Frau besteht nicht nur aus ihren Milchquellen; davon
hat die Ziege auch zwei.*

*Wenn Furcht, dann fürchte die Menschen. Tiere gehen vorbei.*

*Afrikanische Sprichworte*

*Weiße
Nashörner
»in Notwehr«
erschossen*

Manchmal wird erst nach hundert Jahren so recht offenkundig,
wenn ein mutiger Jäger geflunkert hat. Mr. Cornwallis Harris
reiste 1836 im nordwestlichen Transvaal und beschreibt, daß er
auf dem Weitermarsch vom Limpopo-Fluß auf nicht weniger
als 22 weiße Nashörner stieß, von denen er »in Selbstverteidigung« vier schießen mußte. In den letzten Jahrzehnten haben
wir in Afrika diesen drittgrößten Landtieren ins Herz geschaut.
Dutzende Beobachter, die nicht immer gleich den Finger am
Drücker hatten, haben sich die Muße genommen, sie Tage und
Nächte zu beobachten; während der letzten Jahre hat man sie
eingefangen, nach anderen Gegenden gefahren und wieder freigelassen. Heute wird niemand mehr dem forschenden Afrika-
reisenden die »Selbstverteidigung« abnehmen.

Ein Glück, daß wir überhaupt noch den wahren Charakter
dieser großmächtigen Geschöpfe kennenlernen können. Die hel-
dischen Nimrode hätten sie beinahe vorher »in Notwehr« ausgerottet. Ab 1892 schrieben Nicholls und Eglinton, es bestehe
aller Grund zur Annahme, daß es keine weißen Nashörner
mehr gäbe. Auch Briydon wiederholte das 1897.

Dabei sind diese gewaltigen Tiere so ausgeprägt friedfertig,
daß man sie lieber statt der zänkischen Tauben hätte zum Wap-
pentier der Vereinten Nationen machen sollen. Auch mit den
anderen Großtieren wie Elefanten und Kaffernbüffeln kommen
sie noch viel besser aus als ihre kleineren und mehr unberechen-

baren Vettern, die schwarzen Nashörner. Im Nimule-National-
nalpark des südlichen Sudan lagen weiße Nashörner friedlich
zusammen mit Elefanten im Schatten desselben Baumes. Ebenso
machen weiße Nashörner gegenüber Menschen nur außerordentlich selten die aufregenden schockierenden Erkundungsvor-
stöße wie ihre »schwarzen« Verwandten. Das heißt, sie laufen
plötzlich auf uns zu, stoppen im Abstand von 5—8 m, schnauben, schütteln den Kopf und gehen dann weg. Wo sie nicht bejagt werden, lassen sie Menschen und Autos meistens bis auf
etwa 30 m an sich herankommen, bevor sie weglaufen. In
Uganda erlebte Herr J. B. Heppes, daß ein weißes Nashorn in
der Nacht zwischen seinem Zelt und dem Lagerfeuer, das 10 m
davon brannte, auf seinem Wechsel ruhig zum Trinken nach
dem Wasser ging und später auf demselben Wege zurückkam,
ohne sich um das Feuer oder die menschliche Nachbarschaft zu
kümmern.

*Weiße Nas-
hörner sind
noch viel
friedlicher als
die schwarzen*

Ich habe nur drei Berichte gefunden (bei dem Elefantenjäger
C. H. Stigand), wonach eine überraschte weiße Nashornkuh mit
Kalb eine Baumwollpflückerin angegriffen und getötet hat. In
einem anderen Fall soll das mit einem Mann geschehen sein,
der ein Nashorn durch Drohrufe von seinem Feld vertreiben
wollte. In Zululand trieb eine schreiende Gruppe von Eingeborenen ein Nashorn, das aus dem Schutzgebiet herausgekommen
war, einen engen Pfad hinab. Als das verschreckte Tier eine
Frau traf, die denselben Weg entgegenkam, riß es ihr mit dem
Horn den Leib auf und zertrampelte sie. In Uganda fiel dagegen
beim Fangen von weißen Nashörnern ein Mann von dem Lastwagen, der gerade von einem rasenden Tier verfolgt wurde; er
konnte das holpernde Gefährt wieder einholen und hinaufklet-
tern, ohne daß das wütende Tier ihm etwas tat. Immerhin sind
im Deutschen Reich vor der großen Motorisierung der Land-
wirtschaft jährlich gegen vierhundert Menschen sogar von
Hauskühen und Pferden getötet worden. Ein weißes Nashorn
zu schießen ist also wohl ebenso gefährlich wie das Schießen
einer Hauskuh, wenn man es nicht von außerhalb des Koppel-
zaunes tut, sondern dazu hineingeht.

Dabei hat so ein weißes oder Breitlippen-Nashorn eine

Schulterhöhe von fast zwei Metern, eine Körperlänge von 4,20 m, und sein Kopf allein ist 1,20 m lang, etwa ein Viertel länger als der des schwarzen Nashornes. Es wiegt bis zu 2000 kg gegenüber 950 bis 1350 kg der schwarzen Nashörner. Genau wie dieses hat es drei Zehen, aber seine Spur ist fast doppelt so groß. Das längere Vorderhorn ist im Durchschnitt 80 cm lang. Das längste bisher gemessene hatte 1,61 m; die Hörner wiegen 6,5 bis 9 kg. Im Trab bringen es die Tiere auf gegen 30 km/st, manche im Galopp bis 40 km/st. Daß weiße Nashörner ebenso wenig weiß sind wie schwarze Nashörner schwarz, ist wohl bekannt. Vielleicht ist die unverständliche Bezeichnung »weißes« Nashorn eine Mißdeutung des burischen Wortes »wijd«, das soviel wie weit, breit heißt und genauso wie das englische »white« ausgesprochen wird. Womöglich kommt es aber auch von einem Ausdruck der Eingeborenen, »weißes Herz«, was soviel wie friedfertig heißt. Den weißen oder Breitlippen-Nashörnern fehlt der »Greiffinger« in der Oberlippe; ihr Mund dient zum Abrupfen von Gras, während die Spitzlippen-Nashörner mehr Äste ergreifen. Die weißen Nashörner sehen mindestens ebenso schlecht wie die schwarzen.

Sie sind aber viel geselliger als diese. Gruppen von zehn bis fünfzehn habe ich im Umfolosi-Schutzgebiet Natals oft angetroffen, selbst zwanzigköpfige Herden. Im Gegensatz zu ihren »schwarzen« Verwandten tragen sie den Kopf immer tief zur Erde. Wo sie geweidet haben, sieht das Gras aus wie gemäht. Auch ihre Dunghaufen sind viel größer als die der schwarzen Nashörner. Mein Mitarbeiter Dr. D. Backhaus hat im Garamba-Nationalpark des östlichen Kongo wochenlang jeweils zwei Männchen oder auch zwei Weibchen zusammen gesehen. Dort kämpften die Tiere auch spielerisch, indem sie sich Horn gegen Horn zurückdrängten, aber nur bei kühlem Wetter und immer nur für einige Minuten. Diese Kämpfer konnten zwei Bullen, aber auch zwei Weibchen oder ein Bulle gegen ein Weibchen sein. Sie vertrieben einmal zwei halbwüchsige Elefanten und erschraken keineswegs, wenn Madenhacker von ihrem Körper aufflogen, sobald man mit dem Auto näher kam. Die Bullen spritzten ihren Harn auf die Büsche. Jedes Tier setzte

*»Weiße« Nashörner sind bekanntlich nicht weiß*

*Kampfspiele*

seinen Kot auf die ständigen Haufen ab, die sehr viel größer sind als beim schwarzen. In sieben bis acht Stunden legten sie weidend nur 1 km zurück. Die Tiere ruhten für gewöhnlich am Vormittag, durchschnittlich etwa zwei Stunden bis zwölf Uhr. Als 1953/54 die Rinderpest wütete, wurden die weißen Nashörner nicht davon befallen.

*Nicht von Rinderpest befallen*

Die Bullen kämpfen heftig miteinander und können sich dabei sogar umbringen. Wilhelm Schack, der sich vom Tierpfleger im Frankfurter Zoo zu einem erfolgreichen Tierbeobachter und Fotografen in Afrika entwickelt hatte, sah zu, wie zwei Bullen sich beim ernsten Kampf Schulter an Schulter drückten, offensichtlich um zu vermeiden, daß der Gegner mit voller Wucht in den Körper hauen konnte. In einem Fall kamen allmählich 43 weiße Nashörner zusammen, um dem erbitterten Kampf zuzusehen. Wenn der Nashornbulle die Kuh treibt, legt er ihr gern von hinten den Kopf auf den Rücken. Sobald er aufgesprungen ist, kann die eigentliche Paarung bis zu einer Stunde dauern. Die Tiere sollen 540 bis 550 Tage schwanger sein. — Näheres darüber und über die Geburt wissen wir nicht, weil sie sich noch niemals in zoologischen Gärten fortgepflanzt haben. Zweimal sollen Zwillinge beobachtet worden sein. Das Kalb kann der Mutter schon 24 Stunden nach der Geburt folgen und beginnt im Alter von etwa einer Woche bereits Gras zu weiden, saugt aber bei ihr wenigstens ein Jahr lang. Daß die Neugeborenen bis zu vier Monaten ganz behaart sind, wissen wir von einem kleinen weißen Nashorn, das neben seiner toten Mutter angetroffen und in den zoologischen Garten von Pretoria gebracht worden war. Eine sechsunddreißigjährige Kuh hat im Umfolisi-Reservat noch ein Kalb geboren. Die weiblichen Tiere sollen mit drei Jahren schon aufnehmen und nur alle drei bis fünf Jahre Junge bekommen.

*43 Breitlippennashörner sahen dem Kampf zu*

*Die ersten Lebensmonate sind sie behaart*

Die friedlichen Riesen-Nashörner wurden erst 1812 von William Burchell im nördlichen Teil der Kap-Provinz Südafrikas entdeckt. Damals waren sie recht zahlreich, wie Zeichnungen der Eingeborenen an Felswänden noch heute in Südwest-Afrika, Rhodesien, Botswana-Land und der Kap-Provinz zeigen. Diese Bilder stellen unverkennbar weiße Nashörner dar.

*Erst 1812 entdeckt*

Das weiße Nashorn wurde früher im heutigen südlichen Angola gefunden, in einem Teil Südwest-Afrikas, Botswana, Rhodesien, Transvaal, Zululand und in mindestens einem Teil von Portugiesisch-Ostafrika. Man nimmt allgemein an, daß es nicht südlich des Orange-Flusses vorkam. Wahrscheinlich lebten Nashörner selbst in historischer Zeit auch im äußersten Südwesten von Malawi (Barotseland), im Land zwischen dem Mashi- und dem Sambesi-Flusse. Wir Europäer haben dann, aus reinem Spaß am Schießen, mit den harmlosen Riesen in wenigen Jahrzehnten aufgeräumt. Trotzdem kam es überraschend, als sie dann auf einmal ganz verschwunden waren, ähnlich wie das Quagga-Zebra oder der Blaubock. Man war froh, als sich herausstellte, daß noch ein paar Dutzend im Zululand (Natal) in den Niederungen zwischen dem Schwarzen und dem Weißen Umfolosi-Fluß lebten. 1922 verkündete F. Vaughan Kirby, daß es nur noch etwa zwanzig davon gab, und warb in der Öffentlichkeit dafür, diese letzten ihrer Art zu beschützen.

Vermutlich hat er die Zahl absichtlich untertrieben, denn schon 1932 zählte man im Umfolosi-Gebiet 180 von ihnen und dreißig in der Nachbarschaft. 1948 waren es bereits 550, und sie hatten sich außerdem bereits bis in das 25 km entfernte Hluhluwe-Schutzgebiet ausgebreitet. Dann machte man das ganze Gebiet, wie viele andere Gegenden Südafrikas, durch Bestäubung mit DDT vom Flugzeug aus frei von Tsetse-Fliegen. Das hatte zur Folge, daß die Farmer und besonders die Eingeborenen in der Nachbarschaft sich nunmehr für diese früher von ihnen gemiedene Landschaft zu interessieren begannen und besonders in die Fläche zwischen den beiden Schutzgebieten hineindrängten. So hörte man bald wieder Klagen, daß es zu viele Nashörner gäbe. 1965 lebten im Umfolosi-Gebiet (290 qkm) und im Hluhluwe-Gebiet (160 qkm) gegen tausend von ihnen. Deswegen gibt man seit einiger Zeit welche von ihnen in andere Schutzgebiete Afrikas und in zoologische Gärten ab. Jahrzehntelang war das weiße Nashorn in keinem Tiergarten der Welt zu finden, nur der Pretoria-Zoo hatte erst eins, später ein Paar. 1963 aber hegte man bereits 32 von ihnen in den zoologischen Gärten der Welt, davon 13 in Europa. Im April 1965 lebten 25 weiße Nashörner allein in den Zoos der Vereinigten Staaten. Man hat bereits große Erfahrung darin gewonnen, die Ungetüme zu verladen. Insgesamt sind bis 1966 150 weiße Nashörner in andere südafrikanische Nationalparks und Schutzgebiete wieder eingeführt worden, zwölf nach Rhodesien. Sie sind inzwischen im Krüger-, im Wankie-, Matapos-Nationalpark neu angesiedelt, wo sie früher einmal vorgekommen waren, aber auch in ganz neuen Gebieten wie z. B. im Kyledamm-Schutzgebiet. Selbst nach Ostafrika, in den 1966 neuerrichteten Meru-Nationalpark Kenias, sind welche gereist.

*Sie reisen jetzt in alle Welt*

Wer aber hätte sich träumen lassen, daß man die gewaltigen Breitlippen-Nashörner in Afrika auch nördlich des Äquators finden würde, 3200 km von ihrer südlichen Heimat entfernt! Zuerst wollte man es nicht recht glauben, als Major A. Gibbons sie 1900 bei Lado, auf dem linken Ufer des oberen Nils in Uganda, entdeckte. Denn in dieser Gegend hatte sich doch mein oberschlesischer Landsmann Emin Pascha, eigentlich Dr. Eduard Schnitzer (1840—1892) — durch den Mahdi-Aufstand von aller Verbindung mit der Welt abgeschnitten —, fünf Jahre lang aufgehalten. Er war ein begeisterter Naturforscher — sollte er ein so auffälliges Tier übersehen haben? Dieser Mann, der als einziger der damaligen großen Afrikaforscher nicht herablassend, sondern menschlich zu den Eingeborenen eingestellt war, achtete aber wohl zu sehr nur auf Vögel und Kleintiere und war in sie verliebt. Jedenfalls stellte sich nun bald heraus, daß die nördlichen Breitlippen-Nashörner auf der linken Seite des oberen Nils weideten, zwischen ihm und dem Regenurwald in Uganda, dem Sudan und dem angrenzenden Kongo, bis weit hinein in das französische Ubangi.

*1900 auch in Uganda entdeckt*

Im belgischen Kongo zählte man 1925 vierzig bis sechzig Köpfe von ihnen. Eigens ihretwegen und wegen der einzigen Giraffen im damaligen belgischen Kongo gründete man 1925 den Garamba-Nationalpark, der südlich an den Sudan anschließt. Daraufhin stieg ihre Zahl ständig an. Augenblicklich sollen es etwa tausend sein, wenn nicht während der Bürgerkriegswirren gar zu viele von Wilddieben abgeschossen worden sind. Dagegen waren sie in Französisch Äquatorial-Afrika wohl

*Die Belgier vermehrten sie*

335

1931 schon ausgerottet. Einige lebten auch im Nimule-Nationalpark des Sudan, an der südlichen Grenze nach Uganda hin. Die weißen Nashörner sind niemals über den Nil nach Osten vorgedrungen. Wegen geringfügiger Unterschiede im Knochenbau sieht man sie als selbständige Unterart (Ceratotherium simum cottoni) an gegenüber dem südlichen Breitlippen-Nashorn (Ceratotherium simum simum).

Leider war es nicht möglich, die Riesentiere in Uganda westlich vom Nil wirksam zu schützen. Sie wurden ständig gewildert, wahrscheinlich auch, weil die menschliche Bevölkerung immer mehr zunahm. Zur Zeit sollen nur noch siebzig von ihnen dort leben. Deswegen entschloß man sich nach langem Für und Wider 1961, welche von ihnen einzufangen und in den Murchison-Falls-Nationalpark zu bringen, der auf dem rechten Ufer des Nils angrenzt. An sich hätte es dort niemals weiße Nashörner gegeben, das wandten die Gegner des Planes ein. Der Nil war eben in Ostafrika immer eine kaum überbrückbare Grenze für die Ausbreitung der schwarzen Nashörner nach

*Soll man weiße und schwarze Nashörner zusammenbringen?*

Auf dem Boden des Ngorongoro-Kraters, am Munge-Flüßchen, haben wir unsere Lager aufgeschlagen, um die Versuche mit den aufgeblasenen künstlichen Tieren zu machen. Im Ngorongoro-Krater sind die Tiere besonders gut daran gewöhnt, vor Autos und Menschen nicht wegzulaufen.

Vorsichtig nähert sich im Ngorongoro-Krater ein Mähnenlöwe dem nachgemachten Löwen von hinten. Sein Verhalten ist zunächst genauso wie gegenüber einem fremden, nicht zum Rudel gehörigen männlichen Löwen.

Seite 338 oben:
Sehr vorsichtig betastet die Löwin den umgefallenen Kunstlöwen. Als die Tiere mutiger wurden und den Fremdling am Schwanz und an den Ohren packten, ja beim Zufassen sogar die Krallen heraussteckten, entwich die Luft. Sie roch nicht gerade gut, weil ich das Kunsttier mit den Motorabgasen aufgeblasen hatte. So merkten die Löwen dann doch deutlich, daß dieses seltsame Tier kein Artgenosse war.

Seite 338 unten:
Weil die Plastikhaut des Elefanten womöglich zu hell war, schmierten wir den dünnhäutigen Dickhäuter von der Rüssel- bis zur Schwanzspitze mit Schlamm ein.

Seite 339 oben:
Dieser alte Elefantenbulle am Ufer des Manyara-Sees überlegte sich eine Weile ernsthaft, ob er mit dem Fremdling anbinden sollte.

Seite 339 unten:
Neugierig kam dieser wilde Elefant im Manyara-Nationalpark, Tansania, immer näher an unseren künstlichen Elefanten. Er hob den Rüssel hoch, um den Fremdling näher zu erkunden. Daß die Autos danebenstanden, störte ihn nicht.

Westen oder der weißen nach Osten gewesen. Aber andererseits wußte man, daß im Hluhluwe-Schutzgebiet Südafrikas beide Nashornarten friedlich zusammenleben, wobei allerdings im gebirgigen nördlichen Teil ausschließlich schwarze Nashörner hausen, während die Breitlipper nur das mehr flache Gebiet mit ihnen teilen. Jedenfalls konnte man hoffen, daß die beiden Vettern sich auch im Murchison-Falls-Park miteinander vertragen würden. Das hat sich nachher bestätigt.

1961 wurde das erste Paar weiße Nashörner von Lastwagen aus mit Schlingen und Stricken gefangen und im Murchison-Falls-Park freigelassen. Man sah sie erst 39 Tage später dort wieder, 16 km vom Freilassungsort entfernt. Insgesamt brachte man im Laufe der Monate zehn Tiere in den Park, von denen zwei wenige Tage später starben, wahrscheinlich an Verletzungen, die sie bei dem gewaltsamen Fang erlitten hatten.

Ein Kalb, das die eine Kuh hinterlassen hatte, wurde künst- *Das Kalb*
lich aufgezogen und ließ sich später kaum bewegen, den Wild- *Obongi*
hüterposten am Flugplatz zu verlassen. Dieses Tier namens »Obongi« erschreckte einmal einen Besucher sehr. Er war eifrig dabei, Antilopen in der Entfernung zu fotografieren, als ihm auf einmal von hinten ein Nashornkopf zwischen die Beine fuhr und ihn hochhob. Verletzt wurde er dabei nicht. Auch als man »Obongi« weit weg von den Häuschen der Wildhüter brachte, kam sie hartnäckig immer wieder, dem Tankwagen folgend, dorthin zurück. Später fielen Löwen sie an und richteten sie böse zu, woraufhin sie auch wieder bei ihren schwarzen menschlichen Freunden Zuflucht suchte. Zu guter Letzt aber blieb sie in der Wildnis, als sie groß genug geworden war.

1964 fing man nochmals fünf weiße Nashörner. Diesmal suchte man sie im Buschgelände mit dem Hubschrauber, lenkte von der Luft aus die Geländewagen zu den Tieren und lähmte sie, indem man ihnen mit der Armbrust Sernyl-Spritzen ins Fleisch schoß — zum Teil sogar vom Hubschrauber aus —, und sie mit Sauerstoff beatmete. Sie konnten nach vier Stunden wie-

*Die berühmten Löwen, die im Manyara-Nationalpark, Tansania, gern hoch im Baum der Ruhe pflegen, sehen sich nur mit sehr mäßiger Anteilnahme den aufgeblasenen Elefanten an, der unter ihnen entlangfährt.*

der aufstehen, aber auch hier gingen zwei tragende Kühe an der Droge zugrunde. Diese Nashörner wurden in einer achtzehnstündigen Fahrt die etwa 300 km bis zum Murchison-Falls-Park über den Nil gebracht. Insgesamt lebten (1968) im Murchison-Falls-Park wieder 18 weiße Nashörner.

*Das weiße Nashorn ist gerettet*

Heute kann man aufatmend sagen: Das weiße Nashorn, vor fünfzig Jahren schon beinahe vom Erdboden verschwunden, ist von Naturschützern gerettet und heute wieder in Afrika recht weit verbreitet.

# DAS WAHRE WESEN DER WILDHUNDE

*Der Tod ist wie der Mond. Wer sah seinen Rücken?*

*Afrikanisches Sprichwort*

Wie hartnäckig doch manche Geschichten über afrikanische Tierarten von Jahrzehnt zu Jahrzehnt, über ein Jahrhundert lang, in den Büchern wiederholt worden sind! Die buntgefleckten afrikanischen Wildhunde oder »Hyänenhunde« sollen wie rasende, wütende Teufel in eine Gegend einfallen, weit mehr Wild zerreißen, als sie jemals verzehren können, ganze Gegenden entvölkern oder zumindestens die Weidetiere daraus vertreiben. Keine Gazelle könne ihnen entkommen, weil sie in Stafetten jagen: Ein Hund hetzt das Wild, bis ihm die Zunge matt aus dem Hals hängt, und dann löst ihn der nächste aus dem Rudel ab. Ja, in einem neueren Buch sollen sie sogar einen Menschen umgebracht haben. Ein Jäger war am Fuße des Meru vom Lager aus noch ein Stück spazierengegangen und kam nicht wieder. Als man nachsuchte, fanden sich fünf totgeschossene Hunde, fünf leere Patronen und von dem Mann nur Fetzen — das übrige Rudel hatte ihn zerrissen und verschlungen. Immerhin haben selbst Wildwarte in manchen Nationalparks, wie zum Beispiel im Krüger-Park von Südafrika, jahrzehntelang die Wildhunde planmäßig ausgerottet. Das ist gar nicht so schwer, weil sie kaum Scheu vor Menschen haben und vor ihm nicht weglaufen. Im Krüger-Park vermehrten sich daraufhin die Impalas ins Ungemessene und weideten ganze Gegenden kahl. Ich habe übrigens noch von keinem einzigen wirklich bezeugten Fall gehört, in dem afrikanische Wildhunde Menschen angegriffen oder gar umgebracht hätten.

*Was ist Märchen, was ist wahr?*

343

Wildhunden bei der Jagd zuzusehen ist dabei nicht einmal so schwer, weil sie, im Gegensatz zu manchen anderen wilden Tieren, gar nicht viel gegen menschliche Zuschauer einzuwenden haben. In der Serengeti und im Ngorongoro-Krater von Tansania, wo es genug Beutetiere gibt, jagen sie nur, wenn die Sonne dicht über dem Horizont steht, also früh von halb sieben Uhr bis acht Uhr und abends zwischen achtzehn Uhr und zwanzig Uhr. Natürlich gibt es gelegentlich auch Ausnahmen. Sonst gehen sie tagsüber sogar hinab in ihre kühlen Höhlen, die ursprünglich sicher von Erdferkeln oder Warzenschweinen gegraben sind, oder das Rudel liegt in kleinen Gruppen im Schatten von einzelnen Bäumen. Regt sich bei diesem oder jenem Hunger oder Jagdlust, so steht er auf, geht zu einer anderen Gruppe, ermuntert sie zum Aufstehen, beginnt herumzuspielen. Schließlich ist alles im Gange, man entleert sich, und wenn einer in der Richtung auf eine Gruppe Thomson- oder Grantgazellen lostrabt, folgen die anderen nach. Es kann aber auch sein, daß er sie nicht in Bewegung bringen kann, dann gehen die ein, zwei Jagdwilligen wieder zurück und legen sich hin. Einzeln wird nicht gejagt.

Afrikanische Wildhunde greifen ihre Beute nur auf Sicht an, nicht nach dem Geruch. Sie kümmern sich auch kaum um die Windrichtung und bemühen sich kaum, wie etwa Löwen oder wie Leoparden, Deckung auszunutzen. Das Rudel geht oder trabt unauffällig durch die Gegend und sucht dabei möglichst dicht an die Beutetiere heranzukommen. Laufen diese schon in einem Abstand von über dreihundert Metern weg, dann folgen ihnen die Hunde so gut wie nie. Sonst aber rast der Leithund oder die Leithündin den davonstiebenden Gazellen mit etwa 55 km/st Geschwindigkeit nach. Gegen 50 km/st kann er ein paar Kilometer durchhalten.

Das flüchtende Tier wird von hinten gepackt, meistens an den Beinen oder Schenkeln, auch an der Bauchseite, und zusammen mit den anderen, aufholenden Hunden in ganz kurzer Zeit buchstäblich in Fetzen gerissen. Die ganze Jagd dauert durchschnittlich drei bis fünf Minuten und ist ein bis drei Kilometer lang. Das Wild hat geringe Aussichten zu entkommen. Von 28

*Einzeln wird nicht gejagt*

*Mit den Augen, nicht mit der Nase*

*In Fetzen gerissen*

344

im Ngorongoro-Krater beobachteten Hetzjagden der Wildhunde führten 25 zum Tod der Beute.

Für gewöhnlich sucht sich wohl jedes Raubtier Opfer aus, mit denen es leichtes Spiel hat, die also kleiner sind oder bestenfalls ebenso groß wie der Töter selbst. Nur wenn der Hunger gar zu sehr quält, wagt man sich an mächtige Gegner, gefährdet damit aber auch leicht das eigene Leben. Über zwei Drittel der Opfer der Wildhunde im Ngorongoro-Krater und auf den Serengeti-Ebenen sind die kleinen Thomson-Gazellen, nur jedes zehnte eine der größeren Grant-Gazellen, von Gnus und anderen großen Weidetieren bestenfalls Kälber und Jungtiere. Größeren Tieren reißen die Hunde von hinten einfach den Bauch auf, so daß die Eingeweide herausfallen. Das unglückliche Opfer bricht mit den Hinterbeinen zusammen und sucht sich nur schwach mit den Hörnern zu verteidigen. Das ist ein scheußlicher, grauenvoller Anblick. Aber man muß den Hunden zugute halten, daß sie eben nur auf das Rennen eingerichtet sind und nicht wie Löwen oder Leoparden mächtige Pranken mit Widerhaken haben und kräftige Schulter- oder Halsmuskeln, um dem Opfer das Genick zu brechen. Wildhunde sieht man nur an der selbstgerissenen Beute, während Löwen sich gern mit dem Aas und dem Überbleibsel anderer Jäger begnügen. In Südafrika allerdings, wo das Wild selten geworden ist, sollen die Hunde oft weite Strecken hetzen und sich auch viel mehr an größerem Wild vergreifen. Dort sind die Wildhunde auch etwas schwerer und stärker als die ostafrikanischen.

Während der Trockenzeit gab es im Luangwa-Tal von Sambia im weiten Umkreis nur noch eine Wasserfläche. Ein Rudel von vier männlichen, drei weiblichen Wildhunden und siebzehn Jungen besetzte diese einzige Wasserstelle und tötete nach Belieben alle Jungtiere von Antilopen und Warzenschweinen, die zum Trinken kamen. Sie ließen sich auch von dem Wildwart R. G. Atwell nicht vertreiben, sondern gingen, wie üblich, wenn er aus dem Auto stieg oder mit Steinen warf, unter Bellauten nur ein paar Meter zurück. Erst als er drei von ihnen erschoß, kam das übrige Rudel angelaufen, besah sich aufgeregt die blutenden Brüder und zog dann endgültig ab. Innerhalb ein bis

*Raubtiere wollen keine Kämpfe auf Leben und Tod*

*Grauenvoller Anblick*

*Sie ließen sich vom Wildwart nicht vertreiben*

zwei Minuten kamen fünfzig Impala-Antilopen mit ihren Jungen hundert Meter weiter zum Trinken.

Wieviel die Wildhunde in den westlichen Serengeti-Ebenen töten, hat Bruce S. Wright genau vermerkt. Es waren 0,15 kg täglich auf 1 kg Hund im Rudel. Löwen verbrauchten 0,11 bis 0,13 kg auf 1 kg Lebendgewicht des Raubtieres. Das Wildhundrudel tötete in einem Jahr 281 Tiere, fast ausschließlich Thomson-Gazellen. Zwei Drittel von diesen waren erwachsene Böcke. Dies liegt vermutlich daran, daß diese Böcke sich einzeln halten und einen bestimmten Eigenbezirk behaupten. Je größer ein Rudel Wildhunde ist, um so weniger Beute muß es, auf einen Hund umgerechnet, machen. Ein Rudel von 21 Hunden tötete 1,8 kg je Tag und Hund, ein kleines Rudel von sechs Hunden doppelt soviel. Das kommt wahrscheinlich daher, daß den kleinen Wildhund-Gruppen viel Beute von Hyänen abgejagt wird. Ein einzelner Hund oder ein Paar von ihnen könnte wohl überhaupt nicht überleben.

Wenn die gefleckten großohrigen Jäger erst einmal hinter den gehetzten Antilopen her sind, haben diese so gut wie keine Hoffnung, ihnen davonzurennen. Eigentlich gibt es nur zwei Möglichkeiten des Entkommens. Die eine ist: in einen Fluß oder See stürzen. Dort kann einen zwar ein Krokodil packen, aber das muß nicht unbedingt geschehen. Die Hunde jedenfalls folgen einem Wasserbock oder einer Impala in der Regel nicht dort hinein, sie bleiben am Ufer. J. Stephenson war allerdings im Mikumi-Nationalpark von Tansania Zeuge, wie ein Wildhund einem Impala-Bock ins Wasser nachging und ihn bis ans andere Ufer verfolgte. Als der Impala wieder kehrtmachte, folgte ihm der Hund erneut ins Wasser, ging aber dann weg, als der Verfolgte dicht in die Nähe von drei Flußpferden kam. Frau Noel Tooly sah im Tree-Tops-Hotel in Kenia vom Balkon aus zu, wie ein voll erwachsener Wasserbock aus dem Wald heraus geradewegs ins Wasser stürzte, wo er zitternd und schnaufend stehen blieb. Zwölf Wildhunde folgten ihm. Nur einige versuchten, ein Stück in das Wasser hineinzugehen, gaben es aber bald auf. Etwa zwanzig Minuten umringte das Rudel den Tümpel, dann gaben sie es auf und zogen ab. Der

Bock blieb viel länger stehen und ging dann langsam heraus. Als ein paar von den Wildhunden zurückkehrten, lief er schnell wieder ins Wasser und drohte ihnen mit den Hörnern. Endlich konnte er sich dann ganz in den Wald trollen.

Geradezu verblüffend und zunächst unglaublich ist eine andere Zuflucht, die manche von Wildhunden gehetzte Tiere in ihrer Verzweiflung suchen: den Menschen. Ich habe mir in den letzten zwanzig Jahren immerhin gegen ein Dutzend solcher Fälle vermerkt.

*Die Opfer suchten bei Menschen Zuflucht*

Ein junger Kudubulle rannte im Chilongori-Schutzgebiet von Sambia an der Luamfia-Lagune zu einem Wildhüter und brach dicht bei ihm zusammen; die Zunge hing ihm aus dem Mund. Das Wildhundrudel, welches hinter ihm her war, näherte sich bis auf zwanzig Meter und rannte dann im großen Zirkel um den Wildhüter herum. Die Hunde setzten sich hin und blieben etwa fünfzehn Minuten liegen. Der Kudu stand allmählich wieder auf und kam so nahe an den Menschen heran, daß dieser ihn hätte berühren können. Schließlich warf der Wildhüter Schmutzbrocken auf den nächsten Hund, worauf alle wieder auf die Beine kamen und um die beiden herumliefen. Nach einiger Zeit rannte ein Hund mit einem Bellaut davon, und unverzüglich folgte das ganze Rudel nach. Der Kudu blieb noch eine kurze Zeit und lief dann in das hohe Gras an der Lagune.

Laut rufend lief im Mbarara-Bezirk von Uganda bei Rugorogota ein Pferdeantilopen-Bock zu dem Wildhüter Kartua Lorongsa, verfolgt von sechs Wildhunden. Ein Wildhund hing am Schwanz des Bockes — der Wildhüter erschoß ihn, worauf sich sofort ein zweiter in den Schwanz verbiß. Als dieser auch getötet wurde, folgten ein dritter und ein vierter. Der fünfte wurde in der engsten Nähe erschossen. Die ganze Zeit blieb die Pferdeantilope dicht bei dem Wildhüter stehen. Sie hatte nur leichtere Verletzungen am Hinterteil. — Im Albert-Park flüchtete ein Wasserbock mitten zwischen Menschengruppen; die Wildhunde verfolgten ihn aber und zerrissen ihn dort trotzdem. Ähnlich ging es einem Riedbock, der vor den Augen von C. Ionides von drei Wildhunden zerrissen wurde. Eine andere vollerwachsene Pferdeantilope, die in Sambia von Wildhunden verfolgt wurde,

*Fünf Wildhunde erschossen*

flüchtete sich ans Haus, in den Hof von R. A. Critchley, wo sie fünf Tage blieb, bis ihre Wunden geheilt und ihr Selbstvertrauen wiederhergestellt war.

In der Serengeti trieben in einem Jahr, in der Nähe von Seronera, drei Rudel von afrikanischen Wildhunden ihr Unwesen. Sie waren zehn, acht und sechs Köpfe stark. Außerdem gab es noch ein Rudel von 24. Einmal töteten zwei alte und fünf junge Hunde eine Thomson-Gazelle dicht am Auto nahe am Lager Seronera. Ein anderes Mal liefen von einem Rudel aus vierzehn Alten und neun Jungen zwei große Hunde auf vierzig Gnus zu, die etwa achthundert Meter entfernt standen. Das Hauptrudel folgte im Abstand von zweihundert Metern. Als eine große *Wildhund* Hyäne auftauchte, lief ein Hund zu ihr hin, packte sie am Hin- *warf eine* terbein und warf sie um. Die Hyäne schrie, wehrte sich aber *Hyäne um* nicht. Im Abstand von etwa vierhundert Metern von den Gnus liefen die beiden Hunde plötzlich sehr schnell mitten in die Tiere hinein. Sie stoben nach allen Seiten auseinander. Als sich der Staub etwas verzogen hatte, sah man kleine Gruppen von Gnus stehen, alle mit den Hörnern gegen das Hunderudel, wel- ches jetzt vollzählig eingetroffen war. Die Gnus machten Droh- *Abwehr-* angriffe gegen die Hunde, die sich abwartend verhielten. Ein *gruppen* aufgeregtes Gnukalb brach aus und wurde sofort zerrissen. Die *der Gnus* anderen Gnus kümmerten sich kaum darum.

Wenn bei solch einer Jagerei, sobald sich die Meute aufspal- tet, ein Hund den Anschluß an die anderen verloren hat, so bringt er den Kopf sehr nahe an die Erde und ruft mehrmals, *Der Ruf der* einen glockenähnlichen röhrenden Ton. Gleich hinterher nimmt *Versprengten* er jeweils den Kopf hoch und lauscht eindringlich. Innerhalb von fünf Minuten kommt dann meist das ganze Rudel über die Hügel angaloppiert.

Wochen und Monate hat der Zoologe W. Kühme in der Serengeti in einem vergitterten Auto gelebt und geschlafen, um den Hunden zuzusehen, wie sie sich untereinander benehmen. Die Ergebnisse waren recht erstaunlich, wurden aber inzwischen von zwei anderen Wildhund-Forschern in der Serengeti und im Ngorongoro, den Biologen R. Estes und J. Goddard, durchaus bestätigt. Im Gegensatz zu Menschen, Hühnern, Pferden, ja überhaupt so vielen geselligen Lebewesen, gibt es keine richtige Befehlsgewalt und keine Rangordnung bei afrikanischen Wildhunden. Man will den anderen nicht einschüchtern, nicht überspielen, sondern unterspielen. Will ein Hund etwas von einem anderen, etwa ein Stück Fleisch, oder seine Begleitung, sein Mitspielen, so macht er sich recht klein und demütig. Sobald zwei Gruppen einer Meute, die eine Weile getrennt waren, sich treffen, oder wenn nach dem Ausruhen die Tiere wieder lebendig werden, begrüßt man sich. Man leckt dem anderen das Gesicht, steckt die Nase in seinen Mundwinkel. Dabei macht man sich recht klein, knickt in den Beinen ein, hebt Kopf und Mund empor. Auf diese Weise bringen es auch Jungtiere, Kranke und Schwache fertig, ihren Anteil an der Beute zu bekommen. Ja, sie bewegen sogar die anderen, das Fleisch wieder für sie herauszuwürgen.

*Kein Befehlen, sondern nur Zärtlichkeiten unter Wildhunden*

In einem zoologischen Garten kann man das Leben einer Tierart niemals ganz erforschen, dazu muß man sie vor allem auch in Freiheit beobachten. Umgekehrt entdeckt man manches wieder nur, wenn sich diese Tiere ohne große Scheu vor Menschen im Tiergarten fortpflanzen. Herr C. E. Cade, der den zoologischen Garten am Eingang des Nairobi-Nationalparks aufgebaut und lange Jahre geleitet hat, erhielt einen erwachsenen Wildhund-Rüden, der aus einer Schlinge befreit worden war. Er hielt ihn in einem Gehege neben den herangewachsenen Jungtieren. Nach einiger Zeit ließ er eines zu ihm. Die Begegnung verlief recht fesselnd. Der alte Hund raste auf den Neuankömmling los, während dieser ganz still stand, seinen Kopf hochhielt und leise winselte. Cade hatte derartige Töne vorher noch niemals von diesen Wildhunden vernommen. Dieses Verhalten, Stillstehen und Winseln, hielt den erwachsenen Hund von seinem Angriff ab. Er »bremste« den Ansturm und tat dem Neuankömmling nichts zuleide. Dieselbe Beobachtung machte Cade nun auch jedesmal, wenn er andere halberwachsene Welpen zu dem Alttier brachte. Nur einmal sah der junge Hund den Rüden nicht kommen, zeigte daher dieses Verhalten nicht und wurde in die Hüfte gebissen. Augenblicklich erstarrte er und winselte mit hoch erhobenem Kopf. Ebenso blitzschnell wurde der Rüde

*Stillstehen und Winseln, ihre Demuthaltung*

friedlich. — Mir selbst ist nur eine Beobachtung, von A. Fercivale, bekannt, wonach ein Wildhund-Rudel ein Mitglied tötete, das er verwundet hatte. Sonst folgen Kranke und Verkrüppelte bei einer Jagd oft langsam nach, kommen erst Minuten später bei der Beute an, dürfen aber ohne weiteres mitessen.

Innerhalb weniger Tage bildeten die Jungtiere von Cade mit dem alten Rüden ein Rudel, das aus drei Männchen und aus drei Weibchen bestand. Als im Februar eine der Hündinnen erstmals in Hitze kam, verpaarte sie sich mit dem Altrüden. Keiner ihrer beiden Brüder kümmerte sich um sie. Tatsächlich mieden sie das Paar. Ob sich brünstige Paare im Wildleben vom Pack absondern? Als die Hündin ganz offensichtlich schwanger war, trennte Cade sie von den anderen, aber so, daß sie sie durch einen Gitterzaun sehen konnte. Doch gebärdete sie sich so rastlos und erregt, daß er den Rüden zu ihr ließ. Cade war aber nicht sicher, ob er dann nicht doch die Neugeborenen töten würde. So sperrte er ihn unmittelbar vor der Geburt wieder ab. Nach einer Tragzeit von 72 Tagen gebar die Hündin. Zwei Tage später schleppte sie ein Junges im Mund ununterbrochen am Zaun entlang, hinter dem ihr Rüde saß. Es war klar, daß das Kind eine solche Behandlung nicht lange aushalten würde, es mußte also schnellstens etwas geschehen. Da Cade sich nicht traute, das ganze Rudel zu ihr zu lassen, versuchte er es mit dem Vater. Zu seinem Erstaunen trug die Mutter das Junge sofort zu ihm hin, legte es auf den Boden und begann es zu lecken. Der Rüde beschnüffelte es, kümmerte sich aber sonst nicht um den Welpen. Am Abend gab es ein friedliches Familienbild: Die Hündin lag in ihrer Wurfkiste mit den Jungen, und der Rüde hatte sich daneben häuslich niedergelassen.

1930 sind afrikanische Wildhunde erstmals in einem zoologischen Garten gezüchtet worden, in Breslau. 1960 gelang es dem Bronx-Zoo in New York, vier Junge von sechs aufzuziehen. Auch dort trennte man zunächst den Rüden bei der Geburt, mußte ihn aber wieder hinzutun, weil die Mutter sich zu sehr über die Trennung aufregte.

Im Rudel kann jeder Wildhund offensichtlich jede Rolle übernehmen, bis auf das Säugen der Jungen. Mit herausgewürgtem

Fleisch gefüttert werden sie jedoch von allen Angehörigen des Rudels, auch von den Männern. Eine Gruppe, der Wolf-Dietrich Kühme 1964 wochenlang in der Serengeti zusah, bestand aus sechs Rüden und zwei Weibern. Eine davon hatte elf etwa dreiwöchige Jungen, die Kleinen der zweiten waren noch in der Höhle. Nach einer erfolgreichen Jagd kamen die alten Tiere zum Bau und würgten den bettelnden Jungen und den zurückgelassenen erwachsenen Wächtern blutigfrisches Fleisch aus. Vor dem Aufbruch zu einer neuen Jagd liefen die Großen mit angelegten Ohren und weitvorgestreckter Nase tänzelnd aufeinander zu, leckten sich gegenseitig die Lefzen, sogar den Weibchen das Gesäuge und ließen wie aufgeregte Kinder Harn unter sich. In größter Freude warfen sie sich sogar auf den Rücken und strampelten mit den Beinen in der Luft. Beim Grüßen geben sie zwitschernde, schnatternde Töne von sich, überhaupt in der Aufregung, beim Beginn der Jagd, auch beim Niederreißen der Opfer und beim Verschlingen des Fleisches. Sind sie erschreckt, so bellen sie kurz und tief.

*Das ganze Rudel füttert die Kinder*

*Ihre Jagdbegeisterung*

In der Serengeti beobachtete Dr. Hans Kruuk zehn Wildhunde, von denen vier sehr mager waren. Die sechs gutgenährten Hunde liefen eine Senke hinab, fingen eine Thomson-Gazelle, töteten und verschlangen sie. Dann kehrten sie zu den vier mageren Hunden zurück, die sich an der Jagd nicht beteiligt hatten, und würgten das Fleisch für sie wieder heraus.

Fast das ganze Jahr hindurch hielt sich im Ngorongoro-Krater in Tansania ein Rudel auf, das aus fünf Rüden und einem Weibchen bestand. Sie machten regelmäßig Ausflüge aus dem berühmten Krater heraus, kamen aber nach kurzer Zeit immer wieder. Da sie wiederholt von beiden Seiten fotografiert worden waren und auch kennzeichnend eingerissene Ohren hatten, konnte man sie genau unterscheiden. Ende Februar gebar die einzige Hündin im Rudel neun Junge. Auch diese waren wieder acht Männchen und ein Weibchen. Die Mutter starb am 3. April. Der Biologe Goddard beobachtete, wie einer der Rüden ihre Leiche aus der Höhle zerrte, dicht gefolgt von den empörten Jungen, die noch an ihr zu saugen versuchten. Das Wildhundrudel, das nun nur noch aus fünf Rüden bestand, zog

*Acht Männer und eine Frau dazu*

die Jungtiere auf, indem die alten Tiere regelmäßig Nahrung wieder hervorwürgten. Die Jungen warteten in der Höhle, wobei für gewöhnlich ein Erwachsener dabeiblieb, während der Rest des Rudels auf Jagd war. Sobald die Erwachsenen Beute gemacht hatten, kamen sie zu der Höhle zurück. Die Jungen drückten ihre Nasen in die Mundwinkel der Erwachsenen, worauf diese das Fleisch emporwürgten. Alle Kleinen wurden so großgezogen, bis sie hinter dem Rudel hertrotten konnten. Dann allerdings starben doch viele von ihnen. Am Ende des Jahres lebten nur noch vier von den ursprünglich neun. Leider war auch das einzige weibliche Tier unter den Toten. Einige der kleinen Wildhunde trotteten bis zu drei Kilometer hinter dem Rudel her, und bis sie die Beute erreichten, war wenig Nahrung übriggeblieben. Hin und wieder würgte einer der Erwachsenen noch Fleisch für sie wieder hervor; je älter die Jungtiere wurden, um so seltener wurde das jedoch.

Auch mit Wildhunden kann man sich anfreunden. Für gewöhnlich kümmern sie sich um uns Menschen kaum, aber sie laufen auch vor uns nicht weg. R. A. Critchley traf im Juni acht Welpen, die lustig vor ihrem Heim, einem alten Erdferkelbau, herumspielten. Die Mutter war gar nicht ängstlich und übernahm gern ein großes Stück Fleisch, das ihr aus dem Wagen zugeworfen wurde. Der Vater lag 25 m weiter. Bei den späteren Besuchen wedelte die Hündin schon mit dem Schwanz, wenn sie den Geländewagen ankommen sah. Manchmal allerdings fand sie die zugeworfenen Fleischbrocken nur mit Schwierigkeit, was dafür spricht, daß diese Tiere keinen besonders gut entwickelten Geruchssinn haben.

Frau Margarete Trappe, als Jägerin und Farmerin bekannt, bewirtschaftete vor dem ersten Weltkrieg die Farmen Ngongongare und Momella am Fuße des Meru-Berges. Sie ist einmal, so wird berichtet, mit ihren Jagdhunden unvermutet auf eine große Horde Wildhunde gestoßen. »Ohne gegenseitige Scheu oder Feindschaft zu zeigen, liefen die zahmen und wilden Hunde durcheinander und beschnüffelten sich neugierig, ohne daß es auch nur zu der geringsten Beißerei kam. Offenbar empfand man sich hüben und drüben allmählich als langweilig, und auf

352

einmal trennte sich die Rotte lautlos von der Meute und trollte von dannen.« Frau Trappe ließ einen Schacht von gut zweieinhalb Meter Tiefe graben und brachte neun Welpen nach Hause, von denen fünf allerdings bereits am kommenden Tag starben. Von den vier, die aufwuchsen, lebte später ein Paar bei einem englischen Polizeioffizier in Arusha. Die Tiere wurden völlig zahm und liefen frei in der Stadt herum. Da sie aber häufig Hühner stahlen und auch gelegentlich Leute in die Beine bissen, konnte ihr Besitzer sie nicht weiter frei halten. Die in Ngongongare verbliebenen beiden ließen sich ohne weiteres von Frau Trappe und ihren Kindern an der Leine spazieren führen.

*Zahme Wildhunde frei in Arusha*

Der berühmte britische Großwildjäger und Forschungsreisende F. C. Selous (1851—1917) allerdings berichtet, daß ein Wildhund von einer Jagdhundmeute gepackt worden war. Er wollte das scheinbar totgebissene Tier abziehen lassen. Bei dieser Gelegenheit sprang es jedoch auf und rannte davon — es hatte sich nur totgestellt.

*Tot gestellt*

Wildhunde scheren sich manchmal um Menschen verblüffend wenig. Das zeigte sich im Mikumi-Nationalpark, Tansania, wo ein Pack von 35 Hunden früh um sieben Uhr in Gegenwart aller Arbeitskräfte des Parkes ins Lager gerannt kam. Die Leute waren gerade angetreten, um mit der Arbeit zu beginnen. Die Masse von Wildhunden war plötzlich da, rannte nach allen Richtungen umher, zwischen Fahrzeugen und Gebäuden und manchmal im Abstand von nur einem Dutzend Metern von den Leuten, um die sie sich gar nicht kümmerten. Die Luft war voll von ihrem Winseln und Heulen, und nur gelegentlich konnte man ihr gedämpftes einsilbiges Bellen hören. Das ganze Durcheinander dauerte zwei oder drei Minuten, jeder Hund wurde entweder gejagt oder jagte einen anderen. »Dann kam auf einmal Ordnung in die Sache, denn die Hälfte der Meute lief in einer Richtung weg und der Rest in die andere. Obwohl ich es nicht selbst gesehen habe, erzählte mir einer von meinen Leuten, daß es zuerst Streit um eine Impala-Antilope gegeben hatte«, berichtet der Wildwart Stephenson. »Womöglich sind die beiden Meuten bei dieser Jagd zusammengeraten, was für eine Weile dieses Durcheinander ergab.«

*Scherten sich gar nicht um Menschen*

Bei anderer Gelegenheit interessierten sich fünf Wildhunde offensichtlich für eine Bergsteigergruppe auf dem Kilimandscharo. »Als wir uns wieder an das letzte mühsame Wegstück von einem knappen halben Kilometer machten, das eine halbe Stunde beanspruchte, folgten sie auf dem Rande des Gletschers gleichlaufend zu unserem eigenen Weg und zeigten deutlich wahrnehmbares Interesse an uns. Wir fanden weitere Spuren von ihnen, die unsere eigenen kreuzten. Sie hatten offensichtlich auch den Krater selbst besucht. Das war zu einer Zeit, als der Krater und die Hänge des Kibo, also des Gipfels des Kilimandscharo, viel mehr Schnee als sonst trugen. Einen Platz, der weniger geeignet für Wildhunde wäre als dieser, kann man sich kaum vorstellen. Als wir die Spitze von über 6300 m erreichten und nach dem Buch für die Eintragung gruben, das hart im Eis eingefroren war, saßen sie auf dem Eis des Gletschers in gleicher Höhe wie wir, nur ein paar hundert Meter entfernt, und beobachteten jede Bewegung von uns mit äußerster Neugierde. Erst als wir wieder herunterzusteigen begannen, entschwanden sie unserem Blick hinter dem Rande des Gletschers, und wir bekamen sie nicht mehr zu sehen.« George Webb konnte die Hunde jedoch im Schnee genau auf der Spitze des Kilimandscharo fotografieren. (TIER 1962, Heft 12, S. 13.)

*Wildhunde auf der Schneespitze des Kilimandscharo*

Zebras und ausgewachsene Gnus zeigen wenig Furcht vor den Wildhunden, sie gehen sogar drohend auf sie zu. Wenn ein Rudel sogar Flußpferde oder sogar Elefanten belästigt, handelt es sich wohl mehr um Spielerei. Bei Katwe an der Küste des Eduard-Sees hatte sich eine Meute Hunde lautlos um ein Flußpferd versammelt, das sich mühte, ins Wasser zu kommen. Einige der Hunde sprangen dem großen Tier tatsächlich gegen die Brust und die Beine. Als sie sich durch den Beobachter gestört fühlten, bildeten sie einen Halbzirkel um zwei Elefanten, die offensichtlich darüber erregt waren, mit erhobenen Rüsseln laut trompeteten und rückwärts gingen.

*Sie ärgern Flußpferde und Elefanten*

Zu Hyänen verhalten sich die gefleckten Wildhunde ganz verschieden. Im Wiener Zoo biß ein Wildhund einer Hyäne im Nachbargehege durch das Gitter hindurch den Fuß glatt durch, so daß er nur noch an einem Fetzen Haut hing und das Tier ge-

*Wildhund biß einer Hyäne den Fuß ab*

354

tötet werden mußte. Eine Tüpfelhyäne, die von acht Wildhunden verfolgt wurde, flüchtete im Mikumi-Nationalpark unter den Geländewagen des Wildwartes, der vor seinem Haus geparkt war. Die Wildhunde umschlossen den Geländewagen. Da sie jedoch Menschen in der Nähe sahen, gingen sie weg. Als vier Wildhunde in der Serengeti eine junge Hyäne gepackt hatten, wurden sie durch elf Hyänen vertrieben, die dem Jungtier zur Hilfe kamen.

Kleine Gruppen von etwa zwei Wildhunden könnten sich im Ngorongoro-Krater, wo etwa 420 Tüpfelhyänen leben, gar nicht behaupten. Sie würden regelmäßig ihre Beute an die Hyänen verlieren. Selbst einem Rudel von 21 Wildhunden wurde die Jagdbeute zum Teil noch durch die Hyänen abgenommen.

*Nur größere Rudel Wildhunde können sich gegen Hyänen durchsetzen*

Wenn die »Vorreiter« eines Hunderudels ein Tier niedergerissen haben, werden sie oft durch herumstehende Hyänen von der Beute vertrieben, können sie aber wieder erobern, sobald der Hauptteil der Hundemeute nachkommt. Die Hyänen warten manchmal stundenlang bei den ruhenden Hunderudeln, bis diese mit der Jagd beginnen. Manchmal laufen Hyänen sogar zwischen den liegenden Hundegruppen umher, schnüffeln und verschlingen Kotballen. Kühme sah, daß so eine ungeduldige Hyäne das Gesicht eines Hundes berührte und dabei »freundlich winselte«. Sobald die Hyänen an der Beute zu lästig werden, können die Hunde sich auf sie stürzen. Eine große Hyäne, die von mehreren Hunden angegriffen wird, setzt sich meistens einfach nieder, schreit und knurrt und schnappt erfolglos über ihre Schulter. In seltenen Fällen legt sie sich einfach hin und gibt auf. Merkwürdig genug flüchten sie niemals in ihre Höhlen; selbst halberwachsene Jungtiere stürzten lieber in dichtes Gebüsch am Bach, wohin ihnen die Hunde nicht folgen. Es ist eigentlich niemals beobachtet worden, daß die Hunde eine Hyäne getötet oder sie auch nur ernstlich verletzt hätten. Umgekehrt treiben die Hyänen häufig die letzten Hunde von der Beute weg, solange nicht das übrige Rudel in der Nähe bleibt. Es ist daher eine Überlebensfrage für afrikanische Wildhunde, sich zu möglichst großen Rudeln zu vereinigen und zusammenzuhalten.

*Hyänen verteidigen sich nicht*

Ihr Lebensraum ist in den letzten Jahrtausenden zurückgegangen. Man findet sie noch auf Prunkpaletten der ägyptischen Frühzeit (3000 v. Chr.) deutlich abgebildet. Damals lebten sie also noch in Nordägypten, während heute ihr nördlichstes Vorkommen der Sudan ist. Mit ihnen zusammen sind in jener Zeit aus Nord- und Mittelägypten die Elefanten, die Büffel, die Giraffen und die Nashörner verschwunden.

*Die Nashornkuh, die ein Kind zu verteidigen hat, geht ernsthaft das nachgemachte Nashorn an, spießt es auf und wirft es hoch in die Luft. Dann läuft sie mit ihrem Sprößling im Trab davon. Bald ist von dem nachgemachten Nashorn nur eine dünne Plastikhaut übrig.*

*Seite 358/359:*
*Erst ist es etwas ungemütlich, allein auf weiter Flur einem angriffslustigen Nashornbullen gegenüberzustehen, nur mit einer Luftblase zwischen ihm und dem eigenen Bauch. Bald stellte sich jedoch heraus, daß es dem Nashornbullen offensichtlich doch nicht ganz so geheuer war, ebenso wie mir.*

# NASHORN WARF NASHORN IN DIE LUFT

*Wer den Löwen nicht kennt, fängt ihn beim Schwanz.*

*Afrikanisches Sprichwort*

Ja, dahinten sitzen Löwen. Wieviel es sind, kann ich nicht genau ausmachen; nur ihre runden dunklen Ohren sehen aus dem Gras hervor. Ich hole meinen eigenen aufgeblasenen Löwen vom Dach meines VW-Busses herunter und stelle ihn brav auf alle vier Beine in das Gras. Reichlich komisch sieht er aus, ein bißchen wie ein großes Kinderspielzeug.

Dann fahre ich zwanzig Meter weiter, schalte den Motor aus und warte. Die Sonne scheint über der weiten grünen Fläche des Ngorongoro-Kraters, in hundertfünfzig Metern Abstand stehen ein paar Dutzend Gnus und Zebras und sehen interessiert auf die Löwen und auf mich. Drei Kronenkraniche gleiten ruhig aus der Luft herab, landen zwischen mir und dem versteckten Löwen. Wie schlanke leuchtende Blumen sehen ihre gelben Federhauben aus. Ruhig, hier und da pickend, gehen sie durch das Gras. Die Morgensonne fängt gerade an zu wärmen, in einem Dutzend Kilometer um uns ist keine Menschenseele.

Jetzt heißt es Zeit und Geduld haben. Wie immer, wenn man bei Tieren etwas erreichen will.

Die Löwen kümmern sich gar nicht um meinen Wagen. So

*Dieses Porträtfoto eines afrikanischen Wüstenluchses habe ich nicht im Zoo aufgenommen, sondern in freier Wildbahn im Ngorongoro-Krater, Tansania. Es handelt sich aber um einen Wüstenluchs, der wie ein Hund bei Alan Root und uns im Zelt lebt, gern auf den Schoß kommt, Auto fährt und Entdeckungs-Ausflüge in die Nachbarschaft macht. Dabei muß man aufpassen, daß ihm nichts geschieht.*

ein Auto ist überhaupt der beste Schutz gegen wilde Tiere. Vor vierzehn Tagen erst ist ein Bekannter von mir, der zu Fuß durch sein Revier ging, von einer Elefantenkuh durchbohrt und getötet worden. Aber ich habe noch nie gehört, daß jemand im Auto zu Tode gekommen ist, selbst wenn es ausnahmsweise einmal von einem Nashorn oder einem Elefanten angenommen, durchlöchert und verbogen worden ist. Bei anderen Bekannten, die ihr Lager fast an derselben Stelle aufgeschlagen hatten, wo jetzt mein Zelt steht, sah nachts ein Löwe zum Eingang ihres Zeltes herein, und die anderen Löwen klapperten mit ihren Kochtöpfen. Die beiden zündeten ihr eigenes Zelt an, um die Raubkatzen zu vertreiben, und sprangen dann mit zwei Sätzen in ihr Auto. Dort fühlten sie sich gleich sicher. Die Löwen werden hier immer zudringlicher und verspielter. Aber ich glaube nicht, daß sie so leicht ernstlich einen Menschen annehmen würden.

*Sie mußten ihr eigenes Zelt anzünden*

Wir Tierforscher haben es nicht ganz leicht herauszufinden, was in Tierköpfen geschieht. Es geht uns ähnlich wie den Menschenpsychologen, die wissen möchten, was ein ungeborenes Kind im Mutterleib oder ein kleiner Mensch denkt, der noch nicht reden kann. Wir können uns später nicht daran erinnern, was wir bis zum Alter von drei Jahren empfunden haben. Deswegen müssen die Kinderpsychologen Umwege gehen, genau wie wir. Der Psychologe R. A. Spitz beugte zum Beispiel eine menschengroße Puppe mit einer Gesichtsmaske über ein Baby. Jeder Erwachsene hätte das grobe Ding, das nur eben Augen, Nase und Mund aufwies, als scheußliche Gespensterfratze angesehen — aber das Baby lächelte ihm zu. Auch ganz junge, noch unerfahrene Entenkinder oder Fischlein laufen recht groben Nachbildungen ihrer Eltern zu, die sie noch nie kennengelernt hatten.

*Malende Menschenaffen*

Der Mensch ist das einzige Lebewesen, das richtige Bilder malt — Menschenaffen malen wohl mit Pinsel und Farbe, aber sie stellen keine Abbilder von sich selbst oder anderen Dingen dar. Deswegen glauben wir oft, der Mensch sei auch das einzige Geschöpf, das sich selbst und andere Dinge auf Bildern erkennen könnte. Ja, selbst so ursprüngliche Menschen wie manche

Indianerstämme in Südamerika oder die Pygmäen im Kongo waren anfangs auch nicht imstande, sich selbst oder andere Dinge auf Fotografien wiederzuerkennen.

Dann aber wieder erlebt man selbst verblüffende Dinge mit Tieren, oder sie werden einem in Briefen berichtet. Herr E. Heller stellt das neue Ölbild seines Freundes auf die Kommode, sein Hund sieht hin, fährt wie von einer Tarantel gestochen vom Sitz hoch, kriecht unter den Stuhl und verbellt von dort aus das Porträt mit gesträubten Haaren und gefletschten Zähnen. Der »Assi« von Frau Dr. Brigitte Scheven in Göttingen sieht von unten gegen eine Hundezeitschrift, die sie gerade liest, zerkratzt das Bild eines Boxers und schnuppert dann bei jedem Bild an Kopf und Hinterteil. Wenn auf dem Fernsehschirm ein *Hunde und* Hund in ein Loch fällt und wimmert, winselt der Hund in der *Fernsehen* Stube und geht suchend hinter den Fernsehapparat. Wellensittiche hielten sich immer in der Nähe von zwei gestickten Papageien auf einem Vorhang auf, sie versuchten an den Umrissen zu knabbern. Ein Schwarzdrossel-Männchen kämpfte gegen sein *Er hieb* Spiegelbild auf Autoradkappen, er hieb in der Minute vierzig- *400 000mal* bis fünfzigmal darauf, am Tage 16 000mal, und das 24 Tage *gegen sein* lang. Eibl-Eibesfeldt foppte Fische mit ihrem eigenen Spiegel- *Spiegelbild* bild zwischen den Korallen des Meeres. In Datschitz flog ein Storch vom Himmel herab und bekämpfte wütend einen Blechstorch, der im Gärtchen vor dem Hause stand. Er focht so wütend mit ihm, daß er sich am Blechschnabel verletzte und zum Schluß ermattet liegenblieb.

Das sind seltene Fälle. Für gewöhnlich kümmern sich Tiere um Bilder, Figuren und Spiegelbilder nicht. Aber tun wir das anders? Wie oft sehen wir in der Woche noch nach einem Bild *Zu sehr* hin, das in unserem Zimmer an der Wand hängt? Haustiere, die *gewöhnt* mit uns zwischen Bildern, Zeitungen, Fernsehgeräten leben, *an Bilder* sind nicht die rechten Versuchspartner, die wir nach ihren Empfindungen befragen könnten ...

Doch da kommen die Löwen! Ein großer Löwenmann steht aus dem Gras auf, er geht ruhig geradewegs auf meinen nachgemachten Löwen zu, ein zweiter folgt ein paar Schritte dahinter. Sie haben prächtige Mähnen und sehen sehr würdevoll aus.

Im Gehen sehen sie starr auf den fremden »Löwen«, sie wenden nicht einmal den Blick ab. Jetzt sind auch die Köpfe der übrigen Löwen zu sehen. Sie sind neugierig und haben die Köpfe etwas höher angehoben. Es sind zwei Löwinnen und sieben Jungtiere, davon drei ganz klein. Die Zebras im Umkreis, die inzwischen schon wieder zu grasen begonnen hatten, heben die Köpfe und sehen alle zu, wie Zuschauer in einem Theater.

Etwa dreißig Meter vor meinem Löwenballon halten die beiden Löwen-Herren an und sehen dem Kunstlöwen starr in die gemalten Augen. Sie stehen, blicken scharf hin und rühren sich nicht. Ein freier Löwe mit seinem mähnenumwallten Antlitz wirkt eindrucksvoll, wie Zeus. Die beiden hören nicht auf, das fremde Ding zu fixieren. Mir scheint es eine Ewigkeit, aber nach der Uhr sind es nur viereinhalb Minuten, dann läßt sich erst der eine nieder, dann der andere. Sie wenden auch jetzt ihre Blicke nicht von dem Fremdling ab. Damit füllt nun einmal ein Löwe den größten Teil seines Daseins aus: liegen, beobachten. Wahrscheinlich wollen sie abwarten, daß das fremde Ding etwas tut, und was es tut. Aber der Ballon-Löwe rührt sich nicht.

Nach wieder sechs Minuten stehen die gelben Würdenträger auf und gehen, sehr gesetzt, weiter auf den Kunstlöwen zu. Dann lassen sie sich erneut nieder, die ganze Zeit sind ihre klaren scharfen Augen auf ihn gerichtet. So habe ich schon früher Mähnenlöwen aus verschiedenen Rudeln sich begegnen sehen. Man mißt den anderen mit Blicken, man sieht ihn furchtlos an, man nähert sich ihm langsam. Es ist ein Drohen, ein Einschüchtern mit Blicken. Hält einer der Kämpen diese Nervenprobe nicht aus, so dreht er ab und geht davon.

Doch mein künstlicher Löwe tut das ja nicht. Er bleibt stehen und erwidert den Blick. Sehen die beiden Löwen-Männer in ihm wirklich einen Nebenbuhler, einen anderen Löwen, oder nur irgendein seltsames, fremdes Ding? Die Frankoline, die Rebhühner balzen keine dreißig Meter weit ab. Sie kümmern sich um die Löwen, ob künstlich oder richtig, gar nicht. Löwen gehen sie nichts an, Rebhühner sind keine Löwenbeute.

Jetzt stehen die zwei auf, gehen um den Fremdling herum, nähern sich vorsichtig von hinten, riechen an seinem Schwanz, an seiner Seite, aber sie berühren ihn nicht. Weiber und Kinder sind noch immer in weitem Abstand. Da kommt ein scharfer Windstoß, der leichte Plastiklöwe fällt um. Die beiden Löwen gehen zwanzig Meter weg und lassen sich wieder nieder, die Blicke weiter auf den nachgemachten Löwen gerichtet. Ich fahre mit dem Wagen heran, stelle mich so, daß die beobachtenden Löwenmänner mich nicht aussteigen sehen können, richte meinen Lockvogel wieder auf und lege ein paar Schraubenschlüssel auf die Plastiklappen an seinen Füßen, damit der Wind ihn nicht wieder hochheben kann. Im selben Augenblick aber sind die beiden Löwinnen und ein paar von ihren Kindern aufgestanden, sie laufen im Trab auf mich zu. Schnell in den Wagen, die Tür zu und ein Stück weggefahren, um die Sache beobachten zu können.

Die Löwinnen waren nicht an mir interessiert, sondern an dem Kunstlöwen. Eine rennt in Sprüngen darauf zu. Im selben Augenblick aber fahren die beiden Löwen-Männer auf, springen ihr entgegen und jagen sie wütend von dem nachgemachten Löwen weg. Sie sind so erbost, daß sie die Sünderin wohl 150 m weit vertreiben. Also haben sie in dem Fremdling wohl doch einen Nebenbuhler gesehen.

*Die Löwenmänner sind eifersüchtig*

Inzwischen ist aber die andere Löwenfrau mit der Kinderschar herangekommen. Jetzt wird der Fremdling untersucht. Man beriecht ihn wieder, eine Löwin nimmt vorsichtig den Schwanz in den Mund und zieht daran. Der weiche Löwenmann fällt um. Die Löwen fassen behutsam mit den Pranken darauf, einer packt das Ohr mit den Zähnen und zieht ihn daran ein Stück durch das Gras. Die beiden Löwen-Männer bleiben abseits. Schließlich zerrt eine Löwendame den Kunstlöwen mit der Pranke umher, aber diesmal mit herausgestreckten Krallen. Wie ich nachher feststelle, gibt das vier kleine Löcher, und die Luft, die herausströmt, riecht nicht gerade gut, denn wir haben das Tier mit den Abgasen des Autos aufgeblasen. Nach zwölf Minuten zieht das ganze Löwenrudel ab, ohne den künstlichen Löwen weiter zerrissen zu haben. Er schrumpelt langsam ein, weil die Luft entweicht.

*Kein guter Geruch für Löwennasen*

Am Nachmittag jage ich ein paar Hyänen von den Resten

eines Zebras weg, das sie umgebracht haben. Dann packe ich einen Teil der Zebramahlzeit in meinen Wagen und fahre herum, auf der Suche nach Löwen. Tatsächlich entdecke ich ein einzelnes Löwenweibchen. Ich lege die Zebrakeule so hin, daß der Wind ihr den Duft in die Nase treiben muß, stelle aber meinen künstlichen Löwen-Mann genau davor. Oh, wie begehrlich und vorsichtig die Löwin näher und näher kommt, aber sich doch nicht traut, dem fremden Löwen-Mann die Beute streitig zu machen oder mitzuessen. Schließlich robbt sie sich auf dem Bauch heran, wartet, geht näher, wartet wieder, faßt sehr behutsam das Ende des Fleisches mit den Zähnen und zieht es seitwärts weg. Zwei andere Löwen aus der Nachbarschaft, die ich gar nicht bemerkt hatte, kommen dazugelaufen und beteiligen sich an der Mahlzeit.

*Sicher roch er nicht nach Löwe*

Die Löwen haben also meinen künstlichen Löwen grundsätzlich so behandelt, als ob er ein richtiger wäre. Nun mag er zwar solch einer Riesenkatze ähnlich gesehen haben, ganz bestimmt hatte er aber nicht das mindeste von Löwengeruch an sich. Löwen sind zwar Augentiere, aber immerhin riechen sie sicher weit besser als ein Mensch oder ein Menschenaffe. Wie werden sich Wildtiere verhalten, die schlecht sehen, aber sehr gut wittern?

Diese Frage habe ich schon einmal vor 25 Jahren Hauspferden gestellt. Damals habe ich, so ganz nebenbei, auch nach 2300 Jahren das künstlerische Urteil von Alexander dem Großen stützen können. Er hatte sich in Ephesus zu Pferde von dem berühmten Maler Apelles malen lassen, war aber dann mit der Darstellung seines Lieblingspferdes »Bucephalos« nicht zufrieden. Um dem Künstler einige Fehler vorzuhalten, ließ er das Pferd vor das Bild führen. Sobald »Bucephalos« sein Abbild erblickte, wieherte er, worauf Apelles lächelnd sagte: »Dein Pferd, o König, scheint mehr von der Malerei zu verstehen als Du!«

*Nach 2000 Jahren beweise ich: Alexander der Große hatte recht!*

Ich konnte nun mit Vergnügen feststellen, daß Alexander recht hatte und nicht der Maler Apelles. Natürlich vermochte ich auch hier nicht, wie ein Menschenpsychologe, meine vierbeinigen Versuchspersonen einfach zu fragen, was sie von einem Bild halten. Ich mußte versuchen, es aus ihrem Verhalten rück-

366

zuschließen. Dazu stellte ich erst einmal fest, wie sich Pferde zu anderen, lebenden Pferden verhalten, die sie noch nicht kennen. Als Offizier bei einer Veterinäreinheit des Feldheeres während des letzten Krieges hatte ich gute Gelegenheit dazu. Deswegen habe ich erst einmal 36 Pferde, die sich untereinander nicht kannten, jeweils paarweise zusammengebracht. Es stellte sich heraus, daß zwei fremde Pferde mit hochgenommenem Kopf und vorgerichteten Ohren aufeinander zugehen und sich meist zuerst an den Nüstern, dann am Schwanz und bestimmten anderen Körpergegenden beriechen. Außerdem halten sie sich anschließend in der fremden Umgebung immer zusammen. *Wenn sich zwei fremde Pferde treffen*

Nachdem ich das wußte, brachte ich über hundert Pferde erst mit einem lebensgroßen ausgestopften Pferd zusammen, dann mit verschiedenen lebensgroßen Bildern. Das ausgestopfte Pferd wurde ganz ähnlich begrüßt und behandelt wie ein lebendes; die Pferde stellten sich außerdem immer neben diese Attrappe. Jagte ich ein Versuchspferd mit der Peitsche von der Futterkrippe weg, so ließ es gern seine Wut an dem wehrlosen ausgestopften Pferd aus, galoppierte hin, biß es, schlug es und warf es auch um. Ähnlich lassen ja auch viele Menschen, die von Höherstehenden ausgeschimpft werden, ihren Ingrimm an den eigenen Untergebenen oder zu Hause an der Familie aus. Im Volksmund bezeichnet man das als »Radfahrer-Verhalten« (nach oben hin einen Buckel machen, nach unten treten). Selbst das primitive lebensgroße Pferdebild auf Packpapier wurde an Nase und Schwanz »berochen«, die Pferde waren kaum von ihm zu trennen, und Hengste versuchten es zu begatten. Sogar völlig schematisierte Bilder, die gerade säulenförmige Beine und eckige Umrißlinien hatten, wurden noch einigermaßen wie ein Artgenosse behandelt. Der Maler Apelles wäre beschämt gewesen, hätte er gesehen, welch primitive Bilder, die eines modernen Künstlers würdig wären, von den Pferden noch als »Pferd« behandelt und voll anerkannt werden. Ich habe das alles näher in meinem Buch »Wir Tiere sind ja gar nicht so« (Franckh-Verlag, Stuttgart) beschrieben. *»Radfahrer-Verhalten«* *Apelles wäre beschämt gewesen*

Diese Ergebnisse waren erstaunlich, weil Pferde ja große Nasen mit riesigen Flächen von Riechschleimhaut darin haben, also sehr viel mehr und besser riechen als wir. Sie sind uns dagegen in der Sehschärfe erheblich unterlegen, wie ich auch in Versuchen nachweisen konnte.

Was aber werden Elefanten, die vermutlich noch bessere Riecher und schlechtere Seher sind, zu einem aufgeblasenen künstlichen Elefanten sagen? Seit ein paar Wochen war ich glücklicher Besitzer solch eines Untieres. Ich hatte seit fast zwei Jahren in Deutschland herumgeschrieben und -telefoniert, ohne einen der vielbeschäftigten und gutverdienenden Hersteller dazu bewegen zu können, mir solche aufblasbaren Giraffen, Löwen, Elefanten oder Nashörner aus Plastik zurechtzuschneidern. Dann hatte sich endlich die Nürnberger Gummi- und Plastikwaren-Fabrik meiner erbarmt. Augenblicklich lag das Riesentier klein gefaltet, wie der Geist in der Flasche des Hauffschen Märchens, in einem Karton hinter meinem Sitz. Ich fuhr zu Ian Douglas Hamilton.

*Ein Elefant im Karton*

Er ist ein junger britischer Biologe, der seit zwei Jahren Elefanten-Forschungen in den abgelegenen Teilen des Manyara-Nationalparks in Tansania betreibt. Ein Buch von mir habe ihn bewogen, Naturforscher zu werden, erzählte er mir einmal. Diese Worte rührten mich: So alt bist du schon geworden; und: Hier und da predigt man doch nicht umsonst.

Ian zieht Unfälle an. Vor zwei Jahren trampelte ein Nashorn auf ihm herum, ausgerechnet während seine Mutter zusah. Das Nashorn rannte davon, aber er konnte nicht mehr laufen und mußte, auf die Mutter und einen Wildhüter gestützt, zu seinem Häuschen geschleppt und dann nach Arusha gefahren werden. Ein Wirbel war gebrochen. Beim Baden unter einem Wasserfall hinter seinem einsamen Haus holte er sich voriges Jahr eine Bilharziose und mußte vier Monate zur Kur nach England, um sie wieder loszuwerden. Und schließlich nahm ihn unlängst eine Elefantenkuh an, durchbohrte ein paarmal seinen nagelneuen Landrover, knitterte ihn zusammen und schob ihn zehn Meter rückwärts ins Gebüsch.

*Ein Nashorn trampelte auf Ian herum — seine Mutter mußte zusehen*

*Elefant auf den Schultern*

Trotzdem hat Ian Hamilton keine Angst vor Elefanten bekommen. Er stülpt sich das aufgeblasene Riesentier einfach über die Schultern, das heißt, er geht zwischen den Vorderbeinen und trägt das federleichte Gebilde über sich. So bewegt sich dieser ungewöhnlich helle Elefant, ein wenig zögernd, in den Busch hinein, wo hier und da, stückweise sichtbar, eine Gruppe von Elefanten steht. Die interessieren sich sichtlich für den Neuling, sie sperren die Ohren ab, sie prusten, sie kommen immer näher, stellen die Schwänze auf. Dann aber macht einer nach dem anderen kehrt und verschwindet lautlos im Grünen. Ich bin dabei, das aufzunehmen, möglichst so, daß man den richtigen und den falschen Elefanten auf ein Bild bekommt. Dabei kommt plötzlich ein Bulle hinter mir aus dem Busch vor, wo ich gar keine Elefanten vermutet hatte. Bei solchen Gelegenheiten merkt man, wie rasch man laufen kann.

*Da kann man plötzlich sehr schnell laufen*

Fünfmal nähern wir uns Elefanten-Gruppen. Immer geschieht dasselbe: Die Tiere sind interessiert, kommen näher, drohen den fremden Elefanten sogar an, trauen der Sache dann aber nicht und laufen davon. Vielleicht liegt es daran, daß unser Luftelefant viel heller ist als seine Brüder aus Fleisch und Blut? Wir suchen ein Schlammloch, in dem sich Kaffernbüffel und Nashörner zu suhlen pflegen. Es ist zäher, klebriger kohlschwarzer Schlamm, und er riecht nicht gerade gut. Wir salben unseren Riesen von der Rüssel- bis zur Schwanzspitze damit ein; er sieht sofort viel echter und zünftiger aus. Aber ich rutsche mit dem rechten Fuß bis an die Waden in den Schlamm. Ich hätte gleich den linken auch hineinstecken sollen, denn mein rechter Schuh ist viel dunkelbrauner geblieben als der linke.

Abends fahren wir noch kurz vor Einbruch der Dämmerung nach einem entlegenen Teil der Manyara-Landschaft, der selten besucht wird und wohin des öfteren Elefantengruppen von außerhalb des Parkes kommen. Sie sind längst nicht so vertraut wie die Stamminsassen. Ian Hamilton benutzt seinen nagelneuen kleinen Geländewagen, den Ersatz für den, welchen die Elefanten-Kuh zuschanden gemacht hatte. Dieser Wagen hat nur eine geschlossene Führerkabine, die hintere Ladefläche ist offen. Dort drauf sitzt Stephan, elf Jahre, Sohn meines Sohnes Michael — er ist zum erstenmal im Leben mit in Afrika. (Ich konnte nicht mehr warten, im nächsten Jahr hätte er den vollen Flugpreis zahlen müssen.) Neben ihm hockt Alan Root.

*Elfjähriger Stephan sieht ersten wilden Elefanten*

Es dämmert schon, wie wir auf einer weit offenen Fläche eine Gruppe von 26 Elefanten sehen. Ich bin etwas verwundert, weil Ian Hamilton alsbald den Wagen vorsichtig umdreht, was auf dem schmalen Fahrweg zwischen Gebüsch und Felsbrocken auf beiden Seiten gar nicht so einfach ist. Sobald uns die Herde bemerkt, setzt sie sich in Bewegung, von uns weg. Nur drei Tiere kommen auf uns zu. Das tun Elefanten oft, sie wollen nur erkunden, was sie vor sich haben. Aber hier sperren sie die Ohren ab, sie heben die Rüssel hoch, um uns besser zu riechen, und plötzlich setzt sich eine Kuh in scharfem Trab auf uns zu. Ian startet den Motor, es ist immer gut, vorsichtig zu sein. Für gewöhnlich halten solche Elefanten dann doch in zehn oder zwanzig Meter Abstand an, bleiben eine Weile stehen und ziehen sich dann zurück.

*Dieser Elefant meint es ernst*

Nicht so diese Kuh. Sie meint es ernst. Sie rennt auf uns los, unser Wagen setzt sich in Bewegung, sie ist nicht damit zufrieden, uns vertrieben zu haben, sie will uns wirklich erwischen. Ian fährt gerade so schnell, daß sie etwas näher kommt, dann aber im gleichen Abstand bleibt. Der Tachometer zeigt 25 km/st Geschwindigkeit. So ein angreifender Elefant sieht recht ungemütlich aus, und Stephan sitzt gute zehn Meter davor auf der offenen Plattform des Autos. Er klopft an die Rückscheibe der Fahrerkabine und meint, er möchte lieber nach vorn kommen. Ich kann ihm das durchaus nachfühlen, aber natürlich können wir jetzt nicht anhalten. Die wütende Kuh verfolgt uns gute hundert Meter, dann bleibt sie zurück, und wir geben Gas. Stephan ist sehr beeindruckt von diesem Abenteuer.

In den nächsten Tagen suchen wir immer wieder kleine Elefanten-Gruppen und einzelne Elefanten auf, unser schmutzüberkrusteter Luftelefant auf Hamiltons Schultern. Zwei Bullen sind ernstlich interessiert an ihm. Sie wollen es offensichtlich mit ihm sogar anlegen, sie kommen immer näher, in keineswegs freundlicher Haltung. Aber im letzten Augenblick schwindet ihnen immer wieder der Mut, zum Schluß rennen sie in vollem Lauf davon, aufplatschend durch einen Fluß, der hier in den Manyara-See mündet. — Wir können keinen einzigen Elefanten dazu bewegen, unseren nachgemachten auch nur mit

*Die Elefanten trauen nicht ganz*

dem Rüssel zu betasten. In der Trockenzeit wollen wir eine andere Versuchsanordnung wählen. Jetzt geht das nicht, weil die Tiere überall Wasser finden.

Wir Männer haben nun einmal einen gewissen Ehrgeiz. Daß Ian Douglas-Hamilton sich, mit dem Elefanten-Luftgebilde auf dem Rücken, so mutig an die wilden Elefanten herantraut, beeindruckt uns im stillen. Wir selbst sind ja damit beschäftigt, die Vorgänge zu filmen, zu fotografieren und zu protokollieren. Nun aber, bei den Nashörnern, möchte ich gern die Rolle tauschen. Schließlich muß man sich von Zeit zu Zeit selber beweisen, daß man kein Angsthase ist. Die Nashörner im Manyara-Gebiet sind zu scheu, es ist auch hier zuviel Wald, das Gebüsch ist zu hoch. So fahre ich zurück über das Gebirge in den Ngorongoro-Krater und zelte dort am Munge-Flüßchen. Im Ngorongoro trifft man nämlich immer Nashörner auf buschlosen, völlig ebenen weiten grünen Flächen. Ngorongoro ist der sechstgrößte Krater der Erde, mit zweihundertfünfzig Quadratkilometern Bodenfläche darin, auf denen über zwanzigtausend Großtiere leben.

*Jetzt mit Nashörnern*

Wir haben viele Decken mit, denn nachts wird es hier in siebzehnhundert Metern Höhe recht kalt. Unser zahmer Karakal, ein sandgelber Wüstenluchs mit hübschen Büscheln an den Ohrspitzen, traut sich nicht weit weg vom Zelt. Aber nachts fällt er in den reißenden Munge-Fluß, und Alan springt ihm nach, um ihn wieder rauszuholen. Beide klappern mit den Zähnen. Wimpy, eine zahme Kusimanse oder Schleichkatze, hat einen fanatischen Forschungsdrang. Sie fährt einem zum Kragen hinein unter das Hemd, bohrt sich die Hosenbeine aufwärts, kratzt hinter den Ohren, versucht die Ohrlöcher zu reinigen. Wo Wimpy lebt, bleibt in einem Haus kein bißchen Schmutz unbemerkt. Sie kratzt ihn sogar unter dem Teppich hervor. Gar zuviel Reinlichkeitsdrang aber wird lästig, so wird sie von Zeit zu Zeit in ihren Stammkasten gesperrt. Vor allem, wenn sie ausgerechnet zwischen den Federn eines Autos herumkriecht oder den Motor von innen untersucht.

*Schleichkatze Wimpy hat Forschungsdrang*

Am Spätnachmittag, die Nacht und den frühen Morgen sind wir allein mit den wilden Tieren im Krater, nur ein paar Massai leben am anderen Ende. Ich fahre umher und entdecke ein Nashorn, das auf einer kahlen Fläche ruht. Es schläft, und Nashörner haben einen gesunden tiefen Schlaf. Seit Jahrmillionen brauchten sie keinen Feind zu fürchten, und dem Spätankömmling auf Erden, dem Menschen, haben sie sich in ihrem Benehmen noch nicht angepaßt, schon gar nicht seiner Teufelserfindung, der Feuerwaffe. Nashörner können recht ungnädig werden, wenn man sie plötzlich weckt.

Wenn man nicht im Wagen sitzt, sondern auf zwei Beinen herumläuft, benimmt man sich zu einem Nashorn viel höflicher. Deswegen rufe ich es schon aus großem Abstand an, und als das nicht hilft, werfe ich Steine in seine Nähe. Bald bewegt es die Ohren, hebt den Kopf, steht gemächlich auf. Ich gehe langsam darauf zu und trage das aufgeblasene Nashorn vor mir her. Es ist sehr leicht, schließlich besteht es ja nur aus Luft und einer dünnen Plastikhaut. Der Wagen steht 60 oder 70 m entfernt, dort sitzen die anderen mit Teleobjektiven und Feldstechern. Langsam gehe ich auf den einsamen Nashornbullen zu. Ich halte mich geduckt hinter dem Rückende meines eigenen Kunstnashorns, damit das richtige mich nicht entdeckt.

Nashörner sehen recht schlecht, das weiß ich. Wenn etwa ein Bulle einem Weibchen folgt und beide für uns frei auf offener Ebene zu sehen sind, dann geht der Nashorn-Mann nicht gerade auf die Nashorn-Frau zu, sondern folgt auf Umwegen schnüffelnd ihren Spuren. Offensichtlich deswegen greifen auch Nashörner leicht an, sie können nicht sehen, was sie vor sich haben, stürmen darauf zu, halten aber meistens kurz vor dem Gegner an oder rennen dicht an ihm vorbei, wie wir schon besprochen haben. Aber natürlich weiß man nie so ganz sicher, was ein Nashorn wirklich tun wird. Noch vor ein paar Wochen wurde ein 5-t-Lastwagen hier bei uns im Serengeti-Nationalpark von einem Nashorn angegriffen, als er von dem Wogakuria-Wildhüterposten zurückkam. Der Vorderreifen wurde glatt durchbohrt, der Kotflügel verbogen.

Mein Nashorn-Bulle hier kommt langsam näher und wird immer erregter. Das Schwänzlein geht hoch, er schnaubt, hebt den Kopf hoch, senkt ihn wieder, läuft ein paar Schritte auf mich, das heißt auf mein Luftnashorn zu, weicht wieder zurück, er beginnt richtig zu tänzeln. Genau wie es zwei Nashorn-Bullen tun, die sich neu treffen. Einer will den anderen einschüchtern, jeder hofft, der andere würde abdrehen und davonlaufen. Doch den Gefallen tun wir unserem Gegner nicht. Er wird immer mutiger. Kommt er hingegen gar zu nahe an mein luftiges Rhinozeros heran, dann brauche ich es meinerseits nur etwas anzuheben und zu bewegen, schon sinkt dem Gegner der Mut, er zieht sich wieder zurück.

Ich vergesse ganz, daß mich nur Luft und ein bißchen Plastikhaut von einem angriffslustigen Nashorn trennen, mit dem ich hier allein auf weiter Flur bin. Ich richte mich auf, weil es zu unbequem ist, dauernd so gebückt zu stehen, ich setze den Hut auf, damit mir nicht die Sonne die Nase verbrennt. Wie ein Torero in der Arena komme ich mir vor. Das Spiel scheint mir und dem Nashorn-Bullen Spaß zu machen, wir tänzeln umeinander herum. Daß der Gegner gar nicht nach Nashorn riecht, obwohl Nashörner doch sonst einen ganz kräftigen Duft haben, nimmt er nicht zur Kenntnis. Er ist viel zu aufgeregt und eifersüchtig. Da wir uns aber nicht einschüchtern lassen und nicht zurückweichen, wagt er auch nicht ernstlich anzugreifen. Nur einmal berührt sein Horn den Kopf des Kunstnashorns, ich habe schon Angst, daß er merkt, wie weich der Schwindel ist, doch nichts dergleichen. Haute er wirklich in mein dünnhäutiges Rhino, stünde ich schnell allein da. Aber ich glaube, das würde den Dickhäuter so verblüffen, daß ich Zeit hätte, zum Wagen zu rennen. Ich weiß aus ähnlichen Gelegenheiten: Angst macht Beine! Außerdem würden mir Alan Root und die Gefährten wohl rasch entgegenfahren.

*Ich kämpfe mit einem Nashornbullen*

Aber nichts geschieht. Der Gegner traut sich nicht, und nachdem die Sache allmählich langweilig wird, ziehe ich mich in die Richtung des VW-Busses zurück. Ich muß rückwärts gehen und den Kopf meines Nashorns immer dem anderen zugewandt halten. Würde ich mich umdrehen, so könnte der Gegner das vielleicht als Zeichen der Angst und Niederlage ansehen und mich von hinten stoßen. So aber geht er erst zu der Stelle, wo ich eben gestanden habe, und beschnüffelt sehr interessiert den Bo-

*Der richtige Bulle siegt*

den. Dann folgt er meiner Spur, die ganze Zeit an der Erde rie-
chend. Schließlich bleibt er stehen und läßt einen wahren Wasserfall Harn ab, gerade auf meine Spur. Wir aber fahren ab. In
den nächsten Tagen hatten wir noch mancherlei Nashorn-
Abenteuer. Die sehen Sie in unseren Fotos.

# LITERATUR
Einige wichtige, ausführliche Arbeiten

ALLAN C. BROOKS u. IRVEN O. BUSS: *Past and present state of the elephant in Uganda.* Journal Wildlife Management, vol. 26, no. 1, 38—50, 1962.

IRVIN O. BUSS and NORMAN S. SMITH: *Reproduction and breedring behavior of the African elephant.* Journal of Wildlife Management, vol. 30 (2), 275—388. 1966.

H. B. COTT: *Life of the Nile crocodile.* Black Lechwe, vol. 3, no. 3, p. 4—13, 1962.

JOHN GODDARD: *Food preferences of two black rhino populations.* East African Wildlife Journal. Vol. 6, 1—18. 1968.

C. A. W. GUGGISBERG: *S. O. S. Rhino.* André Deutsch, London 1966.

C. A. W. GUGGISBERG: *Simba, eine Löwenmonographie.* Hallwag Bern, 1960.

HANS HIMMELHEBER: *Die Geister und ihre irdischen Verkörperungen als Grundvorstellung in der Religion der Dan* (Liberia und Elfenbeinküste). Baseler Archiv, Neue Folge, Bd. 12, 1—88. 1964.

A. MARIA HOYT: *Toto and I. A gorilla in the family.* Lippincott, Philadelphia, 1941.

HANS u. UTE KLINGEL: *The rhinoceroses of Ngorongoro Crater.* Oryx, vol. 8, 302—306. 1966.

WOLFDIETRICH KÜHME: *Beobachtungen an afrikanischen Elefanten in Gefangenschaft.* 1. Teil: Zeitschrift für Tierpsychologie Bd. 18, 285—296. 1961. 2. Teil: ebendort, Bd. 20, S. 79—88. 1963.

HUGH F. LAMPREY and MYLES TURNER: *Invasion of the Serengeti National Park by elephant.* East African Wildlife Journal, vol. 5, 151—166. 1967.

JANE VAN LAWICK-GOODALL: *My life among wild chimpanzees.* National Geographic, Washington. 1967. p. 272—308.

R. M. LAWS: *Eye lens weight and age in African elephants.* East African Wildlife Journal, vol. 5, 46—52. 1967.

R. M. LAWS: *Age criteria for the African elephant.* East African Wildlife Journal, vol. 4, 1—55. 1966.

R. M. Laws and J. S. C. Parker: *Recent studies on elephant populations in East Africa.* Symp. zool. Soc. London. No. 21, 319—59. 1968.

M. L. Modha: *The ecology of the Nile crocodile.* East African Wildlife Journal. Vol. 5, 96—105. 1967 und vol. 6, 81—88. 1968.

A. C. Pooley: *The Nile crocodile, Crocodilus niloticus,* The Lammergeyer, vol. 2, 1—55, 1962.

Vernon Reynolds: *Budongo. A Forest and its chimpanzees.* Richard Clay Ltd., Bungay, Suffolk. 1965.

A. T. A. Ritchie: *The black rhinoceros.* East African Wildlife Journal, vol. 1, 54—62. 1963.

E. Franz Sauer u. Eleonore Sauer: *Verhaltensforschung an wilden Straußen in Südwestafrika.* Umschau in Wissenschaft und Technik, Bd. 67, 652—657. 1968.

George B. Schaller: *The mountain gorilla.* University of Chicago Press, 1963.

ders.: *Studies on lions in the Serengeti.* National Geograph. Magazine. April 1959.

Rudolf Schenkel: *Zum Problem des Territoriums und des Markierens bei Säugern — am Beispiel des Schwarzen Nashorns und des Löwen.* Zeitschrift für Tierpsychologie, Bd. 23, 593—676. 1966.

Rudolf Schenkel und Dr. Lotte Schenkel-Hulliger: Ecology and behaviour of the Black Rhinoceros. A field study. Mammalia depicta. Paul Parey, Hamburg, 1969.

Schmidt-Nielsen u. T. R. Haupt: *Thirst of dromedars.* Scientific American, Dec. 1959, 140.

R. V. Short: *Oestrous behaviour, Ovulation and the formation of the corpus luteum in the African elephant.* East African Wildlife Journal, vol. 4, 56—68, 1968.

S. K. Sikes: *The elephant problem in Africa.* African Wildlife, vol. 20, no. 3, 225—237, 1966.

Sylvia K. Sikes: *Habitat stress and arterial disease in elephants.* Oryx, vol. 9, no. 4, page 286—292. 1968.

C. A. Spinage: *The book of the giraffe.* Collins London 1968.

383